# L'essentiel de New York

Pour découvrir
le meilleur
de New York

Édition écrite et actualisée par

Regis St Louis
Cristian Bonetto

# L'essentiel de New York

## Lower Manhattan et Financial District (p. 47)

Monuments emblématiques, front de mer et Wall Street.

**Les incontournables :** statue de la Liberté, Ellis Island

## Soho et Chinatown (p. 73)

Petits restaurants de soupes de raviolis, rues pavées et boutiques de grandes marques se côtoient dans une joyeuse effervescence.

**Les incontournables :** Chinatown

## East Village et Lower East Side (p. 97)

Deux des quartiers les plus tendance, où se retrouvent étudiants, banquiers et une faune plus interlope.

**Les incontournables :** St Marks Place

## Greenwich Village, Chelsea et Meatpacking District (p. 119)

Rues pittoresques à l'ambiance intimiste, vie nocturne branchée, boutiques et galeries d'art à profusion.

**Les incontournables :** la High Line

## Union Square, Flatiron District et Gramercy (p. 143)

Un parc plein d'animation faisant le lien avec les quartiers environnants où les bons restaurants sont légion.

**Les incontournables :** Union Square

Upper West Side et Central Park (p. 211)

Upper East Side (p. 189)

Midtown (p. 157)

Greenwich Village, Chelsea et Meatpacking District (p. 119)

Union Square, Flatiron District et Gramercy (p. 143)

Soho et Chinatown (p. 73)

East Village et Lower East Side (p. 97)

Lower Manhattan et Financial District (p. 47)

## Midtown (p. 157)

Times Square, les salles de spectacle de Broadway, des enfilades de gratte-ciel, et une foule dense et affairée.

**Les incontournables :**
Times Square et Broadway, Museum of Modern Art, Empire State Building

## Upper East Side (p. 189)

Boutiques haut de gamme, demeures sophistiquées et le Museum Mile : le comble du raffinement.

**Les incontournables :**
Metropolitan Museum of Art, Guggenheim Museum

## Upper West Side et Central Park (p. 211)

Berceau du plus grand ensemble consacré aux arts du spectacle, ainsi que du parc qui définit l'identité de la ville.

**Les incontournables :**
Central Park

# Sommaire

## Avant le départ



## Découvrir New York

# En savoir plus



# Carnet pratique

# Quelques mots sur New York

Bruyante, rapide, épuisante et vibrant d'énergie, la ville de New York (8,4 millions d'habitants) est une symphonie en mille et un mouvements. Seul peut-être un poème de Walt Whitman évoquant les multiples visages d'une ville – de l'humble troquet au building grandiose – saurait en rendre la description la plus juste.

**La Grosse Pomme demeure l'un des grands centres économiques et artistiques du monde.** Mode, théâtre, gastronomie, musique, édition, publicité, sans oublier la finance, sont ici autant de secteurs d'activité florissants. Arriver à New York pour la première fois donne l'impression de pénétrer dans un film, de ceux que l'on a inconsciemment en tête depuis longtemps, fort de tous les possibles.

**Presque tous les pays du monde sont à New York.** De l'enclave russe de Brighton Beach, à Brooklyn, à l'Amérique du Sud en miniature du Queens, et des néons de Times Square au plus obscur recoin du Bronx, c'est la ville des extrêmes.

**À New York, toutes les expériences sont à portée de main.** On peut décider de consacrer sa journée à la culture dans un musée d'Uptown avant de dîner dans un restaurant tendance du Village, ou bien – pour qui aime un environnement urbain moins policé – passer l'après-midi à déambuler dans les rues tortueuses et dans les galeries d'art du centre-ville. Seule certitude : la surprise et l'inattendu sont toujours au rendez-vous. C'est ainsi qu'au sortir du musée, sur le quai du métro, un talentueux chanteur de jazz nous épate, ou que l'on se retrouve à débourser malgré soi des sommes folles pour la paire de chaussures parfaite.

**New York se réinvente en permanence.** À l'image des vagues successives d'immigrants qui l'ont peuplée et des artistes qui placent tous leurs espoirs en elle, rêvant d'être un jour en haut de l'affiche et de réussir.

> “Débarquer à New York c'est pénétrer dans un film contenant tous les possibles”

Broadway, près de Times Square

FOR 7 AVE
SOUTH OF
W 45 ST
USE B'WAY
TARGET
ONE WAY
DISCOVER CARD
at&t
W 50 ST
ONE WAY
FOR 7 AVE
SOUTH OF
W 45 ST
USE B'WAY
WORK AREA AHEAD
LAMAR
AERO NYC

New York
5,6 Km
UNION CITY
John F Kennedy Blvd
Lincoln Tunnel
Hudson
Riverside Dr
Riverside Park
West End Ave
West Side Hwy
Twelfth Ave (West Side Hwy)
Dewitt Clinton Park
Tenth Ave
Ninth Ave
Eighth Ave
Seventh Ave
Broadway
Central Park West
W 86th St
W 81st St
W 77th St
W 72nd St
W 66th St
W 60th St
W 57th St
W 42nd St
W 34th St
W 23rd St
W 14th St
UPPER WEST SIDE
HELL'S KITCHEN
THEATER DISTRICT
TIMES SQUARE
CHELSEA
MEATPACKING DISTRICT
FLATIRON DISTRICT
Jacqueline Kennedy Onassis Reservoir
Central Park
The Lake
Central Park South
Fifth Ave
Madison Ave
Park Ave
Park Ave S
Lexington Ave
Irving Pl
Third Ave
Second Ave
First Ave
York Ave
E 86th St
E 79th St
E 72nd St
E 65th St
E 59th St
E 57th St
E 42nd St
E 40th St
E 34th St
E 23rd St
E 14th St
UPPER EAST SIDE
YORKVILLE
STUYVESANT TOWN
Carl Schurz Park
John Jay Park
FDR Dr
East River
Roosevelt Island
Queensboro-59th St Bridge
Queens-Midtown Tunnel
Hallets Cove
Rainey Park
Queensbridge Park
Vernon Blvd
21st St
LONG ISLAND CITY
ASTORIA
Northern Blvd
39th St
Queens Blvd
SUNNYSIDE
Thomson Ave
Greenpoint Ave
Long Island Expwy
Calvary Cemetery
Newtown Creek
McGuinness Blvd
Humboldt St
Manhattan Ave
McCarren Park
East River State Park
EAST WILLIAMSBURG
1
3
4
6
8
9
10
12
14
16
17
18
21
22
23

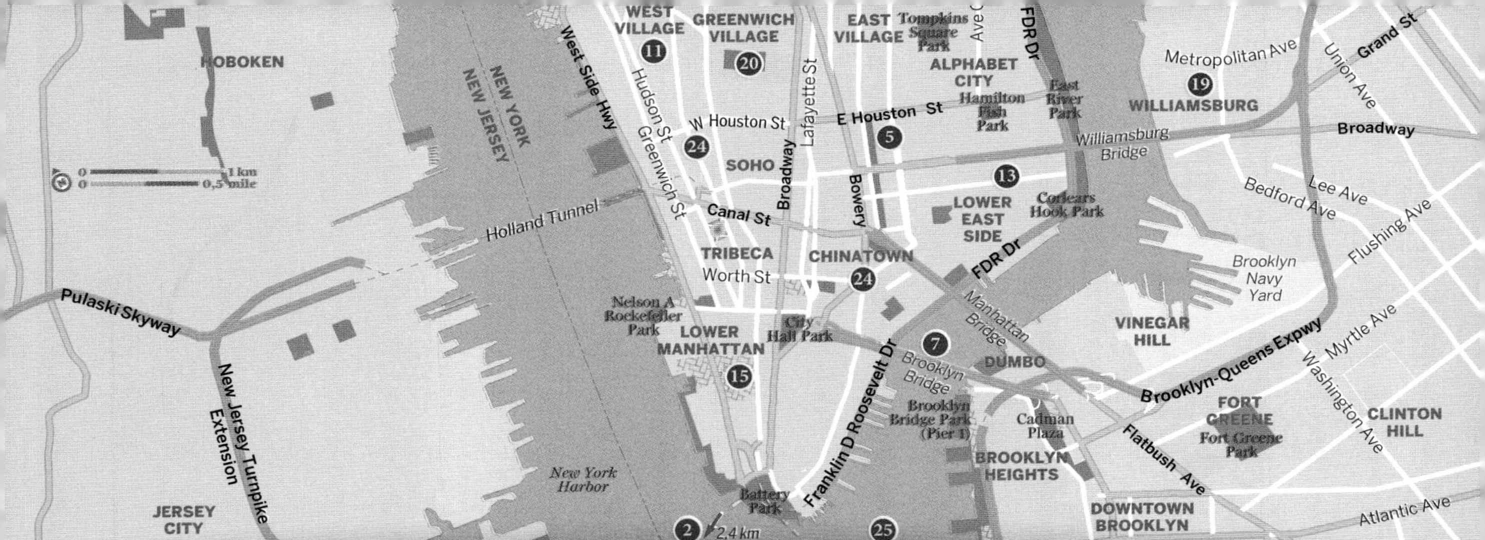


# 25 Expériences incontournables

1 Central Park (p. 216)
2 Statue de la Liberté (p. 52) et Ellis Island (p. 54)
3 Broadway et Times Square (p. 162)
4 Metropolitan Museum of Art (p. 194)
5 Promenade gastronomique dans le Lower East Side (p. 100)
6 Museum of Modern Art (p. 164)
7 Brooklyn Bridge (p. 66)
8 La High Line (p. 124)
9 Lincoln Center (p. 228)
10 Empire State Building (p. 166)
11 Promenade dans Greenwich Village (p. 122)
12 Guggenheim Museum (p. 196)
13 Vie nocturne dans le Lower East Side (p. 113)
14 Culture de Harlem (p. 236)
15 National September 11 Memorial & Museum (p. 56)
16 American Museum of Natural History (p. 227)
17 Les galeries de Chelsea (p. 138)
18 Découvrir Midtown (p. 168)
19 Flânerie à Williamsburg (p. 243)
20 Washington Square Park (p. 131)
21 Grand Central Terminal (p. 174)
22 Bryant Park et New York Public Library (p. 168)
23 Les marchés de Chelsea (p. 140)
24 Shopping à Soho (p. 92)
25 New York Harbor (p. 63)

# 25 Expériences incontournables

# Central Park (p. 216)

Si Londres possède Hyde Park et Paris son Bois de Boulogne, New York a Central Park. Cet espace vert parmi les plus fameux du monde offre quelque 340 ha de prairies vallonnées, des affleurements rocheux, des sentiers bordés d'ormes, des jardins impeccables aux influences européennes, ainsi qu'un lac et un réservoir – sans oublier un théâtre en plein air, un mémorial dédié à John Lennon, un restaurant idyllique au bord de l'eau (le Loeb Boathouse) et une célèbre statue d'Alice au pays des merveilles. Le plus grand défi pour le visiteur ? Décider par où commencer.

2

## Statue de la Liberté (p. 52) et Ellis Island (p. 54)

Depuis son inauguration en 1886, Lady Liberty a vu passer des millions d'immigrants. Elle accueille désormais des cohortes de touristes, dont beaucoup se pressent jusque dans sa couronne pour y admirer l'une des plus belles vues de New York. À proximité se dresse Ellis Island, porte d'entrée de l'Amérique pour plus de 12 millions de personnes entre 1892 et 1954. Aujourd'hui, l'île abrite un musée émouvant.

## Broadway et Times Square (p. 162)

Des lumières scintillantes et une énergie électrisante : voilà l'Amérique telle que le monde l'imagine. Se déployant de 40th St à 54th St, entre 6th Ave et 8th Ave, Broadway est l'usine à rêves de New York. Plus qu'une intersection entre Broadway et 7th Ave, l'éblouissant Time Square, star incontestée du quartier, est un concentré d'Amérique : une grisante frénésie de panneaux hollywoodiens, de publicités lumineuses pour des boissons au cola et de costauds cow-boys torse nu. Bienvenue au "carrefour du monde" ("*crossroads of the world*").

3

# Les meilleures... Activités gratuites

**FERRY POUR STATEN ISLAND**
Traversée en ferry offrant une vue sublime sur la lisière sud de Manhattan. (p. 71)

**GALERIES DE CHELSEA**
Des centaines de galeries ouvertes au public dans les rues numérotées en vingtaine de l'ouest de Manhattan. (p. 138)

**NEW MUSEUM OF CONTEMPORARY ART, LE JEUDI SOIR**
Art contemporain en accès libre lors des nocturnes du jeudi. (p. 102)

**GOVERNORS ISLAND**
Une rapide traversée en ferry permet d'explorer cette île jouissant d'une vue éblouissante sur Manhattan. (p. 69)

**NEW YORK PUBLIC LIBRARY**
Pour découvrir la magnifique salle de lecture (Reading Room), ainsi que diverses expositions. (p. 168)

# Les meilleurs...
## Restaurants

**FORAGERS CITY TABLE**
Délicieux plats "de la ferme à la table", conçus à partir de recettes durables. (p. 133)

**BALTHAZAR**
Ce trépidant bistro de Soho excelle depuis des années. (p. 87)

**ROSEMARY'S**
Admirablement conçu, cet établissement du West Village sert une cuisine mémorable. (p. 130)

**REDFARM**
Cuisine fusion mêlant accents chinois et saveurs audacieuses, le tout sans prétention. (p. 127)

**TANOSHI**
Ce minuscule établissement fatigué par les ans propose chaque jour une belle sélection de sushis. (p. 207)

**EATALY**
Épicerie offrant toutes sortes de produits italiens à boire et à manger. (p. 155)

SYLVAIN SONNET/GETTY IMAGES ©

## 4 Metropolitan Museum of Art (p. 194)

Avec plus de 2 millions d'œuvres d'art couvrant le monde entier sur une période de 5 000 ans, le "Met" est juste éblouissant. Des sculptures de la Grèce antique à celles de Papouasie-Nouvelle-Guinée en passant par les galeries Renaissance et les collections de l'Égypte ancienne, impossible de tout voir. Munissez-vous d'un plan sinon vous risquez de vous perdre dans cet immense et inestimable musée.

GRAHAM CROUCH/GETTY IMAGES ©

## 5 Promenade gastronomique dans le Lower East Side (p. 100)

Un des atouts majeurs de New York ? L'extrême variété de ses restaurants. Un quartier peut renfermer à lui seul pubs gastronomiques, comptoirs à sushis, bars à tapas, bistrots français, grills, pizzérias, cafés végétaliens et bons *delis* à l'ancienne. Dans l'East Village, vous pouvez passer de la Chine à Mexico en quelques blocs.

# MoMA (p. 164)

Peut-être le plus grand détenteur de chefs-d'œuvre d'art moderne au monde, le Museum of Modern Art constitue une véritable terre promise culturelle. Vous pourrez y admirer *La Nuit étoilée* de Van Gogh, *Le Baigneur* de Cézanne, *Les Demoiselles d'Avignon* de Picasso, le *One : Number 31, 1950* de Pollock *et* les *32 boîtes de soupe Campbell* de Warhol.

6

7

# Brooklyn Bridge (p. 66)

Achevé en 1873, ce chef-d'œuvre de l'architecture néogothique – entièrement construit en granit – a inspiré des poèmes (le "Brooklyn Bridge Blues" de Jack Kerouac), des chansons (le "Brooklyn Bridge" de Frank Sinatra) et quantité d'œuvres d'art (les photos de Walker Evans dans les années 1920). Une balade sur ce pont gracieux reliant Lower Manhattan et Brooklyn est un rituel obligatoire pour les touristes comme pour les New-Yorkais. Le spectacle est particulièrement magique le soir.

## La High Line (p. 124)

Triomphe éclatant de la rénovation urbaine, la High Line illustre fièrement l'effort constant de New York pour transformer les vestiges de son passé industriel en espaces de vie confortables et esthétiques. Cette ligne jadis empruntée par les trains de marchandises, qui serpentait entre les abattoirs et des habitations miséreuses, s'est muée en un collier de verdure émeraude. Sans surprise, le lieu attire promoteurs immobiliers et architectes de réputation mondiale qui s'appliquent à faire du quartier un bijou résidentiel.

8

GRAHAM CROUCH/GETTY IMAGES ©

Les meilleurs...
## Panoramas

**BROOKLYN BRIDGE PARK**
Vue imprenable sur Lower Manhattan et le pont de Brooklyn (p. 241)

**TOP OF THE STRAND**
Admirez la vue splendide sur l'Empire State Building en sirotant un cocktail. (p. 182)

**STANDARD**
Point de vue fascinant sur Lower Manhattan depuis ce temple du style logé au dernier étage. (p. 136)

**ROOSEVELT ISLAND**
Vue sur le fleuve et les gratte-ciel depuis le Franklin D Roosevelt Four Freedoms Park. (p. 206)

**ROOF GARDEN CAFÉ & MARTINI BAR**
Embrassez la vue sur Central Park après une journée studieuse au Metropolitan Museum of Art. (p. 207)

**TOP OF THE ROCK**
Le sommet de ce bijou Art déco réserve sans doute le plus beau panorama de la ville. (p. 183)

# Les meilleures...
## Expériences culturelles

**METROPOLITAN OPERA HOUSE**
Productions somptueuses et interprètes de classe internationale dans un cadre magique. (p. 230)

**JOYCE THEATER**
Une programmation novatrice autour de la danse contemporaine. (p. 139)

**NEW YORK CITY BALLET**
Tous les chefs-d'œuvre du répertoire sont présentés ici, du *Lac des cygnes* à *Casse-noisette*. (p. 231)

**LA MAMA ETC**
Icône de l'East Village repoussant les limites des genres théâtraux. (p. 115)

**BROOKLYN ACADEMY OF MUSIC**
L'avant-garde du théâtre, de la danse et de la musique. (p. 247)

**ANGELIKA FILM CENTER**
Films indépendants, dans un cadre aussi austère que populaire. (p. 92)

## Lincoln Center (p. 228)

Sa rénovation étant quasiment achevée, le plus grand complexe mondial dédié aux arts vivants affiche une forme éblouissante. Magnifiquement redessiné, l'Alice Tully Hall occupe une extrémité du site, tandis que les autres salles se déploient autour d'un public doté d'une fontaine imposante. Toutes les disciplines ont ici leur espace d'expression – le New York Philharmonic, la Chamber Music Society of Lincoln Center et le New York City Ballet –mais les deux vedettes du lieu restent le Metropolitan Opera et l'American Ballet Theater. Ci-dessous : L'Alice Tully Hall, Lincoln Center

9

JOHNER IMAGES/GETTY IMAGES ©

## 10 Empire State Building (p. 166)

Ce saisissant gratte-ciel Art déco a beau ne plus être le plus haut building de New York, il en reste un des emblèmes les plus facilement reconnaissables. L'"ESB" est apparu dans des dizaines de films et offre toujours l'une des meilleures vues de New York, en particulier au coucher du soleil, quand la ville commence à scintiller. Ce monument chéri n'a pas fini de faire tourner les têtes, notamment depuis l'ajout de lumières LED, offrant plus de 16 millions de combinaisons chromatiques. En période de fêtes, de spectaculaires éclairages illuminent le ciel nocturne.

## 11 Promenade dans Greenwich Village (p. 122)

Une des meilleures façons de visiter New York ? Choisir un quartier et lacer ses chaussures de marche pour une journée d'exploration. Avec ses pittoresques rues pavées émaillées de boutiques, d'exigus cafés débordant sur le trottoir et de restaurants au charme désuet, Greenwich Village fait un bon point de départ. Pour une vision différente, direction le quartier bohème d'East Village, Chinatown, tourbillon pour les sens, ou Chelsea, où foisonnent les galeries d'art.

JEAN-PIERRE LESCOURRET/GETTY IMAGES ©

LUIS DAVILLA/GETTY IMAGES ©

12

## Guggenheim Museum (p. 196)

Ce bâtiment de forme arrondie à l'immense rampe hélicoïdale, œuvre de l'architecte Frank Lloyd Wright, est une splendide sculpture en soi. La collection permanente regroupe des tableaux de grands maîtres du XX$^{e}$ siècle, tels Picasso, Pollock, Chagall ou Kandinsky. Quant aux expositions temporaires, tout aussi réputées, elles vont de la rétrospective d'envergure à l'installation à grande échelle.

NISIAN HUGHES/GETTY IMAGES ©

13

## Vie nocturne dans le Lower East Side (p. 113)

Bars branchés ouverts toute la nuit, nichés derrière les murs d'un restaurant chinois, échoppes de tacos abritant des cabarets clandestins, clubs gigantesques vibrant au son des DJ, sans oublier les afters sur les toits jusqu'au petit matin… Les interstices du quotidien new-yorkais dissimulent un monde alternatif. Le Lower East Side, avec ses rues jalonnées de bars, est l'endroit parfait pour démarrer la soirée.

## Culture de Harlem (p. 236)

Bastion de la culture afro-américaine, transformé en icône internationale par les peintres, écrivains et musiciens de la Harlem Renaissance, ce quartier est imprégné d'histoire. Aujourd'hui, Harlem offre toutes sortes d'expériences, de l'authentique restaurant de soul food à la joyeuse église de gospel. Les stars de demain se produisent toujours sur la scène de l'Apollo Theater, tandis que de nouveaux *beer gardens* et bars à cocktails garantissent l'animation jusque tard dans la nuit. Pour une initiation à la légendaire culture du quartier, rendez-vous au Studio Museum in Harlem (p. 236).

14

GAVIN HELLIER/GETTY IMAGES ©

Les meilleurs...

## Lieux gays et lesbiens

**MARIE'S CRISIS**
Un ancien bar à prostituées transformé en piano-bar. (p. 136)

**STONEWALL INN**
Théâtre de manifestations de drag-queens durant les émeutes de Stonewall en 1969. (p. 136)

**BRUNCH DANS NINTH AVENUE**
Installez-vous en terrasse au Marseille et veillez sur votre portion de Hell's Kitchen. (p. 180)

**INDUSTRY**
La nuit avançant, ce bar emblématique se transforme en club aux basses puissantes. (p. 184)

**G LOUNGE**
La soirée est toujours folle dans ce temple de la fête de Chelsea. (p. 137)

**LESLIE-LOHMAN MUSEUM OF GAY & LESBIAN ART**
Le premier musée d'art LGBT au monde. (p. 81)

Les meilleurs...

## Endroits avec les enfants

**HUDSON RIVER PARK**
Une foule de divertissements pour les petits, avec notamment des aires de jeux et quantité d'espace pour gambader. (p. 132)

**CONEY ISLAND**
Hot-dogs, glaces, manèges... Coney Island est le paradis du divertissement à l'ancienne. (p. 243)

**CHILDREN'S MUSEUM OF THE ARTS**
Sans conteste, le meilleur musée de la ville pour les moins de six ans. (p. 81)

**AMERICAN MUSEUM OF NATURAL HISTORY**
Avec ses dinosaures, sa section marine, son planétarium et son cinéma IMAX, ce musée est incontournable. (p. 227)

ABOVE: BARRY WINIKER/GETTY IMAGES ©; LEFT: RIEGER BERTRAND/HEMIS.FR/GETTY IMAGES ©

## National September 11 Memorial & Museum (p. 56)

S'élevant sur les cendres de Ground Zero, le musée et mémorial du 11-Septembre est une belle réponse empreinte de dignité à l'épisode le plus sombre de New York. Deux bassins réfléchissants versent leurs larmes à l'ancien emplacement des Twin Towers, encadrés par les noms des victimes du 11-Septembre et de l'attentat à la bombe du World Trade Center de 1993. Sous terre, le musée du Mémorial explore de façon poignante et percutante ces dramatiques événements.

## American Museum of Natural History (p. 227)

**16**

Immergez-vous parmi les merveilles de ce vaste musée d'histoire naturelle. Les dinosaures, mammouths, salles IMAX et autres expositions temporaires stimulent l'imagination des visiteurs, notamment des plus jeunes. Quant au spectacle du Rose Center for Earth & Space – un immense cube de verre abritant un globe terrestre argenté, des salles projetant des films sur l'espace et un planétarium – il est envoûtant à la nuit tombée, lorsqu'il baigne dans une lumière irréelle.

KORD.COM/GETTY IMAGES ©

## Les galeries de Chelsea (p. 138)

**17**

D'innombrables galeries émaillent les rues de Chelsea, ancien quartier industriel devenu La Mecque artistique. Les vernissages, généralement organisés le jeudi, attirent une foule bigarrée d'amateurs d'art, de pros et d'ambitieux de tout poil. Et si le charme de Chelsea est incontestable, de petits îlots de galeries plus avant-gardistes ont fleuri çà et là dans d'autres quartiers, notamment dans le Lower East Side, à Williamsburg et à Long Island City.

BARRY WINIKER/GETTY IMAGES ©

# Découvrir Midtown (p. 168)

New York est le terrain de jeu des plus grands architectes du monde – Richard Meier, Frank Gehry et Renzo Piano, pour ne citer qu'eux – qui continuent d'enrichir le paysage urbain de nouvelles œuvres révolutionnaires. Profitez d'une vue panoramique depuis le sommet du célébrissime Empire State Building (p. 166), ou levez les yeux vers les gargouilles rutilantes du Chrysler Building (p. 169), véritable icône Art déco. Ci-dessous : Vue sur le Chrysler Building

18

## Les meilleurs... Joyaux d'architecture

**CHRYSLER BUILDING**
Le gratte-ciel le plus élégant de Manhattan. (p. 169)

**EMPIRE STATE BUILDING**
Ce gratte-ciel de l'époque de la Grande Dépression reste indémodable. (p. 166)

**GRAND CENTRAL TERMINAL**
Un classique du style beaux-arts, avec un plafond décoré de motifs astronomiques. (p. 174)

**NEW MUSEUM OF CONTEMPORARY ART**
Un empilement de cubes à la façade extérieure en aluminium translucide. (p. 102)

**FLATIRON BUILDING**
Cette merveille d'élégance triangulaire ne manque jamais de captiver. (p. 148)

Les meilleures...
## Salles de concert

**CARNEGIE HALL**
Les plus grands musiciens ont foulé cette scène sacrée. (p. 185)

**SMALLS**
Caveau de jazz accueillant les jeunes talents et des jam-sessions tardives. (p. 139)

**PIANOS**
Salle de concert branchée où se produisent les groupes de rock les plus prometteurs. (p. 116)

**LE POISSON ROUGE**
"Cabaret d'art multimédia" à la programmation musicale d'une prodigieuse diversité. (p. 137)

**BROOKLYN BOWL**
Une ancienne usine métallurgique de Williamsburg offrant aujourd'hui concerts, bowling et bière artisanale. (p. 246)

## 19 Flânerie à Williamsburg (p. 243)

Des bars à cocktails cultivant une ambiance années 1930. Des restaurants créatifs servant une cuisine allant de l'humble pizza à la gastronomie étoilée. Et suffisamment de clubs et de bruyants *beer gardens* pour satisfaire tous les noctambules. Vous préférez la lumière du jour ? Williamsburg offre des lieux de mode avant-gardistes en tout genre, du grand marché vintage aux boutiques de créateurs. Ce quartier de Brooklyn – à une station de métro de Lower Manhattan – n'est pas le repaire le plus tendance de la ville pour rien.

MICHAEL MARQUAND/GETTY IMAGES ©

DENNIS K. JOHNSON/GETTY IMAGES ©

## 20 Washington Square Park (p. 131)

Washington Square Park, l'un des espaces verts les plus vivants de New York, fourmille d'activités, avec ses groupes de jazz et ses danseurs de krump, ses étudiants aux yeux cernés et ses bambins infatigables, ses touristes exténués et ses chanteurs de folk. Entouré par les joyaux architecturaux de l'université de New York, ce parc verdoyant de 4 hectares n'a jamais été aussi charmant que depuis la fin de sa rénovation, en 2014. C'est aussi l'endroit rêvé pour faire une pause après la visite du Village.

À gauche : Musiciens à Washington Square Park

## Grand Central Terminal (p. 174)

21

Même si vous ne prenez pas le train de banlieue, Grand Central Terminal vaut le détour pour le majestueux plafond voûté de son hall principal. L'étage inférieur comporte un excellent choix de restaurants élevant le concept d'"espace de restauration" au rang d'art. Les balcons donnant sur le hall principal jouissent d'une magnifique vue d'ensemble. Perchez-vous là un jour de semaine vers 17h. Vous constaterez que ce hall de gare conserve toute sa grâce même à l'heure de pointe.

22

## Bryant Park et New York Public Library (p. 168)

Parmi les gratte-ciel vertigineux et les trottoirs embouteillés, Bryant Park a des airs d'oasis égarée dans le désert bétonné de Midtown. L'animation y est garantie toute l'année, avec ses projections de films à ciel ouvert en été, sa patinoire et son marché de Noël en hiver, ainsi que ses pelouses invitant au farniente dès que le temps le permet. À l'extrémité est du parc se dresse la majestueuse New York Public Library. Des expositions gratuites cultivent le patrimoine de la ville, tandis que la salle de lecture principale est à couper le souffle.

## Les marchés de Chelsea (p. 140)

Les marchés de New York fourmillent de trésors.
Le week-end, vêtements vintage, articles de maison d'époque victorienne, meubles des années 1950 et autres raretés du passé transforment un parking de Chelsea en un paradis des férus d'antiquités. Quant aux gourmets, ils iront aux marchés fermiers de Chelsea (p. 126), un lieu idéal pour prendre un en-cas, dîner et parcourir les épiceries fines. Parmi les bons marchés de la ville, citons l'Union Square Greenmarket (p. 148) et le Brooklyn Flea (p. 243), avec son assortiment d'antiquités, de produits alimentaires et d'artisanat.

Ci-dessous : le Chelsea Market

23

Les meilleurs...
### Espaces verts

**CENTRAL PARK**
Le parc le plus célèbre de New York compte plus de 340 ha de prairies vallonnées et de tertres surmontés de gros rochers. (p. 216)

**BROOKLYN BRIDGE PARK**
Un tout nouveau parc relie le front de mer le long de Dumbo à Atlantic Avenue. (p. 241)

**LA HIGH LINE**
Une étroite bande de verdure qui se déploie dans le secteur ouest du centre-ville. (p. 124)

**RIVERSIDE PARK**
Un long ruban verdoyant courant le long de l'Hudson dans la partie ouest de Manhattan – idéal pour une balade à vélo. (p. 221)

## Le meilleur... New York à l'ancienne

**RUSSIAN & TURKISH BATHS**
Délassez-vous dans cet emblématique établissement de l'East Village, en activité depuis plus de 120 ans. (p. 117)

**CANOTAGE À CENTRAL PARK**
Troquez votre parasol pour une barque louée au Loeb Boathouse. (p. 226)

**BARNEY GREENGRASS**
Après un siècle d'exercice, le "BG" sert toujours l'un des meilleurs poissons fumés de la ville. (p. 226)

**ZABAR'S**
Cette épicerie ravit les fins gastronomes de l'Upper West Side depuis les années 1930. (p. 220)

**MCSORLEY'S OLD ALE HOUSE**
Rien n'a changé depuis 1852 dans ce pub de l'East Village au plancher couvert de sciure. (p. 111)

# Shopping à Soho (p. 92)

New York est l'un des grands temples mondiaux de la consommation. Tandis que des centaines de créateurs, new-yorkais comme étrangers, inondent la ville de leurs dernières marchandises, Soho est l'endroit idéal pour débuter sa séance de shopping. S'il existe une infinité de façons de dépenser son argent, le shopping à New York ne se résume pas juste à une histoire d'emplettes compulsives. Acheter, c'est avoir accès à une myriade d'autres cultures à travers leurs créations.

24

BILL GROVE/GETTY IMAGES ©

25

## New York Harbor (p. 63)

Quitter l'île de Manhattan sur un ferry offre un nouveau point de vue sur la ville à mesure que la silhouette des buildings s'amenuise. Avec un nouveau parc, des expositions d'art et de paisibles ruelles piétonnes, Governors Island (p. 69) est une bonne destination. On peut également faire la traversée jusqu'à Brooklyn à bord de l'East River Ferry. Le débarcadère près du Brooklyn Bridge Park (p. 241) fait un excellent point d'entrée dans le *borough*. Le Staten Island Ferry (p. 71) offre une vue pittoresque (et gratuite) sur les gratte-ciel de New York. Ci-dessus : South Street Seaport (p. 64)

# New York en 4 jours

# Icônes de Midtown et Uptown

*Monuments emblématiques et lieux incontournables : cet itinéraire vous dévoilera le New York de l'imaginaire collectif, dont bien sûr le musée et le parc les plus célèbres de la ville. Imprégnez-vous du paysage mythique de Midtown, tout en béton et gratte-ciel de la rue jusqu'aux nuages.*

## 1 Metropolitan Museum of Art (p. 194)

Commencez par Uptown et *le* grand musée entre tous. Ne manquez pas l'aile égyptienne (Egyptian Wing) et les tableaux européens du 2e étage.

**METROPOLITAN MUSEUM OF ART ➔ CENTRAL PARK**

Pénétrez dans Central Park par l'entrée de 79th St.

## 2 Central Park (p. 216)

Prenez un bon bol d'air à Central Park, que l'on ne présente plus. Dirigez-vous vers le sud jusqu'au Conservatory Pond sur lequel naviguent des bateaux télécommandés.

**CENTRAL PARK ➔ TIMES SQUARE**

Quittez le parc aussi loin au sud qu'il vous plaira par Fifth Ave, et prenez un taxi pour Times Square.

## 3 Times Square (p. 162)

Imprégnez-vous de l'atmosphère à la Vegas de Times Square du haut du kiosque TKTS et achetez des billets à prix réduits pour le soir même. Puis, cap sur la place piétonnière située à l'extrémité sud afin d'embrasser du regard l'étincelant ensemble de néons.

Vue depuis le Top of the Rock, Rockefeller Center
ANDRIA PATINO/DESIGN PICS/GETTY IMAGES ©

**TIMES SQUARE ➔ ROCKEFELLER CENTER**

Pour retrouver un peu d'espace vital, remontez Sixth Ave jusqu'à 49th St.

## 4 Top of the Rock (p. 183)

Montez jusqu'à la plate-forme d'observation extérieure de Top of the Rock dans le Rockefeller Center : le panorama est époustouflant.

**ROCKEFELLER CENTER ➔ MARSEILLE**

Le plus rapide consiste à rejoindre Ninth Ave à pied depuis 44th St (les plus fatigués prendront un taxi).

## 5 Dîner à la brasserie Marseille (p. 181)

Si vous assistez à un spectacle à Broadway, dînez d'abord dans cette brasserie française animée au décor très théâtral.

**MARSEILLE ➔ THÉÂTRES DE BROADWAY**

Allez vers l'est jusqu'à la salle de spectacle pour laquelle vous avez déjà acheté les billets.

## 6 Théâtres de Broadway (p. 184)

Il est l'heure d'assister à la comédie musicale de votre choix. Après le spectacle, sirotez des cocktails jusque tard dans la nuit au Rum House (p. 191), le piano-bar restauré de l'Edison Hotel.

# Lower Manhattan

*Alors que cette partie de la ville est dominée par les enfilades de gratte-ciel de Wall Street, cette journée de balade permet de découvrir de vastes horizons, la vue sur le fleuve – sans parler bien sûr d'un site historique de premier plan. Cet itinéraire nécessite de réserver ses billets sur Internet pour la statue de la Liberté et Ellis Island, ainsi que pour le mémorial du 11-Septembre.*

## ❶ Statue de la Liberté et Ellis Island (p. 52)

Arrivez à l'heure pour le départ du ferry (sur réservation). Ellis Island occupera probablement l'essentiel de la matinée, à moins d'avoir également prévu de visiter la couronne de la statue.

**BATTERY PARK CITY**

Dirigez-vous au nord-ouest de Castle Clinton jusqu'à la promenade au bord du fleuve.

## ❷ Battery Park City (p. 49)

Ce quartier résidentiel adossé à des immeubles d'habitation offre une vue imprenable sur l'Hudson et le New Jersey.

**BATTERY PARK CITY ➔ MÉMORIAL DU 11-SEPTEMBRE**

Marchez en direction du nord jusqu'au World Financial Center. Entrez dans l'atrium et traversez la West Side Hwy par l'allée couverte.

## ❸ Mémorial du 11-Septembre (p. 48)

Avant de faire la queue, découvrez les photos, les objets et la mise en perspective historique du WTC Tribute Visitor Center (réservation en ligne obligatoire).

**MÉMORIAL DU 11-SEPTEMBRE ➔ JOE'S SHANGHAI**

S À la station de métro de Cortlandt St, prenez la ligne N en direction de Canal St ; à Canal St, marchez vers l'est puis bifurquez au sud dans Mott St. Traversez Bayard puis prenez Pell St à gauche.

## ❹ Déjeuner au Joe's Shanghai (p. 87)

Après avoir savouré les raviolis chinois de Joe's Shanghai, bastion de Chinatown et transfuge de Flushing, profitez des rues animées du quartier.

Raviolis chinois au Joe's Shanghai
FRANCES M. ROBERTS/ALAMY ©

**JOE'S SHANGHAI ➔ BROOKLYN BRIDGE**

Dans Bowery, dirigez-vous vers le sud et bifurquez à l'ouest dans Worth St, puis allez de nouveau vers le sud dans Centre St ; la route d'accès au pont est sur la gauche.

## ❺ Brooklyn Bridge (p. 66)

Joignez-vous aux habitants de Brooklyn et à la foule des visiteurs pour un pèlerinage magique vers ce pont majestueux.

**BROOKLYN BRIDGE ➔ EMPIRE FULTON FERRY STATE PARK**

Empruntez le pont entre Manhattan et Brooklyn. Prenez l'escalier puis tournez à gauche. Descendez jusqu'au front de mer.

## ❻ Empire Fulton Ferry State Park (p. 241)

Ce parc délicieux offre une vue stupéfiante sur Manhattan, le pont de Brooklyn et un manège de 1922. Derrière, les charmantes rues pavées de brique abritent cafés, magasins et entrepôts du XIXe siècle.

**EMPIRE FULTON FERRY STATE PARK ➔ JULIANA'S**

Remontez Old Fulton St jusqu'à l'angle de Front St.

## ❼ Dîner au Juliana's (p. 243)

Ne manquez pas les légendaires pizzas du maestro Patsy Grimaldi. On y sert l'une des meilleures *margherita* de New York.

**JULIANA'S ➔ VILLAGE VANGUARD**

S Remontez Old Fulton St jusqu'au métro High St. Prenez la ligne A jusqu'à W 4th St et empruntez Waverly vers le nord jusqu'à Seventh Ave.

## ❽ Village Vanguard (p. 137)

Terminez la journée dans le West Village, au son de l'un des meilleurs jazz du monde.

# Culture du West Side

*Une fameuse artère verdoyante, des galeries, un marché et un musée spectaculaire plantent le décor d'une agréable balade dans le West Side. Parachevez votre journée par le stupéfiant Lincoln Center, qui abrite quelques-unes des meilleures salles de spectacle du pays.*

JOUR 3

## ❶ La High Line (p. 124)

Rendez-vous en taxi à la High Line, voie ferrée désaffectée s'élevant à 9 m au-dessus de la rue, et devenue l'un des lieux de promenade fétiches du centre-ville. Entrez à hauteur de 30th St et flânez sur cette "coulée verte" avec vue sur l'Hudson et les rues en contrebas.

**LA HIGH LINE ➲ GALERIES DE CHELSEA**

Sortez par l'escalier de 26th St et explorez le quartier environnant à pied.

## ❷ Galeries de Chelsea (p. 138)

Dans ce haut lieu des galeries d'art, on admire aussi bien les œuvres de jeunes talents prometteurs que celles d'artistes reconnus. Les galeries de Gagosian, David Zwirner et Barbara Gladstone figurent parmi les plus remarquables.

**GALERIES DE CHELSEA ➲ CHELSEA MARKET**

Allez jusqu'à Ninth Ave puis au sud jusqu'à 15th St.

## ❸ Déjeuner au Chelsea Market (p. 126)

Ce hall immense est rempli d'échoppes vendant des viennoiseries, du vin, des légumes, des fromages d'importation et autres délices.

**CHELSEA MARKET ➲ AMERICAN MUSEUM OF NATURAL HISTORY**

Prenez la ligne C à Eighth Ave et 14th St pour gagner 86th St-Central Park West.

## ❹ American Museum of Natural History (p. 227)

Quel que soit son âge, on éprouve un émerveillement enfantin dans ce magnifique musée d'Histoire naturelle. Prévoyez du temps pour le Rose Center for Earth & Space, véritable joyau architectural.

**AMERICAN MUSEUM OF NATURAL HISTORY ➲ BARCIBO ENOTECA**

Allez vers l'ouest et Amsterdam Ave puis bifurquez vers le sud ; tournez à gauche dans Broadway à hauteur de 71st St.

## ❺ Apéritif à la Barcibo Enoteca (p. 229)

Sirotez un verre de vin italien amoureusement choisi avant le spectacle, ou bien grignotez un morceau pour tenir jusqu'à la fin de la représentation.

**BARCIBO ENOTECA ➲ LINCOLN CENTER**

Empruntez Broadway direction sud jusqu'à 63rd St.

## ❻ Lincoln Center (p. 228)

Gagnez le Lincoln Center, à l'architecture envoûtante, pour écouter un opéra au Metropolitan Opera House (p. 230 ; le plus grand opéra du monde), une symphonie à l'Avery Fisher Hall, ou voir une pièce dans l'un des deux théâtres du lieu. Ne manquez pas non plus les "chorégraphies aquatiques" de la fontaine, sur la place.

**LINCOLN CENTER ➲ PJ CLARKE'S**

Faites 300 pas jusqu'à l'angle de 44 W 63rd St et Columbus Ave.

## ❼ PJ Clarke's (p. 181)

Après le spectacle, traversez la rue pour aller dîner dans ce gastropub animé (ouvert jusqu'à 2h du matin). Régalez-vous d'huîtres, de pâté de crabe, de steak d'Angus et de *fish and chips*, entre autres recettes de pub bien exécutées.

La High Line

JOUR 4

# L'East Side de long en large

*Au programme de cette journée : histoire des immigrants, cuisine du monde, art et théâtre d'avant-garde, verres bon marché et concerts. Parcourez les rues de long en large, jetez un coup d'œil aux boutiques élégantes, et sachez que plus on va vers l'est, plus l'ambiance se fait débridée.*

## ❶ Lower East Side Tenement Museum (p. 110)

Ce musée offre un bon aperçu du quotidien et des rudes conditions de vie des immigrants au XIXe et au début du XXe siècle. Pour une exploration plus en profondeur, rien de tel qu'une visite guidée.

**LOWER EAST SIDE TENEMENT MUSEUM ➜ LITTLE ITALY**

Longez Delancey St direction ouest en passant par le Sara D Roosevelt Park jusqu'à Mulberry St.

## ❷ Little Italy (p. 90)

Bien que ressemblant davantage à un parc à thème qu'à un authentique coin d'Italie, Mulberry St demeure le cœur du quartier. Faites escale au Ferrara Cafe & Bakery (p. 89) connu pour ses pâtisseries italiennes classiques et son atmosphère d'autrefois.

**LITTLE ITALY ➜ LA ESQUINA**

Parcourez deux pâtés de maisons direction est jusqu'à Centre St, puis deux autres vers le nord, jusqu'à Kenmare St.

## ❸ Déjeuner à La Esquina (p. 85)

Ce restaurant mexicain aussi insolite que populaire occupe un *diner* à l'ancienne. Mention spéciale pour les tacos au poisson et à la mangue, ainsi qu'aux salades de *jicamas*, entre autres délices authentiquement mexicains.

**LA ESQUINA ➜ NEW MUSEUM OF CONTEMPORARY ART**

Parcourez plusieurs pâtés de maisons vers l'est et Bowery puis bifurquez au nord.

## ❹ New Museum of Contemporary Art (p. 102)

Symbole de la réhabilitation du quartier de Bowery, ce musée ultramoderne donne à voir des œuvres d'art avant-gardistes. Sa librairie propose un choix éclectique de publications d'avant-garde elles aussi.

**NEW MUSEUM OF CONTEMPORARY ART ➜ ST MARKS PLACE**

Tournez à droite dans Houston St puis à gauche dans Second Ave pour rejoindre Ninth St.

## ❺ St Marks Place (p. 105)

Flânez dans cette rue célèbre pour ses boutiques de T-shirts kitsch, ses salons de tatouage, ses magasins punk-rock et ses bars à saké, puis enfoncez-vous dans les rues avoisinantes pour grignoter un morceau et faire du lèche-vitrines plus au calme.

**ST MARKS PLACE ➜ NEW YORK THEATER WORKSHOP**

Allez jusqu'à 4th St, entre Bowery et Second Ave.

## ❻ New York Theater Workshop (p. 115)

Vitrine du théâtre contemporain et d'avant-garde, ce lieu très prisé est parfait pour assister à un spectacle.

**NEW YORK THEATER WORKSHOP ➜ KATZ'S DELICATESSEN**

Descendez First Ave à pied ou en taxi jusqu'à Houston St et tournez à droite sur deux pâtés de maisons jusqu'à Ludlow St.

## ❼ Dîner chez Katz's Delicatessen (p. 109)

Le restaurant juif à l'ancienne du Lower East Side sert des sandwichs à la viande fumée propres à satisfaire même les palais les plus difficiles.

Restaurants de Little Italy
MARK DAFFEY/GETTY IMAGES ©

# L'agenda

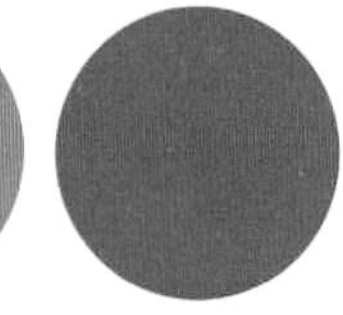

## Février

### Winter Restaurant Week

Pendant cette "semaine d'hiver des restaurants", qui s'étale en réalité sur 3 semaines, on égaye ce mois triste avec des repas à prix cassés dans certains des meilleurs restaurants de la ville.

### Lunar New Year

La célébration new-yorkaise du Nouvel An chinois (www.explorechinatown.com) permet d'admirer des feux d'artifice et de suivre des dragons ondulants dans les rues de Chinatown.

## Avril

### Tribeca Film Festival

Vous serez confronté à des choix cornéliens : plus de 150 films sont projetés au cours des 10 jours de festival (p. 70).

## Mai

### Cherry Blossom Festival

De son nom japonais *Sakura Matsuri*, cette tradition annuelle qui a lieu sur un week-end fin avril ou début mai célèbre la floraison des cerisiers du Brooklyn Botanic Garden, d'une beauté saisissante (www.bbg.org).

### Fleet Week

C'est l'occasion de visiter gratuitement les navires provenant de diverses contrées du globe. On les voit ancrés non loin de Manhattan (vers Midtown) et Brooklyn (juste au sud du Pier 6 du Brooklyn Bridge Park).

## Juin

### Puerto Rican Day Parade

La deuxième semaine du mois, des milliers de personnes suivent le grand défilé organisé, depuis une cinquantaine d'années, par la communauté portoricaine, sur Fifth Ave, de 44t St à 86th St.

### SummerStage

De juin à août, le SummerStage (p. 221) de Central Park présente une programmation exceptionnelle de musique et de danse.

### Défilé de la Gay Pride

Juin est le mois de la Gay Pride (www.nycpride.org) ; il s'achève par un immense défilé sur Fifth Ave le dernier dimanche du mois.

### HBO Bryant Park Summer Film Festival

Les lundis soir de juin à août, des classiques hollywoodiens sont projetés dans Bryant Park (www.bryantpark.org).

Sapin de Noël du Rockefeller Center
STEVEN GREAVES/GETTY IMAGES ©

### Mermaid Parade

Cette parade, véritable tourbillon de paillettes et de costumes de sirènes, investit la promenade de Coney Island le dernier samedi du mois.

## Juillet

### Independence Day

Le 4 juillet, l'Amérique célèbre sa fête nationale avec des feux d'artifice et des fanfares spectaculaires. Les lumières jaillissent sur l'East River et l'Hudson.

### Shakespeare in the Park

Le populaire Shakespeare in the Park (p. 221) rend hommage au grand dramaturge anglais, avec des spectacles gratuits dans Central Park. Seul hic, vous devrez faire la queue des heures pour avoir un billet, ou en gagner un à la loterie sur Internet.

## Août

### Fringe Festival

Mi-août, durant deux semaines, ce festival de théâtre (www.fringenyc.org) rassemble des compagnies du monde entier.

## Septembre

### BAM! Next Wave Festival

Le Next Wave Festival (www.bam.org) de la Brooklyn Academy of Music a fêté ses 30 ans en 2012. Il s'étale jusqu'en décembre et affiche au programme théâtre, musique et danse d'avant-garde de renommée mondiale.

### Electric Zoo

Célébré le week-end de la fête du Travail au Randall's Island Park, l'Electric Zoo (www.electriczoofestival.com) est le rendez-vous new-yorkais de la musique électronique.

## Octobre

### Open House New York

Plus grande manifestation d'architecture et de design du pays (www.ohny.org), OHNY organise des visites guidées par des architectes, des conférences, des ateliers de design et des visites de studios dans toute la ville.

### Village Halloween Parade

Le 31 octobre, les New-Yorkais enfilent leurs costumes les plus fous pour une nuit de festivités. Vous verrez défiler les plus extravagants lors de la Village Halloween Parade (www.halloween-nyc.com), qui remonte 6th Ave dans le West Village.

## Novembre

### Marathon de New York

Ce grand marathon, qui traverse les rues des cinq *boroughs*, attire chaque année, la première semaine de novembre, des milliers de coureurs du monde entier et des spectateurs très excités venus les encourager (www.nycmarathon.org).

### Défilé Macy's Thanksgiving

Sous un ciel de ballons gonflés à l'hélium, des fanfares de lycées martelant leurs tambours et des badauds célèbrent Thanksgiving sur les 4 km de la fameuse parade.

### Mon beau sapin

Au Rockefeller Center (p. 183), l'illumination de l'énorme arbre de Noël marque le début de la saison des fêtes.

## Décembre

### Réveillon du Nouvel An

Ce soir là, Times Square (p. 162), le *nec plus ultra* pour fêter le Nouvel An, grouille de millions de badauds venus admirer la descente annuelle de la boule en cristal de Waterford.

# Quoi de neuf ?

*Pour cette nouvelle édition de* L'Essentiel de New York, *nos auteurs sont partis en quête des dernières tendances, des lieux qui bougent et des meilleurs plans. En voici une sélection.*

1 **LA FIERTÉ DE BROOKLYN**
Au cas où vous ne le sauriez pas, le renouveau de Brooklyn est bien en route. L'épicentre de la créativité affiche des restaurants pour locavores, bars à cocktails, boutiques d'artisanat et brûleries parmi les meilleurs de la ville, et même un parc hôtelier flambant neuf. Le *borough* a désormais une équipe de basket professionnelle (les Nets), un stade grandiose et de nouveaux théâtres et centres culturels. (p. 240)

2 **EN SOUVENIR DU 11-SEPTEMBRE**
Sous le mémorial du site du World Trade Center, le National September 11 Museum plonge dans la tragédie qui a changé New York à jamais. (p. 56)

3 **LESLIE LOHMAN MUSEUM OF GAY & LESBIAN ART**
Reconnu musée en 2011, ce joyau de Soho est enfin prêt à attirer les foules. C'est le 1er musée d'art LGBT au monde. (p. 81)

4 **LES CAFÉS**
Torréfacteurs artisanaux et cafetiers de renom ont ouvert des boutiques, transformant New York, autrefois modeste dans ce domaine. Kaffe 1668 et La Colombe sont les points de départ parfaits de cette odyssée caféinée. (p. 68)

5 **LE RETOUR DU QUEENS**
Après une rénovation de 700 millions de dollars, le Queens Museum est de retour, plus grand et meilleur que jamais. Il est en passe de devenir un emblème du *borough* le plus métissé de New York. (p. 248)

6 **GOVERNORS ISLAND PARK**
Merveilleuse île piétonne dans le port de New York, Governors Island s'est vue dotée d'un nouveau parc de 12 ha avec hamacs, terrains de base-ball, jardin à la française et aires de jeux pour enfants. (p. 69)

7 **FRANKLIN D ROOSEVELT FOUR FREEDOMS PARK**
Sur Roosevelt Island, le saisissant mémorial de Louis Kahn rend hommage à l'un des plus grands présidents d'Amérique. La saisissante vue sur les buildings court du mémorial au bâtiment de l'ONU, une des réussites les plus manifestes de Roosevelt. (p. 206)

8 **ONE WORLD TRADE CENTER**
Cet imposant symbole de 140 étages (qui a coûté quelque 4 milliards de dollars et dont la construction a pris 8 ans) est enfin là. Sa plate-forme d'observation devrait ouvrir début 2015. (p. 57)

9 **HIGH LINE VERSION 3.0**
Le célèbre espace vert a ouvert, fin 2014, une dernière portion luxuriante, signée par le cabinet d'architectes Diller Scofidio + Renfro. Elle sera complétée en 2015 par l'Hudson Yards, projet de développement de 15 milliards de dollars comprenant plusieurs gratte-ciel et espaces verts. (p. 124)

10 **DES JOURS PLUS VERTS À BROOKLYN**
Sur plus de 2 km, le superbe Brooklyn Bridge Park, avec sa vue renversante sur Manhattan, a transformé un inaccessible front de mer en verdoyante oasis. (p. 241)

# En avant-goût

## Livres

**La Conversion** (James Baldwin). Une journée dans la vie d'un jeune garçon de 14 ans fait découvrir aux lecteurs le Harlem de la Grande Dépression.

**Le Bûcher des vanités** (Tom Wolfe). Un roman captivant qui dépeint la chute d'un banquier sur fond de tensions raciales.

**Forteresse de solitude** (Jonathan Lethem). Une ode à Brooklyn et une plongée au sein des relations intercommunautaires et de la pop culture de 1970 à 1990.

**Souvenez-vous de moi** (Richard Price). Le tableau des conflits opposant les communautés d'un quartier qui vivent côte à côte sans se rencontrer.

## Films

**Taxi Driver** Le film de Martin Scorsese dépeint un New York beaucoup moins pimpant qu'aujourd'hui.

**La Fièvre du samedi soir** Un John Travolta sexy pour relater l'histoire d'un jeune des rues de Brooklyn.

**Manhattan** Un New-Yorkais divorcé tombe amoureux de la maîtresse de son meilleur ami, ou la lettre d'amour de Woody Allen à New York.

**American Gangster** Une histoire de gangsters se déroulant à Harlem, inspirée de faits réels.

## Musique

**"Autumn in New York"** (Billie Holiday). Impossible de ne pas tomber sous le charme…

**Walk on the Wild Side** (Lou Reed). Formidable classique de 1972 évoquant un New York mêlant escrocs, drogues et culture de la rue.

**"Empire State of Mind"** (Jay Z). Ce morceau est de suite devenu un classique.

**"Lullaby of Broadway"** (de la comédie musicale de Broadway *42nd Street*). Un classique indémodable.

## Sites Internet

**New York Magazine** (www.nymag.com). Guide complet des bars, restaurants, sorties et boutiques.

**Time Out** (www.timeout.com/newyork). Le programme complet en matière d'expositions, de théâtre, de concerts et de restaurants.

**Gothamist** (www.gothamist.com). Un aperçu pertinent de tout ce qui concerne New York.

### Sur le départ ?

S'il fallait n'en choisir qu'un…

**Un livre** Le roman de Michael Chabon, récompensé par un prix Pulitzer, *Les Extraordinaires Aventures de Kavalier & Clay*, aborde Brooklyn, la fuite de la réalité et la famille nucléaire.

**Un film** Cary Grant et Deborah Kerr passant un pacte pour sceller leur amour au sommet de l'Empire State Building dans *Elle et lui*.

**Une chanson** *New York, New York* par Frank Sinatra : la meilleure ode au caractère exceptionnel de New York.

**Un site** *NYC : The Official Guide* (www.nycgo.com).

Fresque murale à Harlem (p. 236)
BARRY WINIKER/GETTY IMAGES ©

# Ce qu'il faut savoir

### Devise
Dollar américain ($ US)

### Langue
Anglais

### Formalités et visas
Un programme d'exemption de visa permet aux ressortissants de 37 pays, dont la Belgique, la France, le Luxembourg et la Suisse, de séjourner aux États-Unis sans visa (voir travel.state.gov).

### Téléphones mobiles
Les téléphones mobiles américains utilisent la technologie CDMA, les européens auront besoin d'un téléphone tri ou quadribande .

### Heure locale
Eastern Standard Time (EST),– 5 heures sur l'heure GMT.

### Wi-Fi
De nombreux cafés, restaurants, parcs et bibliothèques publics fournissent une connexion Wi-Fi gratuite. La plupart des hôtels possèdent le Wi-Fi, même si certains le facturent à l'heure.

### Pourboires
Au moins 15% de l'addition au restaurant et environ 10% pour les taxis.

**Pour plus d'informations, voir le Carnet pratique (p. 280).**

## Quand partir

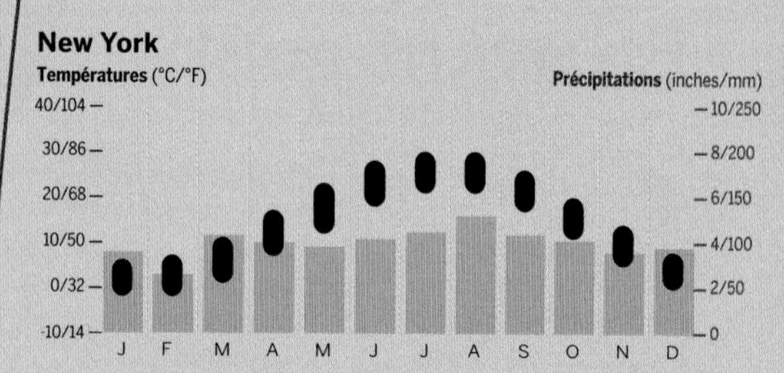


**Printemps (mars-mai)** Arbres en fleurs.

**Été (juin-août**) Manifestations culturelles gratuites, températures parfois caniculaires.

**Hiver (décembre-février)** Les bâtiments s'ornent de lumières. Il neige, il pleut, il fait froid.

## À prévoir

**Deux mois à l'avance** Ne tardez pas pour réserver votre hôtel. Pensez aussi à réserver si vous voulez assister à un spectacle à Broadway.

**Trois semaines à l'avance** Réservez une table dans un restaurant haut de gamme.

**Une semaine à l'avance** Surfez sur le net pour découvrir les bons plans du moment.

## Budget quotidien

### Moins de 100 $
- Dortoir au Chelsea Hostel 40-70 $
- Part de pizza autour de 2,50 $
- Parcourir la High Line (gratuit)
- Verre dans un bar bohème de l'East Village 4 $

### 100-300 $
- Chambres confortables au Chelsea Lodge à partir de 140 $
- Brunch pour deux au Cafe Mogador 65-90 $
- Deux cocktails au Death + Co, très "speakeasy" 32 $
- Billet réduit TKTS pour un spectacle de Broadway à partir de 80 $

### Plus de 300 $
- Chambres confortables au Gramercy Park Hotel 350-800 $
- Dîner pour deux à RedFarm 120-160 $
- Fauteuil d'orchestre au Metropolitan Opera 100-390 $

## Arriver à New York

**John F Kennedy International Airport (JFK)** L'AirTrain (5 $) assure une correspondance avec le métro (2,50 $) ou avec le LIRR, plus rapide, qui dessert Penn Station (7-10 $). Une navette collective pour Manhattan coûte de 20 à 25 $. Une course en taxi se monte à 52 $, péages et pourboires non compris.

**LaGuardia Airport (LGA)** Pour un taxi, comptez de 26 à 48 $ (péages et pourboires non compris) selon la circulation. Un bus express pour Midtown coûte 13 $. En bus, prenez la ligne express Q70 à destination de la station de métro de 74th St-Broadway.

**Newark Liberty International Airport (EWR)** Prenez l'AirTrain pour la gare ferroviaire de Newark Airport et n'importe quel train à destination de Penn Station (12,50 $). Un bus express pour Port Authority ou Grand Central coûte 16 $. Pour Midtown, comptez de 20 à 26 $ en navette collective et de 60 à 80 $ en taxi (péage et pourboire – 13 $ – non compris).

## Comment circuler

Consultez le site de la **Metropolitan Transportation Authority** (www.mta.info) pour tout savoir sur le transport public (bus et métro).

- **À pied** On ne voit vraiment New York de près qu'en se promenant à pied dans les rues. Franchir l'East River en traversant le pont de Brooklyn est un must. Enfin, les allées de Central Park permettent de marcher dans la verdure.
- **Métro** Économique, relativement efficace et ouvert 24h/24. Un billet simple coûte 2,50 $ avec la MetroCard (1 $) ; une carte 7 jours avec accès illimité 30 $.
- **Taxi** Le compteur démarre à 2,50 $ et progresse d'environ 4 $ par section de 20 pâtés de maisons. Repérez les taxis dont la lumière du toit est allumée : cela signifie qu'ils sont libres.
- **À vélo** Offrez-vous une balade de 30 minutes à travers la ville grâce aux 330 bornes Citi Bike. Il est interdit de circuler sur les trottoirs.
- **Ferry** Gratuit, le Staten Island Ferry part de Lower Manhattan. Plus utile, l'East River Ferry circule entre Lower Manhattan et E 34th St, avec des arrêts à Brooklyn et dans le Queens.
- **Bus** Lent mais pittoresque. Pratique pour traverser la ville (d'est en ouest et *vice versa*). Même tarif que le métro (utilisez une MetroCard).

## Où se loger

Les prix de l'hébergement à New York ne varient pas en fonction des saisons, mais des disponibilités. Et avec plus de 50 millions de touristes chaque année, les hôtels sont vite complets.

## Sites Internet

- **newyorkhotels.com** (www.newyorkhotels.com). Autoproclamé site officiel des hôtels de New York.
- **airbnb** (www.airbnb.com). Optez pour un appartement ou une chambre chez l'habitant.
- **Jetsetter** (www.jetsetter.com). Sélection d'hôtels de luxe à prix réduit.

## À emporter

- **Des chaussures de marche** Les rues de New York sont faites pour être parcourues à pied.
- **Une valise supplémentaire** Pour rapporter tout ce que vous aurez acheté sur place.
- **Une tenue élégante** Pour une soirée à l'opéra ou un diner cinq étoiles.

## Mises en garde

- **Toilettes publiques** Très peu fréquentes. Le mieux : entrer dans un Starbucks.
- **Restaurants** Les groupes un peu conséquents peineront à trouver une table sans avoir réservé.
- **Métro** En raison de constants travaux de maintenance, les changements d'horaires le week-end prêtent à confusion.

### Citi Bike

Achetez un forfait 24 heures ou sept jours (environ 11 $/28 $ taxes comprises) à une borne Citi Bike. Un code à cinq chiffres vous sera remis pour débloquer un vélo. Pour éviter tout supplément, déposez-le ensuite à n'importe quelle borne dans les 30 minutes qui suivent. Réinsérez votre carte de crédit (opération non facturée) et suivez les indications pour une nouvelle location. Idéal pour faire un nombre illimité de balades de 30 minutes durant le temps du forfait.

I ♥ NY

# Lower Manhattan et Financial District

## Ce secteur géographique concentre de nombreux sites.

Le *borough* se rétrécit telle la mine d'un crayon à son extrémité sud pour donner forme à la bande étroite que l'on appelle Lower Manhattan. L'endroit abonde en lieux emblématiques dont le Mémorial du 11-Septembre, Wall Street, le pont de Brooklyn, le City Hall et, à quelques encablures, la statue de la Liberté. En dépit du retard extrême pris dans les projets de reconstruction sur le site de l'ancien World Trade Center, il est revenu à la vie. C'est même le quartier entier qui a connu une récente renaissance : sa nouveauté a pris de nombreuses formes – musées, hôtels et restaurants tendance –, attirant du coup toujours plus de visiteurs. Si l'on ajoute à cela les parcs au bord de l'eau et les vues panoramiques qui constituent ici le tissu même du paysage urbain, on obtient un petit quartier aussi charmant qu'animé.

Mémorial du 11-Septembre
ANADOLU AGENCY/GETTY IMAGES ©

# Lower Manhattan et Financial District À ne pas manquer

## Le pont de Brooklyn à pied (p. 66)

L'allée piétonnière du pont de Brooklyn Bridge débute immédiatement à l'est du City Hall et offre une vue sublime sur Lower Manhattan. Aux points d'observation sont relatées l'histoire et les anecdotes liées aux quais. Veillez à rester du côté de l'allée balisée pour les piétons : les cyclistes agacés, qui l'empruntent en masse aussi bien pour le plaisir que pour leurs déplacements professionnels, ne se montrent guère amènes avec les touristes tête en l'air.

1

## 2 Mémorial du 11-Septembre (p. 56)

Minée par les controverses esthétiques, les dépassements budgétaires et les retards, la première partie du Mémorial du 11-Septembre a ouvert ses portes le 12 septembre 2011. Baptisés *Reflecting Absence* ("le *reflet de l'absence*"), ses deux énormes bassins sont à la fois un symbole d'espoir et un hommage aux milliers de victimes de l'attaque terroriste.

## Battery Park City (p. 63)

Avec son ensemble de gratte-ciel modernes, ses jolies promenades et ses parcs coupés du reste de la ville, ce lieu dégage une atmosphère presque irréelle. Au coucher du soleil, les tours qui le dominent se nimbent d'une belle auréole dorée. En journée, le parc de 30 ha qui s'étend au bord de l'Hudson est un refuge idéal pour échapper au tohu-bohu du centre-ville.

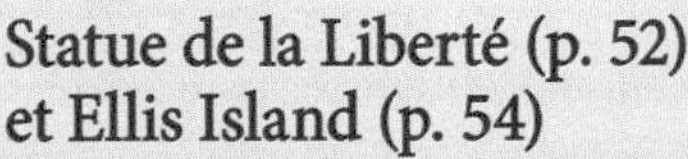

## Statue de la Liberté (p. 52) et Ellis Island (p. 54)

Nul autre endroit d'Amérique ne saurait mieux évoquer l'expérience vécue par les immigrants. Deux îles voisines abritent ces emblèmes historiques de New York. Le trajet en bateau et les longues files d'attente font partie de l'aventure – un simple aperçu de ce que les immigrants ont enduré jadis. Prenez votre temps pour visiter, tout en imaginant ce voyage colossal entre l'Ancien et le Nouveau Monde.

## Wall Street (p. 58)

À la fois rue et haut lieu de la finance américaine, Wall Street doit son nom à la muraille en bois érigée par les colons hollandais en 1653 afin de protéger la Nouvelle Amsterdam des Amérindiens et des Britanniques. Bien que la Bourse de New York (p. 59) soit fermée au public jusqu'à nouvel ordre, les touristes se rassemblent néanmoins sur le trottoir pour fixer comme des bêtes curieuses les traders qui sortent fumer une cigarette et manger en toute hâte.

# Promenade dans Lower Manhattan et Financial District

*Avec pour points d'amarrage la célèbre Wall Street, longue de plus de 1 km, et le tout nouveau site du World Trade Center, ce quartier est chargé d'histoire.*

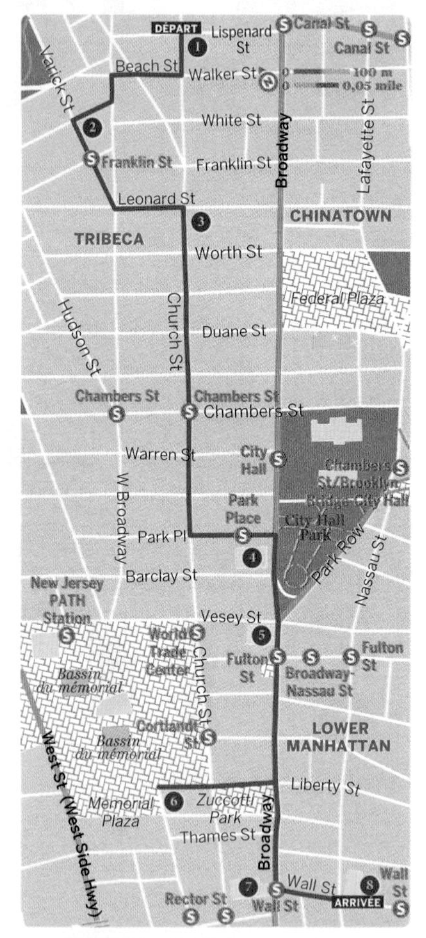


## ITINÉRAIRE

- **Départ** La Colombe
- **Arrivée** Wall Street
- **Distance** 4 km
- **Durée** 2 heures 30 à 3 heures

### 1 La Colombe

Commencez par un café à La Colombe (p. 68) qui, au XIX<sup>e</sup> siècle, était sur le trajet du "chemin de fer souterrain", un réseau secret de chemins et de refuges permettant aux esclaves noirs américains de gagner les États émancipés ou le Canada. Une plaque commémorative est visible sur le bâtiment, côté Lispenard St.

### 2 8 Hook & Ladder

Plus à l'ouest, à l'intersection de Varick St et N. Moore St, vous trouverez le 8 Hook & Ladder, le fameux bureau des chasseurs de spectres du film *SOS Fantômes*.

### 3 Textile Building

Poursuivez vers le sud dans Varick St, prenez à gauche dans Leonard St et faites une halte à l'intersection avec Church St. À l'angle sud-est se dresse le Textile Building, bâti en 1901. Son architecte, Henry J. Hardenbergh, a aussi signé le monumental Plaza Hotel à Midtown.

### 4 Woolworth Building

Continuez vers le sud dans Church St, prenez à gauche dans Park Pl, puis à droite dans Broadway. Devant vous se dressera le néogothique Woolworth Building (p. 65), le plus haut gratte-ciel du monde lorsqu'il fut achevé en 1913. La sécurité y est draconienne, mais vous pourrez peut-être jeter un coup d'œil au hall d'entrée et au plafond doré et bleu.

### 5 St Paul's Chapel

Prenez Broadway en direction du sud, traversez Vesey St et, sur votre droite, vous verrez la St Paul's Chapel (p. 59). C'est la seule église de New York encore intacte datant d'avant la guerre d'Indépendance.

**6 National September 11 Memorial & Museum**

Remontez vers Liberty St et prenez à l'ouest en direction du site. Le musée (p. 56) abrite des objets relatifs aux attaques terroristes de 2001, tandis que le Mémorial comporte deux immenses bassins réfléchissants installés à l'emplacement initial des Twin Towers. Le One World Trade Center, le gratte-ciel le plus élevé d'Amérique, surplombe l'ensemble du haut de ses 541 m.

**7 Trinity Church**

Plus au sud, dans Broadway, Trinity Church (p. 59) dominait la ville lorsqu'elle fut terminée en 1846. Robert Fulton, inventeur du bateau à vapeur, repose dans son cimetière. Conçue par l'architecte anglais Richard Upjohn, l'église contribua à lancer le pittoresque mouvement néogothique aux États-Unis.

**8 Wall Street**

Enfin, prenez vers l'est jusqu'à Wall Street, qui abrite le New York Stock Exchange (p. 59) et le Federal Hall (p. 59). Vous pouvez visiter ce dernier, où John Peter Zenger fut acquitté en 1935 après avoir été accusé d'écrits séditieux ; ce fut le premier pas vers l'établissement d'une démocratie acceptant la liberté de la presse. De l'autre côté de la rue, à l'angle sud-est de Wall St et de Broad St, se tient l'ancien siège de la JP Morgan Bank. Les marques que l'on distingue sur sa façade de calcaire côté Wall Street sont les vestiges de l'attentat à la bombe qui visa la banque en 1920.

## Les meilleurs

### RESTAURANTS

**Locanda Verde** Un restaurant italien à l'ambiance simple et décontractée. (p. 67)

**Les Halles** Les amateurs de viande se pressent dans le restaurant d'Anthony Bourdain. (p. 67)

**North End Grill** Le restaurant de grillades de Danny Meyer sert une cuisine délicieuse. (p. 67)

### BARS

**Macao** Bar en sous-sol à la déco éclectique, où siroter de délicieux cocktails. (p. 69)

**Dead Rabbit** Des cocktails de haut vol, servis dans un cadre léger et follement rétro. (p. 68)

**Ward III** Atmosphère désuète et plats de bar de qualité. (p. 69)

**Weather Up** Le summum de la décontraction. (p. 69)

### SITES HISTORIQUES

**Federal Hall** George Washington y prêta serment et devint le premier président des États-Unis. (p. 59)

**Trinity Church** Fondée à l'origine par le roi Guillaume III. (p. 59)

**St Paul's Chapel** George Washington est venu se recueillir ici. (p. 59)

**Fraunces Tavern Museum** Un voyage dans le temps, jusqu'au XVIIIe siècle. (p. 58)

Trinity Church
TRAVEL IMAGES/UIG/GETTY IMAGES ©

À ne pas manquer
# Statue de la Liberté

Plan p. 60

877-523-9849

www.nps.gov/stli

Liberty Island

Adulte/enfant, Ellis Island 17/9 $, plus accès couronne 20/12 $

9h30-17h30, à vérifier sur le Web

S 1 jusqu'à South Ferry, 4/5 jusqu'à Bowling Green

Depuis 1886, Lady Liberty, aussi surnommée la “Mère des exilés”, pose un regard sévère sur le continent aux Lumières éteintes, de l'autre côté de l'Atlantique. “Donne-moi tes pauvres, tes exténués, Qui en rangs pressés aspirent à vivre libres, Le rebut de tes rivages surpeuplés. Envoie-les-moi, les déshérités, que la tempête me les rapporte, De ma lumière, j'éclaire la porte d'or !” clame-t-elle dans *Le Nouveau Colosse*, le fameux poème d'Emma Lazarus publié en 1883. Ironie du sort, ces mots ne furent gravés sur le socle de la statue qu'en 1903, plus de quinze ans après la mort de leur auteur.

## La statue aujourd'hui

Au terme d'une ascension de 354 marches, la couronne de Lady Liberty offre une vue époustouflante sur la ville et le port. Réservez le plus tôt possible : le nombre de places est limité, et les billets d'accès ne sont pas vendus sur place. Une même personne n'a le droit de réserver que quatre billets, et les enfants doivent mesurer au moins 1,21 m.

Si vous avez manqué les billets pour la couronne, vous aurez probablement plus de chance avec ceux donnant accès au piédestal, d'où la vue est également imprenable. Ils sont aussi en nombre limité et doivent être réservés à l'avance, soit en ligne, soit par téléphone. Seuls les détenteurs de billets pour la couronne et le piédestal ont accès au musée de la statue de la Liberté dans le piédestal.

Vous n'avez ni billet pour la couronne ni pour le piédestal ? Pas de panique. Tous les billets de ferry pour Liberty Island offrent un accès élémentaire au parc, dont des visites, guidées par les gardiens ou audioguidées. Le parc abrite également une boutique de souvenirs et une cafétéria (un conseil : apportez un casse-croûte et dégustez-le au bord de l'eau, face aux gratte-ciel de Manhattan qui se détachent sur le ciel).

## Genèse de la statue

Grand symbole américain de la famille et de l'émancipation, la "Liberté éclairant le monde" est née d'une collaboration entre les États-Unis et la France pour commémorer le centenaire de la Déclaration d'indépendance. Elle a été conçue par le sculpteur français Frédéric Auguste Bartholdi qui consacra vingt ans de sa vie à réaliser son rêve : créer ce monument et l'ériger dans la baie de New York. Malgré les nombreux problèmes financiers dont a souffert le projet, celui-ci fut mené à bien, notamment grâce aux efforts de financement du grand homme de presse Joseph Pulitzer. La poétesse Emma Lazarus apporta sa contribution. Son ode à la statue faisait partie d'une campagne d'appels de fonds lancée pour financer le piédestal, conçue par l'architecte américain Richard Morris Hunt. Par ailleurs, le travail de Bartholdi se heurta à un défi structurel, résolu grâce à la maîtrise de l'ingénieur des chemins de fer Gustave Eiffel, qui conçut l'ossature métallique interne de la statue. L'œuvre ne fut achevée qu'en 1884, un peu hors délais pour le centenaire de 1876. Elle entama sa traversée pour New York en 350 morceaux emballés dans 214 caisses ; il fallut quatre mois pour la rassembler et l'ériger sur un piédestal de granit fabriqué aux États-Unis. Sa spectaculaire inauguration, en octobre 1886, fut accompagnée du premier défilé new-yorkais avec serpentins et d'une flottille de près de 300 vaisseaux. C'est le National Park Service qui gère la statue et Liberty Island depuis 1933. En 1984, une restauration a été entamée sur la robe de cuivre oxydée de la vieille dame, qui a été la même année inscrite au patrimoine mondial par l'Unesco.

### Infos pratiques

La traversée en ferry ne dure que 15 minutes, mais il faut compter la journée pour visiter la statue de la Liberté et Ellis Island. Attention : seules les personnes ayant pris le ferry avant 13h sont autorisées à visiter les deux sites. Les contrôles de sécurité au terminal des ferries peuvent prendre jusqu'à 90 minutes. La réservation pour visiter l'île et le piédestal est fortement recommandée, car elle assigne à chaque visiteur une heure de visite précise et garantit ainsi l'accès au site.

À ne pas manquer
# Ellis Island

Ellis Island constitue la plus fameuse porte d'entrée de l'Amérique, point de rencontre du désespoir de la vieille Europe et des promesses du Nouveau Monde. De 1892 à 1954, plus de 12 millions de personnes ont transité par ce poste d'immigration, parmi lesquelles le Hongrois Erik Weisz (Harry Houdini), l'Italien Rodolfo Guglielmi (Rudolph Valentino) et le Britannique Archibald Alexander Leach (Cary Grant). Environ 40% des Américains auraient un de leurs ancêtres qui serait entré par cette porte, ce qui confirme le rôle majeur de cette île minuscule dans la construction des États-Unis.

Plan p. 60

☎212-363-3200

www.nps.gov/elis

Entrée libre, ferry (avec statue de la Liberté) adulte/enfant 17/9 $

🕒9h30-17h30, à vérifier sur le Web

S 1 jusqu'à South Ferry, 4/5 jusqu'à Bowling Green

## Architecture du bâtiment principal

En 1990, le centre a rouvert ses portes après des travaux de quelque 160 millions de dollars. Il propose désormais aux visiteurs une version expurgée et moderne de cette expérience historique. Au fil de galeries interactives, l'impressionnant Immigration Museum (musée de l'Immigration) salue la mémoire de ces millions d'immigrants venus chercher ici une vie nouvelle.

Avec ce bâtiment aussi imposant, les architectes Edward Lippincott Tilton et William A. Boring ont signé un digne "prélude" à l'aventure américaine. Le duo décrocha le contrat au lendemain de l'incendie de l'édifice en bois originel en 1897. Le bâtiment évoque une gare grandiose, avec ses majestueuses entrées, ses briques rouges, ainsi que ses pierres angulaires et belvédères en granit. Au 2e étage, la Salle d'enregistrement ("Registry Room" ou "Great Hall"), longue de 103 m, est à couper le souffle. C'est là, sous le magnifique plafond voûté, que les nouveaux arrivants faisaient la queue pour satisfaire aux contrôles d'identité, et que polygames, indigents, criminels et anarchistes se voyaient refouler. Le plafond d'origine fut très endommagé par l'explosion d'une péniche chargée de munitions à Black Tom Wharf, non loin. Le nouveau plafond s'est vu orné de splendides carrelages formant des chevrons signés Rafael Guastavino.

## Musée de l'Immigration

Sur trois niveaux, le musée de l'Immigration rend un hommage émouvant aux valeureux immigrants. Optez pour la visite audioguidée de 50 minutes (8 $, disponible dans le hall du musée). Au fil des témoignages d'historiens, d'architectes et d'immigrants de l'époque, l'imposante collection d'objets personnels, de documents officiels, de photographies et de séquences d'archives prend soudainement vie. Expérience unique, le visiteur revit les moments des voyageurs dans les salles et couloirs où ils les ont vécus.

La collection est divisée en plusieurs expositions permanentes et temporaires. Au 2e étage, vous trouverez deux expositions particulièrement captivantes. "Through America's Gate" montre les épreuves auxquelles devaient se soumettre les arrivants, y compris le marquage à la craie de ceux que l'on soupçonnait d'être malades, le désagréable examen des yeux, et les 29 questions posées sous la voûte de la magnifique salle d'enregistrement. Quant à "Peak Immigration Years", elle s'intéresse aux motivations des immigrants et aux obstacles qu'ils devaient surmonter pour réaliser leur rêve américain. Pour découvrir l'histoire du bâtiment en lui-même, rendez-vous à l'exposition "Restoring a Landmark", au 3e étage ; les images de matériel brisé et d'objets laissés à l'abandon sont particulièrement marquantes.

### Infos pratiques

Pour vous assurer une place à bord d'un ferry, pensez à réserver. Si toutefois vous n'êtes guère du genre à programmer votre emploi du temps, vous pouvez tenter votre chance et bénéficier de l'un des forfaits en nombre limité disponibles pour les arrivants de dernière minute (mais attention : premier arrivé, premier servi). Durant les mois d'été, où l'affluence est particulièrement élevée, on peut se rendre à Ellis Island en prenant un ferry un peu moins bondé au Liberty State Park, dans le New Jersey. Pour une visite approfondie du musée, prévoyez trois bonnes heures.

À ne pas manquer

# National September 11 Memorial & Museum

Après des années de retards cumulés, le National September 11 Memorial and Museum a finalement ouvert ses portes au public. Les deux bassins réfléchissants aux eaux ruisselantes se veulent autant un symbole d'espoir et de renouveau qu'un hommage aux milliers de victimes de l'attaque terroriste. Juste à côté se dresse le Memorial Museum, un espace ultramoderne et solennel illustrant cette journée tragique de 2001.

Plan p. 60

www.911memorial.org

Angle Greenwich St et Albany St

24 $

S A/C/E jusqu'à Chambers St ; R jusqu'à Rector St ; 2/3 jusqu'à Park Pl

## Bassins réfléchissants

Conçus par Michael Arad et Peter Walker et entourés par une place plantée de 400 chênes blancs, les bassins réfléchissants du Mémorial du 11-Septembre occupent la base des anciennes tours jumelles. Le long des parois, des chutes d'eau de 9 m ruissellent vers un orifice central. De façon symbolique, des centaines de petits ruisseaux se rejoignent pour entamer une lente descente vers l'abysse. Ces bassins sont entourés de panneaux en bronze très émouvants portant les noms des victimes de l'attaque du 11 septembre 2001, ainsi que de l'attentat du World Trade Center du 26 février 1993.

## Musée du Mémorial

Le **National September 11 Memorial Museum** (www.911memorial.org/museum) renforce la puissance méditative du monument. Logé entre les bassins réfléchissants, le pavillon d'entrée vitré évoque avec subtilité, mais aussi de manière sombre, une tour effondrée. À l'intérieur, une rampe glisse vers les galeries d'exposition souterraines. Les visiteurs descendent à l'ombre de deux tridents d'acier de 21 m de haut, initialement scellés dans les fondations de la tour Nord. Ces survivants noircis ne sont que deux des nombreux témoins silencieux des attaques. Parmi ceux-ci, le dénommé "escalier des Survivants", emprunté par des centaines d'employés pour fuir le site du WTC. Extraite des décombres, la dernière colonne d'acier y est ornée de messages et de souvenirs des reconstructeurs, premiers secouristes et proches des victimes. Puis vous verrez le camion de pompiers de la caserne Engine Company 21, du New York City Fire Department, à l'habitacle carbonisé, poignant témoignage du brasier qu'ont affronté les soldats du feu.

## One World Trade Center

À l'angle nord-ouest du site du WTC, les 104 étages du **One World Trade Center** (Vesey St) s'élèvent vers le ciel. Œuvre de l'architecte David M. Childs d'après l'idée originale de Daniel Libeskind en 2002, ce géant longiligne est le plus haut édifice des États-Unis mais aussi, actuellement, de l'hémisphère Ouest, et le 4e au monde, partie sommitale comprise. Surmonté d'une antenne étayée par des câbles et conçue en collaboration avec Kenneth Snelson, le building atteint 1 776 pieds de haut (environ 541 m) : une référence à l'année de l'indépendance américaine.

La symbolique se retrouve dans plusieurs aspects du building : l'empreinte de la tour est la même que celle des tours d'origine, tandis que les plates-formes d'observation seront à la même hauteur que celles des buildings disparus. Elles devraient ouvrir au public en 2015, et iront des étages 100 à 102, offrant une vue sans égale à 360°. Contrairement aux tours d'origine, le One WTC a été bâti selon de toutes nouvelles normes de sécurité. Parmi celles-ci : une base en béton de 200 pieds (60 m) de haut résistante aux explosions, et des murs en béton de 1 m d'épaisseur entourent tous les ascenseurs, cages d'escalier, ainsi que des systèmes de communication et de sécurité. Les concepteurs n'avaient toutefois pas prévu que l'antenne, telle qu'elle est positionnée, serait bruyante : les vents forts qui s'engouffrent dans son maillage produisent un mugissement obsédant, réputé réveiller les New-Yorkais la nuit.

### Ange du 11-Septembre

Un des objets les plus étranges (et les plus connus) du musée du Mémorial est le dénommé "Ange du 11-Septembre". Il s'agit du contour d'un visage de femme, apparu sur l'une des poutres métalliques, reliquat des Twin Towers. Les experts ont une explication plus prosaïque : cette apparition fantomatique serait le résultat d'une corrosion naturelle.

# Découvrir Lower Manhattan et Financial District

### Depuis/vers Lower Manhattan et Financial District

- **Métro** Le Financial District est bien relié par le métro au reste de Manhattan, à Brooklyn, au Queens et au Bronx. De la station Fulton St correspondances pour les lignes A/C, J/Z, 2/3 et 4/5. Les ferries de Staten Island partent du terminus de la ligne 1, South Ferry.

- **Bateau** Les ferries de Staten Island sont à l'extrémité sud de Whitehall St. Ceux de Governors Island partent du Battery Maritime Building voisin. Et ceux de Liberty Island et Ellis Island partent de Battery Park, à proximité.

St Paul's Chapel
KEVIN CLOGSTOUN/GETTY IMAGES ©

## À voir

### Wall Street et Financial District

**National September 11 Memorial & Museum (p. 56)**

**Fraunces Tavern Museum** Musée

**Plan p. 60 (fraucestavernmuseum.org ; 54 Pearl St entre Broad St et Coenties Slip ; adulte/enfant 7 $/gratuit ; 12h-17h ; S J/Z jusqu'à Broad St ; 4/5 jusqu'à Bowling Green).** Ce musée-restaurant et bar d'exception, ensemble architectural composé de quatre bâtiments du début du XVIII$^{e}$ siècle, commémore les événements fondateurs de 1783, lorsque les Britanniques durent quitter New York à la fin de la guerre d'Indépendance, et que le général George Washington prononça son discours d'adieu devant les officiers de l'armée continentale dans la salle à manger du 2$^{e}$ étage, le 4 décembre.

**National Museum of the American Indian** Musée

**Plan p. 60 (www.nmai.si.edu ; 1 Bowling Green ; 10h-17h ven-mer, 10h-20h jeu ; S 4/5 jusqu'à Bowling Green, R jusqu'à Whitehall St).** GRATUIT Affilié à la Smithsonian Institution, ce musée est logé dans l'ancien bureau des douanes conçu par Cass Gilbert en 1907, de style Beaux-arts. Par-delà une vaste rotonde elliptique, les galeries abritent des expositions temporaires consacrées à la culture, à la vie quotidienne et aux croyances amérindiennes.
La collection permanente comprend d'étonnantes œuvres d'art décoratif, tissus et objets rituels témoignant de

la diversité des cultures indiennes des Amériques.

**Trinity Church** Église

**Plan p. 60 (www.trinitywallstreet.org ; Broadway à la hauteur de Wall St ; ⏲église 7h-18h lun-ven, 8h-16h sam, 7h-16h dim, cimetière 7h-16h lun-ven, 8h-15h sam, 7h-15h dim ; S R jusqu'à Rector St ; 2/3, 4/5 jusqu'à Wall St).** Achevée en 1846, Trinity Church dominait alors le ciel de New York. Elle compte un clocher de 84 m, un vitrail saisissant au-dessus de l'autel et un petit musée contenant des objets liturgiques historiques. Son paisible cimetière abrite la tombe du père fondateur Alexander Hamilton. Son excellente programmation musicale comprend les *Concerts at One* (13h le jeudi) et de splendides spectacles de chorale, dont une interprétation annuelle du *Messie* de Haendel en décembre.

**St Paul's Chapel** Église

**Plan p. 60 (www.trinitywallstreet.org ; Broadway à la hauteur de Fulton St ; ⏲10h-18h lun-ven, 10h-16h sam, 8h-16h dim ; S A/C, J/Z, 2/3, 4/5 jusqu'à Fulton St).** George Washington vint se recueillir après son investiture de 1789 dans cette chapelle néoclassique, qui a refait parler d'elle au lendemain du 11-Septembre. Situé à un pâté de maisons du World Trade Center, ce bâtiment s'est mué en centre de bénévolat et de soutien spirituel, comme l'illustre l'émouvante exposition "Unwavering Spirit : Hope & Healing at Ground Zero".

**Federal Hall** Musée

**Plan p. 60 (www.nps.gov/feha ; 26 Wall St, entrée dans Pine St ; ⏲9h-17h lun-ven ; S J/Z jusqu'à Broad St ; 2/3, 4/5 jusqu'à Wall St).** GRATUIT Chef-d'œuvre du style néogrec, Federal Hall abrite un musée consacré au New York postcolonial. Les objets exposés évoquent l'investiture de George Washington ou les liens étroits entre Alexander Hamilton et New York, et les combats juridiques de John Peter Zenger après la publication d'articles révélant la corruption du gouvernement. Un centre d'information renseigne le visiteur sur les événements culturels de la ville.

**New York Stock Exchange** Édifice remarquable

**Plan p. 60 (www.nyse.com ; 11 Wall St; ⏲fermé au public ; S J/Z jusqu'à Broad St ; 2/3, 4/5 jusqu'à Wall St).** Le New York Stock Exchange (NYSE), la Bourse la plus célèbre du monde, est un des symboles emblématiques du capitalisme américain. Environ un milliard d'actions changent de main quotidiennement

## Le souffle du passé

Si vous flânez près des anciens bureaux de la JP Morgan Bank, à l'angle sud-est de Wall St et Broad St, prenez le temps d'examiner sa façade côté Wall St. Les impacts qu'on y aperçoit datent de l'attentat de Wall Street, l'attaque terroriste la plus meurtrière de l'histoire des États-Unis jusqu'à celle d'Oklahoma City en 1995, puis celle du 11 septembre 2001.

En ce jour fatal du 16 septembre 1920, à 12h01 précises, un chariot chargé de plomb et de dynamite explosa. L'attentat fit 38 victimes et environ 400 blessés. Parmi ces derniers se trouvait Joseph P. Kennedy, père du futur président.

Au lendemain de cet attentat contre la principale institution financière américaine, les soupçons se portèrent sur les groupes anticapitalistes, des anarchistes italiens aux bolcheviques. Toutefois, le mystère ne fut jamais résolu, la réouverture de la banque et de la Bourse dès le lendemain balayant la plupart des indices. Près d'un siècle plus tard, les murs portent encore les éclats de l'attaque, laissés par JP Morgan dans un geste de mémoire et de défi.

## Lower Manhattan et Financial District

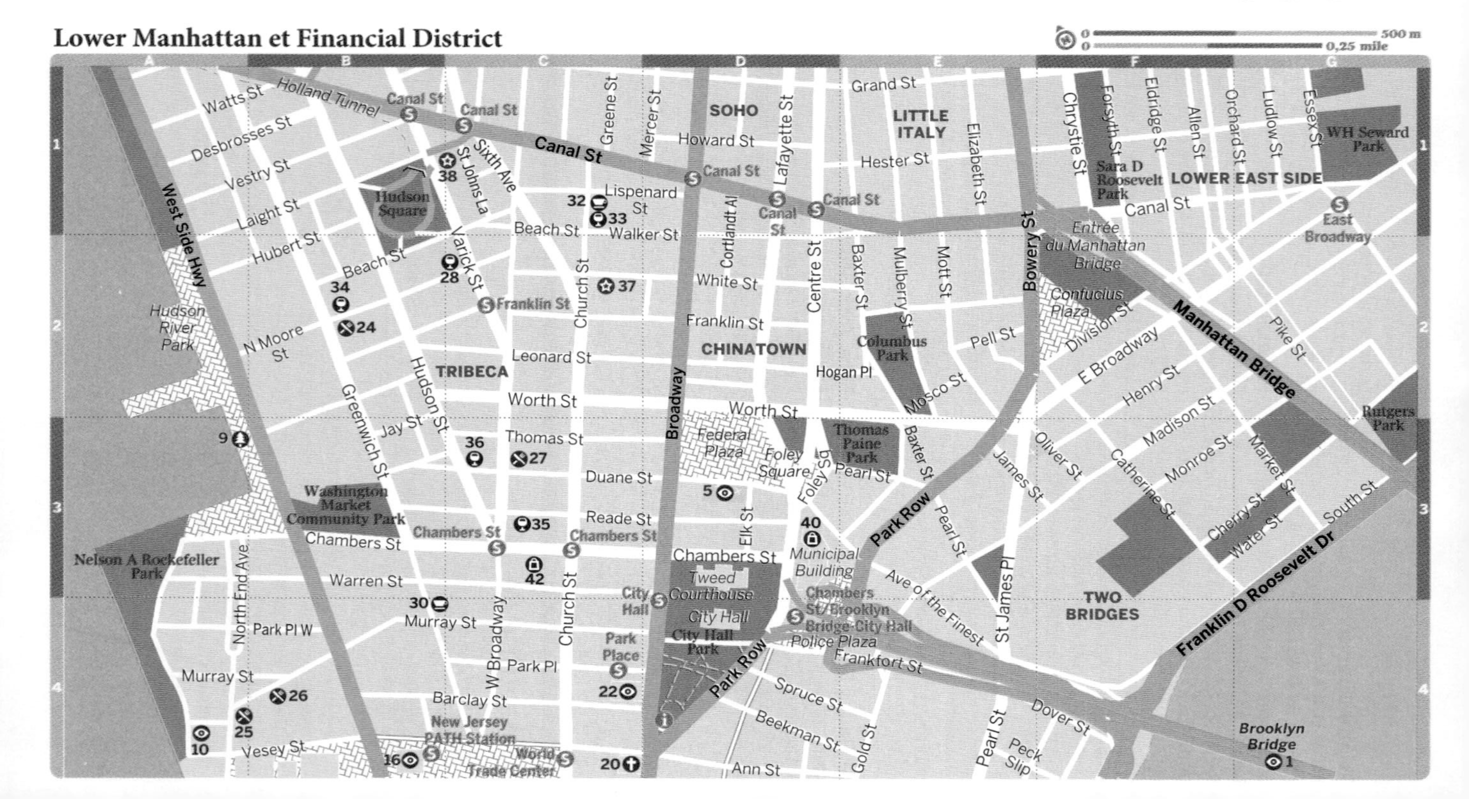

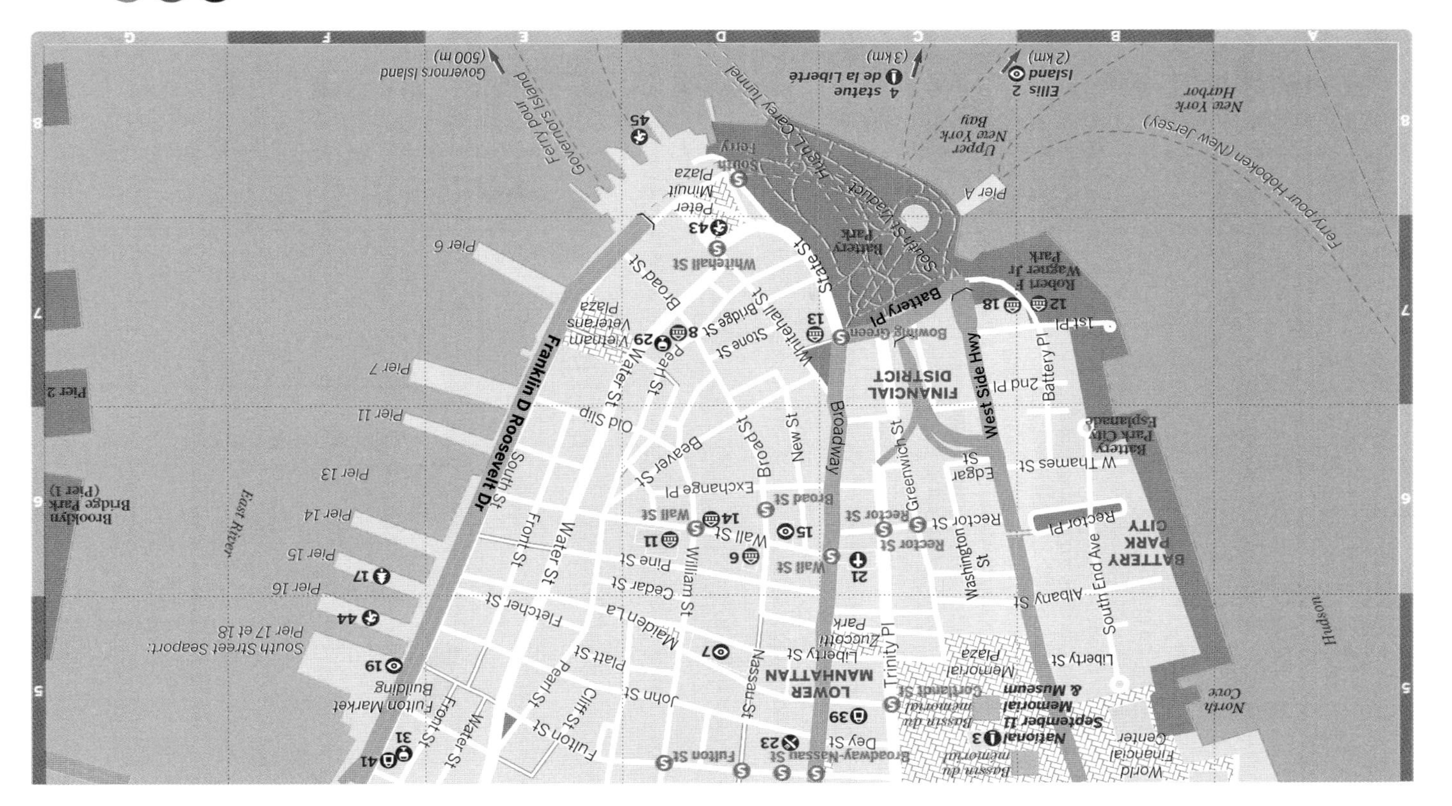

LOWER MANHATTAN
FINANCIAL DISTRICT
BATTERY PARK CITY
East River
Hudson
North Cove
Upper New York Bay
New York Harbor
Brooklyn Bridge Park (Pier 1)
Pier 2
Pier 6
Pier 7
Pier 11
Pier 13
Pier 14
Pier 15
Pier 16
South Street Seaport: Pier 17 et 18
Pier A
Fulton Market Building
Franklin D Roosevelt Dr
West Side Hwy
Broadway
South St
Front St
Water St
Pearl St
Cliff St
Fulton St
John St
Platt St
Fletcher St
Maiden La
Cedar St
Pine St
William St
Wall St
Exchange Pl
Beaver St
Old Slip
Broad St
New St
Nassau St
Stone St
Bridge St
Whitehall St
State St
Battery Pl
Greenwich St
Trinity Pl
Liberty St
Dey St
Rector St
Washington St
Edgar St
Albany St
South End Ave
Rector Pl
W Thames St
2nd Pl
1st Pl
Zuccotti Park
Vietnam Veterans Plaza
Peter Minuit Plaza
Battery Park
Robert F Wagner Jr Park
Battery Park City Esplanade
Memorial Plaza
World Financial Center
National September 11 Memorial & Museum
Bassin du mémorial
South St Viaduct
Hugh L Carey Tunnel
Ferry pour Governors Island
Ferry pour Hoboken (New Jersey)
Governors Island (500 m)
4 statue de la Liberté (3 km)
Ellis Island 2 (2 km)
Fulton St
Broadway-Nassau St
Cortlandt St
Rector St
Wall St
Broad St
Bowling Green
Whitehall St
South Ferry
3
6
7
8
11
12
13
14
15
17
18
19
21
23
29
31
39
41
43
44
45
A
B
C
D
E
F
G
5
6
7
8

## Lower Manhattan et Financial District

**Les incontournables**
1 Brooklyn Bridge ... G4
2 Ellis Island ... B8
3 National September 11 Memorial & Museum ... C5
4 Statue de la Liberté ... C8

**À voir**
5 African Burial Ground ... D3
6 Federal Hall ... D6
7 Federal Reserve Bank of New York ... D5
8 Fraunces Tavern Museum ... D7
9 Hudson River Park ... A3
10 Irish Hunger Memorial ... A4
11 Museum of American Finance ... D6
12 Museum of Jewish Heritage ... B7
13 National Museum of the American Indian ... D7
14 New York City Police Museum ... D6
15 New York Stock Exchange ... D6
16 One World Trade Center ... B4
17 Pier 15 ... F6
18 Skyscraper Museum ... C7
19 South Street Seaport ... F5
20 St Paul's Chapel ... C4
21 Trinity Church ... C6
22 Woolworth Building ... C4

**Où se restaurer**
23 Les Halles ... D5
24 Locanda Verde ... B2
25 North End Grill ... A4
26 Shake Shack ... B4
27 Tiny's & the Bar Upstairs ... C3

**Où prendre un verre et faire la fête**
28 Brandy Library ... C2
29 Dead Rabbit ... D7
30 Kaffe 1668 ... B4
31 Keg No 229 ... F5
32 La Colombe ... C1
33 Macao ... C1
34 Smith & Mills ... B2
35 Ward III ... C3
36 Weather Up ... C3

**Où sortir**
37 Flea Theater ... C2
38 Tribeca Cinemas ... C1

**Shopping**
39 Century 21 ... C5
40 Citystore ... D3
41 Pasanella & Son ... F5
42 Philip Williams Posters ... C3

**Sports et activités**
43 Bike & Roll Bike Rentals ... D7
44 Pioneer ... F5
45 Staten Island Ferry ... D8



derrière l'austère façade romane de la Bourse new-yorkaise, désormais fermée au public pour des questions de sécurité. Vous pourrez néanmoins flâner devant le bâtiment.

### Museum of American Finance — Musée

**Plan p. 60 (www.moaf.org ; 48 Wall St entre Pearl St et William St ; adulte/enfant 8 $/gratuit ; 10h-16h mar-sam ; S 2/3, 4/5 jusqu'à Wall St).** Les expositions de ce musée sont axées sur les grands moments de l'histoire financière américaine. Les collections permanentes comptent des monnaies historiques rares (dont le dollar confédéré, utilisé par les États du Sud pendant la guerre de Sécession), des certificats d'obligation datant de l'âge d'or, la plus ancienne photo à ce jour de Wall Street et un extrait des cours de 1875.

Ancien siège de la Bank of New York, l'édifice est un spectacle à lui tout seul, avec ses 9 m de hauteur sous plafond, ses grandes verrières voûtées, son majestueux escalier, ses lustres en cristal et ses peintures murales retraçant les faits marquants de l'histoire de la banque et du commerce.

### New York City Police Museum — Musée

**Plan p. 60 (www.nycpolicemuseum.org ; 45 Wall St à la hauteur de William St ; 5 $ ; lun-sam 10h-17h, dim 12h-17h ; ; S J/Z jusqu'à Broad St 2/3, 4/5 jusqu'à Wall St).** L'emplacement historique du 100 Old Slip fut endommagé par l'ouragan Sandy : tant qu'il n'aura pas rouvert (sans doute en 2015), cet hommage aux “meilleurs de New York” (*New York Finest*, surnom donné aux policiers de la Grosse Pomme) demeurera dans Wall St. Les expositions couvrent les aspects passés et présents de la lutte contre le crime dans la ville, des armes et photos d'identité judiciaires des tristement célèbres gangsters new-yorkais aux uniformes d'époque du NYPD (police de New York), en passant par de rares photos des attaques terroristes du 11-Septembre.

### Federal Reserve Bank of New York Édifice remarquable

**Plan p. 60 (☎212-720-6130 ; www.newyorkfed.org ; 33 Liberty St à la hauteur de Nassau St, entrée via 44 Maiden Lane ; réservation obligatoire ; ⏲visite guidée 11h15, 12h, 12h45, 13h30, 14h15 et 15h lun-ven, musée 10h-15h ; S A/C, J/Z, 2/3, 4/5 jusqu'à Fulton St).** GRATUIT Principal intérêt de la Réserve fédérale américaine, la chambre forte, enfouie à 25 m sous terre, contient plus de 10 000 tonnes d'or. Vous ne pourrez voir qu'une partie de ce trésor. La visite guidée gratuite (à réserver plusieurs mois à l'avance) est l'unique moyen de pénétrer dans ce sanctuaire.

Si une visite guidée ne se révèle pas pas nécessaire pour parcourir ce musée interactif qui fouille dans l'histoire et les documents de la banque, il vous faudra néanmoins réserver un créneau horaire en ligne. Munissez-vous d'une pièce d'identité.

## New York Harbor

**Statue of Liberty** (p. 52)
**Ellis Island** (p. 54)

## Battery Park City

### Museum of Jewish Heritage Musée

**Plan p. 60 (www.mjhnyc.org ; 36 Battery Pl ; adulte/enfant 12 $/gratuit, 16h-20h mer gratuit ; ⏲10h-17h45 dim mar et jeu, 10h-20h mer, 10h-17h ven avr-sept, 10h-15h ven oct-mars ; S 4/5 jusqu'à Bowling Green).** Posé au bord de l'eau, ce musée explore tous les aspects de la culture juive contemporaine, au fil d'objets personnels, de photographies et de documentaires. Créé par l'artiste Andy Goldsworthy, le Garden of Stones ("jardin de pierres"), avec ses 18 rochers formant une étroite allée, est dédié à ceux qui ont perdu un être cher au cours de la Shoah.

### Skyscraper Museum Musée

**Plan p. 60 (www.skyscraper.org ; 39 Battery Pl ; entrée 5 $ ; ⏲12h-18h mer-dim ; S 4/5 jusqu'à Bowling Green).** Les amateurs d'architecture verticale adoreront cette excellente galerie, qui étudie le gratte-ciel du point de vue du

Irish Hunger Memorial

**Ci-dessous :** Woolworth Building ; **à droite :** South Street Seaport
(CI-DESSOUS) FRANZ MARC FREI/GETTY IMAGES © ; (À DROITE) BARRY WINIKER/GETTY IMAGES ©

design, de l'ingénierie et de l'aménagement urbain. Parmi les fréquentes expositions temporaires, l'une des plus récentes s'intéressait à la nouvelle génération de "super gratte-ciel". La collection permanente illustre la conception et la construction de l'Empire State Building, ainsi que du World Trade Center.

**Irish Hunger Memorial** Mémorial
**Plan p. 424 (290 Vesey St à la hauteur de North End Ave ; S 2/3 jusqu'à Park Place).**
GRATUIT L'œuvre de l'artiste Brian Tolle, labyrinthe compact constitué de murets de calcaire et d'étendues de verdure, commémore la Grande Famine qui frappa l'Irlande de 1845 à 1852, incitant des milliers d'Irlandais à venir chercher une vie meilleure à New York. La création, réalisée avec des pierres importées des 32 comtés d'Irlande, représente des cottages, des murs de pierre et des champs de pommes de terre.

**Hudson River Park** Parc
**Plan p. 60 (www.hudsonriverpark.org ; rive gauche de Manhattan à partir de Battery Park jusqu'à 59th St ; S 1 jusqu'à Franklin St, 1 jusqu'à Canal St).** S'étendant sur 8 km de Battery Park à Hell's Kitchen, ce parc de 22 ha longe le sud-ouest de Manhattan. Une piste destinée aux cyclistes, aux coureurs et aux skaters s'étale sur toute sa longueur. L'offre de loisirs est très riche : jardins communautaires, aires de jeux, sculptures, et quais transformés en esplanades. Sans oublier les minigolfs et, en été, un cinéma et une scène de concerts en plein air. Consultez le site Web pour un plan détaillé.

## East River Waterfront

**South Street Seaport** Quartier
**Plan p. 60 (www.southstreetseaport.com ; S A/C, J/Z, 2/3, 4/5 jusqu'à Fulton St).** Sur 11 blocs d'immeubles, cette enclave maritime de rues pavées, de hangars et de boutiques mêle le meilleur et le

pire des bâtiments historiques. Si les New-Yorkais ne s'y promènent guère, les touristes sont eux attirés par l'air marin, les artistes de rue et les restaurants bondés.

La coque de fer du **Pioneer** (**212-742-1969 ; www.nywatertaxi.com ; Pier 16, South Street Seaport ; adulte/enfant 45/35 $**), sur le Pier 16, un navire du XIX<sup>e</sup> siècle, offre des croisières de 2 heures pendant les mois les plus chauds. À proximité, le **Pier 15** (**South St entre Fletcher St et John St ; 6h-crépuscule**), impressionnante jetée à 2 niveaux avec ses sentiers gazonnés et une vue spectaculaire sur l'eau, attend aussi sa réhabilitation.

## City Hall et Civic Center

### Woolworth Building — Édifice remarquable

**Plan p. 60 (http://woolworthtours.com ; 233 Broadway à la hauteur de Park Pl ; visites 30/90 min 15/45 $ ; S R jusqu'à City Hall, 4/5/6 jusqu'à Brooklyn Bridge-City Hall).** Élégamment revêtue de maçonnerie et de terre cuite, cette merveille néogothique signée Cass Gilbert était, avec 60 étages pour 241 m, le plus haut building du monde en 1913, avant d'être dépassée par le Chrysler Building en 1930. Classé site historique national, le hall offre un éblouissant spectacle de mosaïques byzantines. Pour les voir, il vous faudra réserver à l'avance une visite guidée, qui vous donnera un aperçu des aspects originels les plus curieux du bâtiment, dont une bouche de métro et une piscine secrète.

### African Burial Ground — Mémorial

**Plan p. 60 (www.nps.gov/afbg ; 290 Broadway entre Duane St et Elk St ; mémorial tlj 9h-17h, centre d'information 10h-16h mar-sam ; S 4/5 jusqu'à Wall St).** GRATUIT En 1991, des ouvriers du bâtiment découvrirent ici plus de 400 cercueils en bois, enfouis à quelques mètres à peine du sol. Ils renfermaient les ossements d'esclaves (le cimetière de Trinity Church était jadis interdit aux Africains). Aujourd'hui, le site compte un centre d'information et un mémorial élevé en l'honneur des quelque 15 000 Africains enterrés ici entre le XVII<sup>e</sup> et le XVIII<sup>e</sup> siècle.

PANORAMIC IMAGES/GETTY IMAGES ©

## À ne pas manquer
## Le pont de Brooklyn

Emblématique de New York, le Brooklyn Bridge (plan p. 60) fut le premier pont suspendu en acier au monde. Quand il fut inauguré, en 1883, la partie du tablier entre ses deux pylônes était la plus longue du monde (plus de 486 m). Bien que sa construction ait connu des déboires, le pont est devenu un magnifique exemple de design urbain, source d'inspiration pour les poètes, les écrivains et les peintres. Aujourd'hui encore, le pont de Brooklyn continue de fasciner et nombreux sont ceux qui le considèrent comme le plus beau pont du monde.

L'ingénieur d'origine allemande John Roebling conçut les plans du pont qui enjambe l'East River de Manhattan à Brooklyn. Il mourut du tétanos avant même le début des travaux. Son fils Washington Roebling prit la relève. La réalisation de l'ensemble, qui demanda 14 années, souffrit de dépassements de budget et de la mort de 20 ouvriers. Roebling lui-même demeura longtemps alité à la suite d'un accident, et fut remplacé sur le chantier par son épouse Emily. En juin 1883, lors de l'ouverture du pont aux piétons, quelqu'un dans la foule s'écria soudain, peut-être pour plaisanter, que le pont s'écroulait. Une bousculade s'ensuivit, provoquant la mort de 12 personnes.

## Où se restaurer

Les établissements du quartier d'affaires s'emplissent lors du rush du midi, des fast-foods aux restaurants plus guindés. Tous offrent quantité d'options savoureuses, du faux-filet sauce Bercy du restaurant Les Halles à la crème anglaise glacée du Shake Shack. Au nord, l'atmosphère est plus tendance à Tribeca, qui réunit nombre de hauts lieux gastronomiques.

**Shake Shack** Burgers $

Plan p. 60 (www.shakeshack.com ; 215 Murray St entre West St et North End Ave ; burger à partir de 3,60 $ ; 11h-23h ; S A/C, 1/2/3 jusqu'à Chambers St). La cultissime chaîne de hamburgers de Danny Meyer, restauration rapide d'excellence, propose des burgers moelleux à base de viande fraîchement hachée, des hot-dogs à la mode de Chicago, et d'excellentes frites. Gardez une petite place pour la légendaire crème anglaise glacée et sirotez une Brooklyn Brewery Sixpoint locale.

**North End Grill** Américain $$

Plan p. 60 (646-747-1600 ; www.northendgrillnyc.com ; 104 North End Ave à la hauteur de Murray St ; déj 3-plats 39 $, plats dîner 17-34 $ ; 11h30-14h et 17h30-22h lun-jeu, jusqu'à 22h30 ven, 11h-14h et 17h30-22h30 sam, 11h-14h30 et 17h30-19h dim ; S 1/2/3, A/C jusqu'à Chambers St, E jusqu'à World Trade Center). Joli, chic et accueillant : voilà le grill américain revu par le célèbre chef Danny Meyer. Les produits de 1er choix (dont ceux provenant du jardin sur le toit du restaurant) sont à la base de bons petits mets aux touches modernes, qu'engloutissent joyeusement des hommes d'affaires en costume cravate et une poignée de visiteurs plus décontractés.

**Les Halles** Français $$

Plan p. 60 (212-285-8585 ; www.leshalles.net ; 15 John St entre Broadway et Nassau St ; plats 14,50-32 $ ; 7h-minuit ; ; S A/C, J/Z, 2/3, 4/5 jusqu'à Fulton St). Le chef Anthony Bourdain règne sur cette grande brasserie. Dans un cadre élégant de luminaires boules, de lambris sombres et de linge blanc amidonné, une clientèle bourgeoise se régale de plats tels la côte de bœuf ou le steak au poivre.

**Locanda Verde** Italien $$$

Plan p. 60 (212-925-3797 ; www.locandaverdenyc.com ; 377 Greenwich St à la hauteur de Moore St ; déj 19-29 $, plats dîner 28-34 $ ; 7h-23h lun-ven, 8h-23h sam-dim ; S A/C/E jusqu'à Canal St, 1 jusqu'à Franklin St). Son rideau de velours s'ouvre sur un décor animé de chemises débraillées de chez Brown Brothers, de robes noires et d'experts barmen officiant derrière un long comptoir bondé. Affiliée au **Greenwich Hotel** (212-941-8900 ;

Déjeuner chez Locanda Verde

THE WASHINGTON POST/GETTY IMAGES ©

www.greenwichhotelny.com ; 377 Greenwich St, entre N Moore St et Franklin St; ch à partir de 635 $ ; ❄📶🏊 ; S 1 jusqu'à Franklin St, A/C/E jusqu'à Canal St), cette brasserie est tenue par le chef-vedette Andrew Carmellini, avec qui la cuisine italienne moderne en voit de toutes les couleurs : les *agnolotti* (raviolis piémontais) à la citrouille se marient à la sauge et aux *amaretti* (macarons aux amandes), et les escalopes rôties s'unissent aux choux-fleurs, pignons et câpres siciliens.



### Tiny's & the Bar Upstairs — Américain $$$

Plan p. 60 (☎212-374-1135 ; 135 W Broadway entre Duane St et Thomas St ; plats 22-36 $ ; 🕒11h30-23h lun-jeu, jusqu'à minuit ven, 10h30-minuit sam, 10h30-23h dim ; S A/C, 1/2/3 jusqu'à Chambers St). Douillet et ravissant (réservez absolument), le Tiny est doté d'un feu crépitant dans la petite salle et d'un bar confidentiel à l'étage. *Burrata* (mozzarella crémeuse) avec purée de dattes, glaçage citron-miel et pistaches, ou encore escalopes saisies relevées d'un soupçon de pamplemousse et d'une sauce coco thaïlandaise gingembre-piment : servis dans de vieilles assiettes de porcelaine et subtilement revus et corrigés, les plats sont de délicieuses créations.

## Où prendre un verre et faire la fête

### La Colombe — Café

Plan p. 60 (www.lacolombe.com ; 319 Church St à la hauteur de Lispenard St ; 🕒7h30-18h30 lun-ven, 8h30-18h30 sam-dim ; S A/C/E jusqu'à Canal St). Certes, on ne sert ici que du café et des pâtisseries, mais que de saveurs ! L'expresso, noir et intense, est servi par un personnel élégant sous les yeux d'une clientèle branchée.

### Kaffe 1668 — Café

Plan p. 60 (www.kaffe1668.com ; 275 Greenwich St entre Warren St et Murray St ; 🕒6h30-22h lun-ven, 7h-21h sam-dim ; 📶 ; S A/C, 1/2/3 jusqu'à Chambers St). Un eldorado pour les aficionados du café. La grande table collective mêle les employés de bureau et les créatifs pianotant sur leur ordinateur portable, et le sous-sol offre d'autres places assises. Pour un effet ébouriffant, nous vous conseillons le triple *ristretto*.

### Dead Rabbit — Bar à cocktails

Plan p. 60 (www.deadrabbitnyc.com ; 30 Water St ; 🕒11h-4h ; S R jusqu'à Whitehall St, 1 jusqu'à South Ferry). Ce petit nouveau à la table des cocktails n'a pas attendu pour rafler des récompenses, dont le prix du meilleur nouveau bar à cocktails du monde, de la meilleure carte des cocktails et du barman international de l'année lors de l'édition 2013 du festival Tales of the Cocktail.

Governors Island

## Vaut le détour Governors Island

Interdit au public pendant 200 ans, l'ancien bastion militaire de **Governors Island** (**212-514-8285 ; www.nps.gov/gois ; entrée libre ; sam-dim 10h-19h fin mai-fin sept ; ferries depuis Battery Maritime Bldg, Slip 7, ttes les heures 10h-15h ven et ttes les 30 min 10h-17h sam-dim mai-oct ; S 4, 5 jusqu'à Bowling Green, 1 jusqu'à South Ferry**) est l'un des terrains de jeu favoris des New-Yorkais. Chaque été, des ferries gratuits assurent le trajet depuis Lower Manhattan jusqu'à cette oasis de 86 ha. Depuis 2014, 12 ha supplémentaires d'espace vert accueillent l'esplanade Liggett Terrace (2 ha), parsemée d'œuvres d'art, la "plantation" Hammock Grove (4 ha), agrémentée de 50 hamacs, et la pelouse Play Lawn (5 ha), avec 2 terrains en gazon naturel : l'un, de *softball* pour adultes ; l'autre, de base-ball pour enfants (Little League).

L'art est au cœur de Figment (www.figmentproject.org), festival interactif qui se tient en juin, tandis que la Great Promenade offre une vue exaltante : longeant le périmètre de l'île sur 3,5 km, l'itinéraire embrasse Lower Manhattant et Brooklyn jusqu'à Staten Island et au New Jersey. Bike & Roll loue des vélos pour 20 $ la demi-journée.

En journée, rejoignez le bar saupoudré de sciure où sont servis bières spéciales, punchs mémorables et *pop-inns* (bière légèrement houblonnée et aromatisée). En soirée, précipitez-vous à l'étage dans le confortable Parlour (salon), qui propose 72 cocktails méticuleusement étudiés.

### Weather Up — Bar à cocktails

**Plan p. 60 (www.weatherupnyc.com ; 159 Duane St entre Hudson St et W Broadway ; 17h-2h ; S 1/2/3 jusqu'à Chambers St).** Lumière tamisée sur les carreaux de faïence, barmen aimables et cocktails séduisants forment le trio ensorceleur du Weather Up, où vous pourrez gentiment demander un Whizz Bang (scotch, vermouth sec, grenadine maison, bitter à l'orange et absinthe).

### Ward III — Bar à cocktails

**Plan p. 60 (www.ward3tribeca.com ; 111 Reade St entre Church St et W Broadway ; 16h-4h lun-ven, 17h-4h sam-dim ; S A/C, 1/2/3 jusqu'à Chambers St).** Le Ward III associe décontraction vieille école, cocktails élégants et cadre rétro. Plongez dans le passé en sirotant un "Moroccan Martini" ou repaissez-vous d'en-cas rafinés servis jusqu'à la fermeture.

### Macao — Bar à cocktails

**Plan p. 60 (212-431-8750 ; www.macaonyc.com ; 311 Church St entre Lispenard St et Walker St ; bar 16h-5h ; S A/C/E jusqu'à Canal St).** Nous avons adoré le bar-restaurant dans le style "maison de jeux" des années 1940, mais c'est pour la salle "fumerie d'opium" (ouverte du jeudi au samedi) au sous-sol que nous avons eu un coup de cœur. Mélange sino-portugais de plats et de boissons alcoolisées, les 2 étages sont parfaits pour un verre et un en-cas tard le soir, notamment si vous avez un petit faible pour les breuvages qui crépitent sous la langue.

### Brandy Library — Bar

**Plan p. 60 (www.brandylibrary.com ; 25 N Moore St à la hauteur de Varick St ; 17h-1h dim-mer, 16h-2h jeu, 16h-4h ven-sam ; S 1 jusqu'à Franklin St).** Quand s'abreuver devient une affaire sérieuse, on s'installe dans l'un des fauteuils clubs de cette "bibliothèque" ultraluxueuse, face à des étagères allant du sol au plafond, garnies de bouteilles.

### Keg No 229 — Bar à bières

**Plan p. 60 (www.kegno229.com ; 229 Front St entre Beekman St et Peck Slip ; 12h-minuit dim-mer, 12h-2h jeu-sam ; S A/C, J/Z, 1/2, 4/5**

## Broadway Tickets

Achetez vos billets pour Broadway à prix réduits au TKTS de South Street Seaport plutôt qu'à celui de Time Square. Il y a moins de monde et l'on peut acheter des places pour le spectacle en matinée du lendemain (chose impossible à Times Sq). Les utilisateurs de Smartphones peuvent télécharger gratuitement l'application TKTS, qui offre la liste des disponibilités en temps réel.

**jusqu'à Fulton St).** Ce véritable "Who's Who" de la bière américaine tendance propose des boissons aux noms surprenants tels que "Mother's Milk (lait maternel) Stout" ou "Abita Purple Haze" (brume violette). En face, les amateurs de vin trouveront le Bin, maison sœur, au N° 220.

### Smith & Mills — Bar à cocktails

**Plan p. 60 (www.smithandmills.com ; 71 N Moore St entre Hudson St et Greenwich St ; 11h-2h lun-mer, 11h-3h jeu-sam, 11h-1h dim ; S 1 jusqu'à Franklin St).** Cet établissement exigu remplit toutes les cases "sympa" : extérieur sans enseigne, intérieur industriel excentrique et cocktails préparés d'une main de maître. Le "Carriage House" (remise à calèches) est un clin d'œil à l'ancienne activité de l'établissement.

## Où sortir

### Flea Theater — Théâtre

**Plan p. 60 (www.theflea.org ; 41 White St entre Church St et Broadway ; S 1 jusqu'à Franklin St, A/C/E, N/Q/R, J/Z, 6 jusqu'à Canal St).** Parmi les meilleures compagnies du Broadway alternatif, le Flea propose un théâtre innovant dans ses deux espaces scéniques.

### Tribeca Cinemas — Cinéma

**Plan p. 60 (www.tribecacinemas.com ; 54 Varick St à la hauteur de Laight St ; S A/C/E, N/Q/R, J/Z, 6 jusqu'à Canal St).** C'est ici que se déroule le festival de cinéma de Tribeca (p. 80) créé en 2003 par Robert De Niro et Jane Rosenthal. Le reste de l'année, l'espace abrite des projections et des événements éducatifs, dont des festivals sur des thèmes tels que l'architecture et le design.

## Shopping

### Century 21 — Mode

**Plan p. 60 (www.c21stores.com ; 22 Cortlandt St entre Church St et Broadway ; 7h45-21h lun-mer, jusqu'à 21h30 jeu-ven, 10h-21h sam, 11h-20h dim ; S A/C, J/Z, 2/3, 4/5 jusqu'à Fulton St, N/R jusqu'à Cortlandt St).** Avec des réductions allant jusqu'à 70%, ce gigantesque magasin

Century 21, paradis du dégriffé

à prix cassés est dangereusement addictif pour les *fashion victimes* près de leurs sous.

### Philip Williams Posters Vintage

**Plan p. 60 (www.postermuseum.com ; 122 Chambers St entre Church St et W Broadway ; 11h-19h lun-sam ; S A/C, 1/2/3 jusqu'à Chambers St).** Vous trouverez plus d'un demi-million d'affiches dans cette caverne d'Ali Baba : publicités pour des parfums français ou des compagnies aériennes américaines, ou affiches de films de l'ère soviétique.

### Pasanella & Son Vin

**Plan p. 60 (www.pasanellaandson.com ; 115 South St entre Peck Slip et Beekman St ; 10h-21h lun-sam, 12h-19h dim ; S A/C, J/Z, 2/3, 4/5 jusqu'à Fulton St).** Les œnologues adoreront ce caviste éclairé, disposant de 400 vins aussi inspirés qu'abordables. Celui-ci met l'accent sur les petits producteurs, dont quelques viticulteurs en biodynamie, qui sortent du lot.

### Citystore Souvenirs

**Plan p. 60 (www.nyc.gov/citystore ; Municipal Bldg, North Plaza, 1 Centre St ; 10h-17h lun-ven ; S J/ Z jusqu'à Chambers St ; 4/5/6 jusqu'à Brooklyn Bridge-City Hall).** Cette boutique est idéale pour des souvenirs de New York : médaillons authentiques de taxis, plaques d'égout, posters du pont de Brooklyn, casquettes de base-ball NYPD, panneaux de rue ("No Parking", "Don't Feed the Pigeons").

## Sports et activités

### Staten Island Ferry Ferry

**Plan p. 60 (www.siferry.com ; Whitehall Terminal à la hauteur de Whitehall St et South St ; 24h/24 ; S 1 jusqu'à South Ferry).** GRATUIT Les habitants de l'île considèrent ces ferries orange et vétustes comme un moyen de transport quotidien, mais ceux de Manhattan les voient comme leurs navires secrets, idéals pour leurs escapades printanières. Nombre de touristes connaissent les charmes du ferry de Staten Island, dont le parcours, 8,3 km entre Lower Manhattan et le quartier de St George, constitue l'une des plus belles aventures (gratuites) de New York.

### Bike & Roll Bike Rentals Location de vélos

**Plan p. 60 (212-260-0400 ; www.bikenewyorkcity.com ; State St et Water St ; location à partir de 44 $/j, circuits à partir de 50 $ ; horaires variables, voir le site Web ; S 4/5 jusqu'à Bowling Green, 1 jusqu'à South Ferry).** Juste au nord du terminal des ferries de Staten Island, voici l'une des nombreuses agences de location Bike & Roll de New York. Celle-ci propose aussi des circuits cyclistes, notamment sur le Brooklyn Bridge et le long de l'Hudson.

### Battery Park City Parks Conservancy Cours, circuits

**(212-267-9700 ; www.bpcparks.org).** Propose un éventail d'activités gratuites et payantes, allant des cours de dessin et des circuits pédestres au yoga pour parents et enfants, en passant par la lecture de contes et le jardinage bénévole. Événements à venir consultables sur le site Web.

SOHO
475

# Soho et Chinatown

Quartiers ethniques et artères commerçantes bigarrés vous attendent ici. Soho (SOuth of HOuston), Noho (NOrth of HOuston) et Nolita (North of Little ITAly) sont fameux pour leurs bars, boutiques-bars et restaurants. Le prix de l'immobilier y crève le plafond et les virées nocturnes ou les emplettes y coûtent cher. Vous apprécierez néanmoins le contraste entre l'austérité industrielle et l'intimité des rues pavées qui leur donnent tout leur charme. Un esprit d'aventure flotte dans l'air de Chinatown, où passants pressés et colporteurs se mêlent sous les lumières clignotantes de panneaux publicitaires vieillissants. Ce quartier abritant la plus grande communauté chinoise en dehors de l'Asie (les Vietnamiens sont également très nombreux) est une véritable fête pour les sens.

West Broadway, Soho

# Soho et Chinatown
# À ne pas manquer

## Shopping à Soho (p. 92)

Avec des centaines de magasins, Soho est le paradis du shopping. Broadway est bordée de magasins de chaînes relativement bon marché. À l'ouest, dans les rues arborées, se trouvent les boutiques plus coûteuses. Par beau temps, des vendeurs de rue proposent bijoux, œuvres d'art, T-shirts, chapeaux et artisanat. Dans Lafayette St, les boutiques attirent DJ et skateurs avec des labels indé et des objets vintage. Plus à l'est, Nolita regroupe de minuscules échoppes.

1

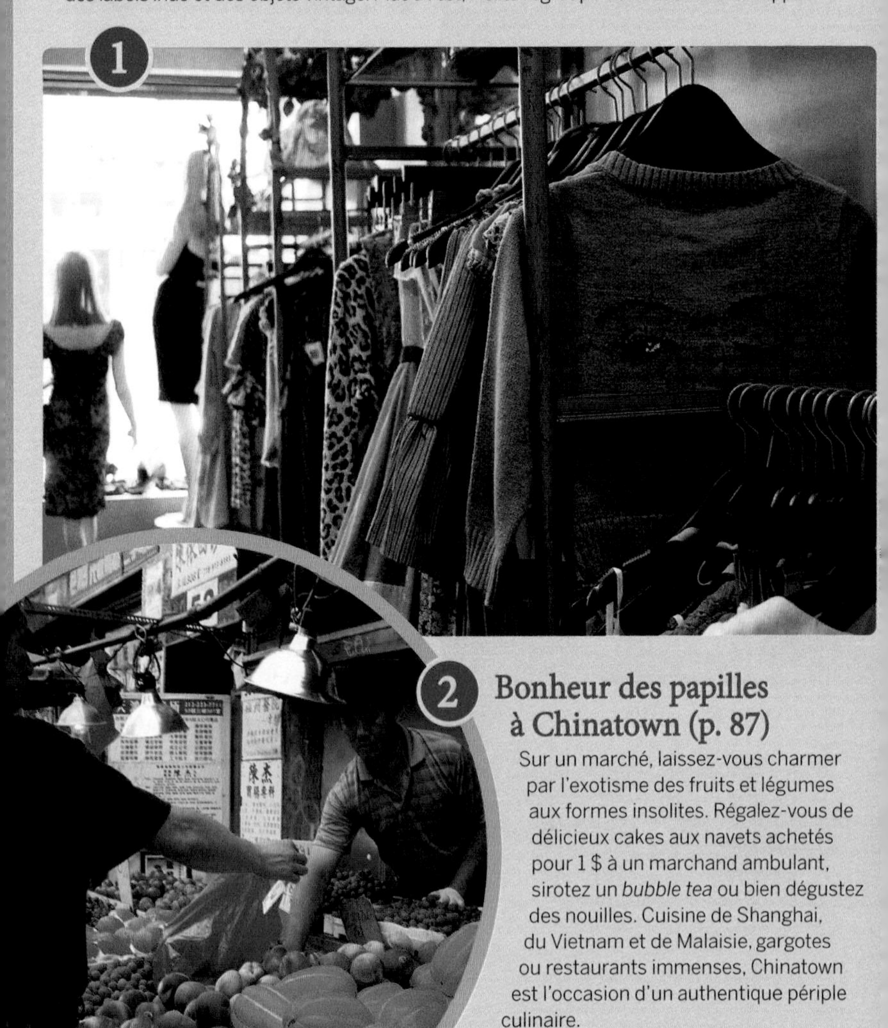

## 2 Bonheur des papilles à Chinatown (p. 87)

Sur un marché, laissez-vous charmer par l'exotisme des fruits et légumes aux formes insolites. Régalez-vous de délicieux cakes aux navets achetés pour 1 $ à un marchand ambulant, sirotez un *bubble tea* ou bien dégustez des nouilles. Cuisine de Shanghai, du Vietnam et de Malaisie, gargotes ou restaurants immenses, Chinatown est l'occasion d'un authentique périple culinaire.

STEPHEN J. BOITANO/GETTY IMAGES ©

## Little Italy (p. 90)

Little Italy était autrefois un quartier authentiquement italien… Mais tandis que Chinatown prend de l'ampleur, il se réduit comme peau de chagrin. Cependant, l'ambiance vieille Europe reste palpable lorsqu'on se balade le soir dans Mulberry St, jalonnée d'immeubles du début du XX$^{e}$ siècle. Des Italo-Américains fidèles continuent aussi de se retrouver autour des nappes à carreaux rouges et blancs de quelques restaurants de pâtes établis de longue date.

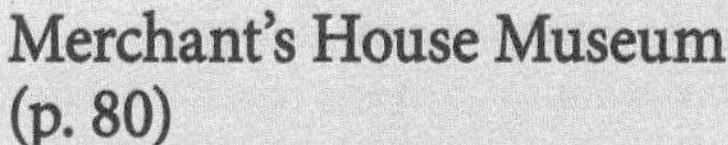


SLAVEN VLASIC/GETTY IMAGES ©

5

## Merchant's House Museum (p. 80)

Franchir le seuil de cette demeure fédérale, la plus authentique de New York, équivaut à faire un bond de 150 ans dans le temps. Aucun élément de cette maison parfaitement préservée – des parquets cirés jusqu'à la moulure couronnée – n'a changé depuis cette époque révolue.

## Cinémas indépendants (p. 92)

Les grands classiques, films d'avant-garde et films étrangers du Film Forum de Houston St comblent les cinéphiles. Les projections s'accompagnent souvent de rencontres avec les cinéastes. Bercé par la vibration du métro qui passe au-dessous de l'Angelika Film Center **(p. 92)**, régalez-vous de cinéma d'art et essai, de cinéma indépendant et, à l'occasion, de films hollywoodiens. Angelika Film Center

# Promenade dans Soho

*Cette balade à travers le territoire des acronymes et de la mode est émaillée de quelques joyaux d'architecture, mais son atout phare reste la beauté sobre du petit enchevêtrement des rues à l'atmosphère d'élégant village.*

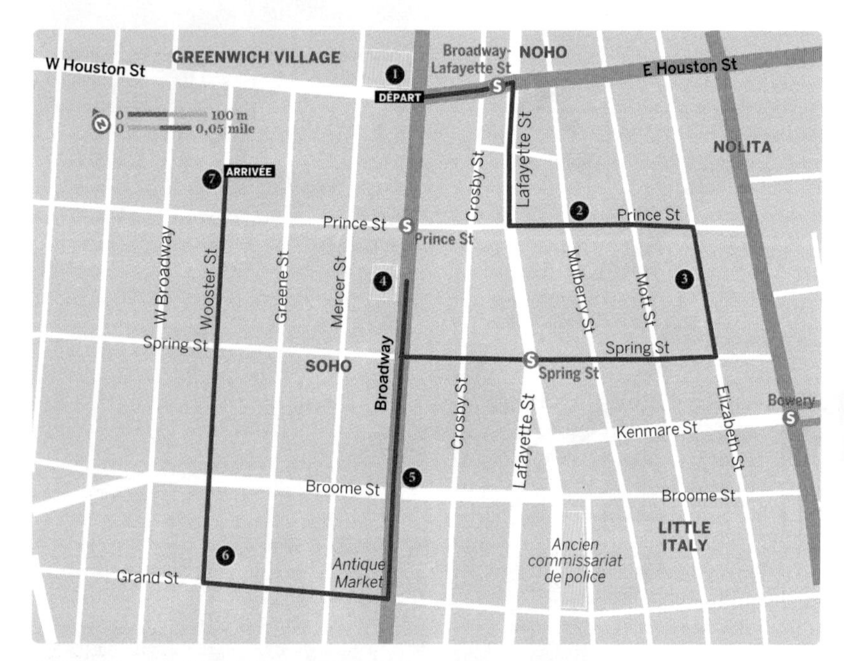


**ITINÉRAIRE**

- **Départ** Cable Building
- **Arrivée** New York Earth Room
- **Distance** 2,4 km
- **Durée** 1 heure

## ❶ Cable Building

Prenez le métro B, D, F ou V jusqu'au quartier de Noho et admirez le Cable Building, de style beaux-arts, mêlant l'ancien et le moderne et construit en 1894 par les architectes McKim, Mead et White. Cette ancienne station électrique du Broadway Cable Car, premier tramway des États-Unis, est ornée d'une fenêtre ovale et de cariatides sur la façade donnant sur Broadway. Il abrite aujourd'hui l'Angelika Film Center (p. 92).

## ❷ St Patrick's Old Cathedral

Traversez Houston St vers l'est, tournez à droite dans Lafayette St puis à gauche dans Prince St. Vous approchez de la St Patrick's Old Cathedral. Construite en 1809, elle a longtemps servi de siège à l'archidiocèse avant que celui-ci ne soit transféré dans Fifth Ave. Faites un tour dans le vieux cimetière, un havre de paix dans ce quartier.

## ❸ Elizabeth Street Gallery

Poursuivez le long de Prince St. En cas de petit creux, faites une halte au Café Gitane

(p. 86) de Mott St. Sinon, tournez à droite dans Elizabeth St, où vous pourrez admirer le jardin de l'insolite Elizabeth Street Gallery (210 Elizabeth St). Aménagé comme un parc à l'abri d'une barrière, il s'orne de statues en pierre, de fontaines et ornements de jardin d'agrément.

### 4 Little Singer Building

Tournez à droite dans Spring St et continuez jusqu'à atteindre Broadway. Un demi-bloc au nord, le Little Singer Building, bâti après la guerre de Sécession, a valu au quartier le surnom de *cast-iron district* ("district de la fonte"). C'était l'ancien entrepôt principal de la célèbre société de machines à coudre du même nom.

### 5 Haughwout Building

Descendez Broadway vers le sud pour arriver au magasin de fournitures de bureau Staples. Il est situé dans le Haughwout Building, premier bâtiment à se doter d'un ascenseur hydraulique conçu par Elisha Otis. Surnommé le "Parthénon de la fonte architecturale", le Haughwout se distingue notamment par sa double façade. Ne manquez pas l'horloge de fer qui donne sur Broadway.

### 6 Drawing Center

Parcourez encore un pâté de maisons au sud dans Broadway, tournez à droite dans Grand St, longez trois pâtés de maisons puis engagez-vous à droite dans Wooster St. À droite s'élève le Drawing Center (p. 80), unique institut à but non lucratif du pays centré exclusivement sur le dessin. Œuvres de grands maîtres et d'inconnus permettent de souligner la juxtaposition de styles divers.

### 7 New York Earth Room

Continuez au nord dans Wooster St et longez plusieurs pâtés de maisons jusqu'à la New York Earth Room, la galerie de l'artiste Walter De Maria. Garnie de terre fraîche et humide, elle vous enchantera ou vous plongera dans la perplexité (ou peut-être les deux).

## Les meilleurs

### RESTAURANTS

**Dutch** Un restaurant primé, pour goûter à une cuisine américaine locavore. (p. 87)

**Balthazar** Une brasserie de Soho offrant cuisine et ambiance savoureuses. (p. 87)

**Lovely Day** Une cuisine thaïe abordable et un cadre charmant dans Nolita. (p. 84)

**Café Gitane** Plats franco-marocains et clientèle new-yorkaise branchée. (p. 86)

### BARS

**Apothéke** Une ancienne fumerie d'opium transformée en bar aux allures d'officine, difficile à trouver. (p. 92)

**Pegu Club** Un cadre intime pour des breuvages préparés avec brio. (p. 91)

**Spring Lounge** Un bar rugueux qui attire une joyeuse clientèle. (p. 91)

**Mulberry Project** Un séduisant bar à cocktails et sa terrasse à l'arrière. (p. 91)

### BOUTIQUES

**Rag & Bone** Des vêtements élégants et bien taillés pour les deux sexes. (p. 92)

**McNally Jackson** Un repaire pour bibliophiles idéal par mauvais temps (p. 93)

**Opening Ceremony** Une mode séduisante et originale que l'on ne trouve nulle part ailleurs. (p. 94)

Restaurant Balthazar

# À ne pas manquer Chinatown

Une infinité de moments exotiques vous attendent dans le quartier le plus concentré et coloré de New York. Vous aurez beau le parcourir mille fois, chaque balade vous donnera l'impression de découvrir un nouveau Chinatown. Humez le parfum du poisson frais et des kakis mûrs, écoutez les pièces de mah-jong claquer sur les tables de jeu improvisées, observez la valse des canards rôtis dans les vitrines et achetez tous les articles imaginables, des lanternes en papier de riz aux montres en passant par la noix de muscade. Ici, vous êtes accueilli par la plus vaste communauté d'immigrants chinois du pays.

Plan p. 86

www.explorechinatown.com

Sud de Canal St et est de Broadway

S N/Q/R, J/Z, 6 jusqu'à Canal St, B/D jusqu'à Grand St, F jusqu'à East Broadway

## Aventures culinaires

Plus que tout autre quartier de Manhattan, Chinatown peut se targuer de continuer à proposer des menus bon marché. Outre les restaurants à petits prix, le quartier abonde d'établissements proposant des recettes de famille transmises au fil des générations. L'Amérique n'a rien changé à la présentation des produits ni à leur préparation. Des étals fumants s'entrechoquent sur les trottoirs, servant des petites brioches fourrées au porc et autres gourmandises à grignoter. Flânez dans les ruelles pour trouver des assortiments d'épices et d'herbes.

## Temples bouddhiques

Chinatown compte beaucoup de temples bouddhiques. Les deux plus remarquables : l'**Eastern States Buddhist Temple** (plan p. 86 ; 64 Mott St entre Bayard St et Canal St ; 9h-18h ; S J/M/Z, 6 jusqu'à Canal St) est orné de centaines de bouddhas, tandis que le **Mahayana Buddhist Temple** (133 Canal S, à la hauteur de Manhattan Bridge Plaza ; 8h-18h ; S B/D jusqu'à Grand St, J/Z, 6 jusqu'à Canal St) présente un bouddha doré de 5 m de hauteur, assis sur un lotus et entouré d'offrandes.

## Canal Street

La traversée de Canal St demande une certaine agilité. Il vous faudra naviguer au cœur d'une circulation humaine incessante pour gagner les ruelles adjacentes, promesses de trésors venus d'Extrême-Orient. Vous passerez devant des étals de poissons luisants, des petites herboristeries vendant toutes sortes de racines et de potions ou devant des comptoirs proposant de délicieuses bouchées au porc à 50 ¢. Vous ne manquerez pas non plus d'observer les vitrines des restaurants où pendent les canards laqués. Ailleurs, des tréteaux ploient sous les litchis ou les poires chinoises, et les vendeurs de rue proposent des montagnes de sacs et de montres qui sont des sans aucun doute des contrefaçons.

**Ma sélection**

## Chinatown

CONSEILS DE HELEN KOH, ADMINISTRATRICE DU MUSEUM OF CHINESE IN AMERICA

### 1 OPÉRA CHINOIS

Les troupes d'opéra locales se produisent en extérieur dans le secteur de Columbus Park, côté Bayard St le samedi ou le dimanche après-midi, s'il fait beau. Des représentations ont également lieu certains week-ends dans le sous-sol de la Chinese Consolidated Benevolent Association, au 62 Mott St.

### 2 RUES À DÉCOUVRIR

Grand St offre un bon aperçu de la transformation du quartier. On passe devant de petites échoppes de poisson et de légumes, des boutiques de nouilles vietnamiennes et des cafés italiens. Le croisement de Doyers St et Pell St est le cœur historique de Chinatown. Ting's, à l'angle, est l'un des derniers magasins de curiosités. Le pâté de maisons de Mott St, entre Hester et Grand vibre d'une belle énergie.

### 3 POUR SE RÉGALER

Nam Wah, l'un des seuls restaurants à préparer des *dim sum* sur commande, est incontournable. Outre sa cuisine, le Red Egg est intéressant pour ses vieilles boules à facettes disco qui rappellent une Hong Kong d'une autre époque. Et pour manger des nouilles tard le soir, ou du *congee* et des plats de riz, Great New York Noodle Town (p. 88), ouvert jusqu'à 4h, est l'une de mes adresses préférées.

### 4 LE BON MOMENT POUR VENIR

Le quartier baigne dans une atmosphère très festive la seconde quinzaine de septembre, pour la fête de la Lune. C'est un moment de réunion familiale, et les boulangeries vendent de délicieux gâteaux de lune et autres pâtisseries garnies de pâte de haricots rouges, de jaune d'œuf de cane, entre autres.

### 5 LIVRES

Les romans policiers d'Ed Lin et Henry Chang font faire une amusante visite fictive des rues de Chinatown.

# Découvrir Soho et Chinatown

## Depuis/vers Soho et Chinatown

**Métro** Les lignes de métro desservent plusieurs points de Canal St (J/ Z/ N/Q/R et 6). En raison de sa situation centrale, le quartier est très accessible depuis Midtown et Brooklyn. La marche est la meilleure façon de l'explorer.

**Bus et taxi** La circulation en bus ou en taxi, surtout à Chinatown, est infernale. Pour rallier Soho, faites-vous déposer à Broadway. Ne prenez pas de taxi au sud de Canal St si vous souhaitez juste vous balader dans Chinatown.

New York City Fire Museum
BARRY WINIKER/GETTY IMAGES ©

## À voir

### Soho, Noho et Nolita

**Merchant's House Museum** Musée
**Plan p. 82 (212-777-1089 ; www.merchantshouse.org ; 29 E 4th St, entre Lafayette St et Bowery ; adulte/enfant 10 $/gratuit ; 12h-17h jeu-lun, visite guidée 14h ; S 6 jusqu'à Bleecker St).** Cette élégante maison de brique rouge datant de 1832 est parfaitement préservée, tant à l'intérieur qu'à l'extérieur. Ancienne demeure d'une riche famille de négociants, elle invite le visiteur à flâner dans ses salons de style néo-grec, assortis de portes coulissantes en acajou, de lustres à gaz en bronze et de manteaux de cheminée en marbre. Les chambres recèlent quantité d'autres objets précieux, du mobilier raffiné jusqu'aux robes, chaussures et autres ombrelles.

**Drawing Center** Galerie
**Plan p. 82 (212-219-2166 ; www.drawingcenter.org ; 35 Wooster St, entre Grand St et Broome St ; adulte/enfant 5 $/gratuit ; 12h-18h mer et ven-dim, 12h-20h jeu ; S A/C/E, 1 jusqu'à Canal St).** Le Drawing Center est le seul institut du pays à but non lucratif exclusivement destiné au dessin. Des œuvres d'artistes célèbres et d'inconnus illustrent les différents styles. Des expositions ont déjà permis aux visiteurs de se familiariser avec les travaux de maîtres tels que Michel-Ange, James Ensor et Marcel Duchamp, tandis que d'autres, portant sur l'art contemporain, ont été consacrées à Richard Serra, à Ellsworth Kelly ou à Richard Tuttle.

**New York City Fire Museum** Musée
**Plan p. 82 (212-219-1222 ; www.nycfiremuseum.org ; 278 Spring St, entre Varick St et Hudson St ; adulte/enfant 8/5 $ ; 10h-17h ; ; S C/E jusqu'à**

## SoHo et Chinatown

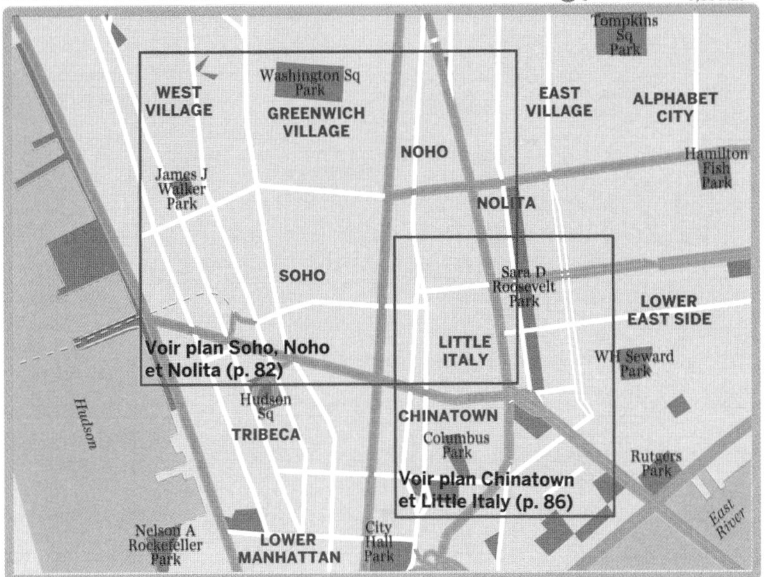




**Spring St).** Installé dans une majestueuse caserne de 1904, ce musée à la gloire des combattants du feu recèle une belle collection de pièces historiques (voitures à cheval rutilantes, premiers casques de pompiers, etc.) et retrace l'histoire de la lutte contre les incendies à New York. Grâce à l'accueillant personnel, ce lieu est aussi une excellente adresse pour les enfants.

### Leslie-Lohman Museum of Gay & Lesbian Art — Musée

**Plan p. 82 (212-431-2609 ; www.leslielohman.org ; 26 Wooster St, entre Grand et Canal St ; 12h-18h mar-sam ; S A/C/E jusqu'à Canal St).** Ce musée, le premier du monde consacré aux thématiques LGBT (lesbien, gay, bi et trans) organise entre six et huit expositions annuelles d'artistes locaux et internationaux.

### Artists Space — Galerie

**Plan p. 82 (212-226-3970 ; www.artistsspace.org ; 38 Greene St, 3e niveau, entre Grand St et Broome St ; 12h-18h mer-dim ; S A/C/E, J/Z, N/Q/R, 1, 6 jusqu'à Canal St).** L'Artists Space, l'un des tout premiers lieux alternatifs de New York, a ouvert ses portes en 1972. Plus de 40 ans plus tard, le lieu demeure un excellent choix pour les amateurs d'une création novatrice, provocatrice et expérimentale.

### Children's Museum of the Arts — Musée

**Plan p. 82 (212-274-0986 ; www.cmany.org ; 103 Charlton St, entre Greenwich St et Hudson St ; 11 $, don suggéré 16h-18h jeu ; 12h-17h lun et mer, 12h-18h jeu-ven, 10h-17h sam-dim ; S 1 jusqu'à Houston St, C/E jusqu'à Spring St).** Ce petit musée, qui abrite une collection permanente de peintures, de dessins et de photos réalisés par les enfants du quartier, mérite le détour. Pour des activités pratiques, renseignez-vous sur le large éventail d'ateliers proposés aux enfants de tous âges, de la sculpture aux fresques murales, en passant par des soirées cinéma et bien d'autres petits plaisirs.

## Chinatown et Little Italy

### Columbus Park — Parc

**Plan p. 86 (Mulberry St et Bayard St ; S J/Z, N/Q/R, 6 jusqu'à Canal St).** Joueurs de mah-jong, adeptes de taï-chi et vieilles dames papotant autour d'un plat de raviolis chinois… si cette oasis de verdure a de

# Soho, Noho et Nolita

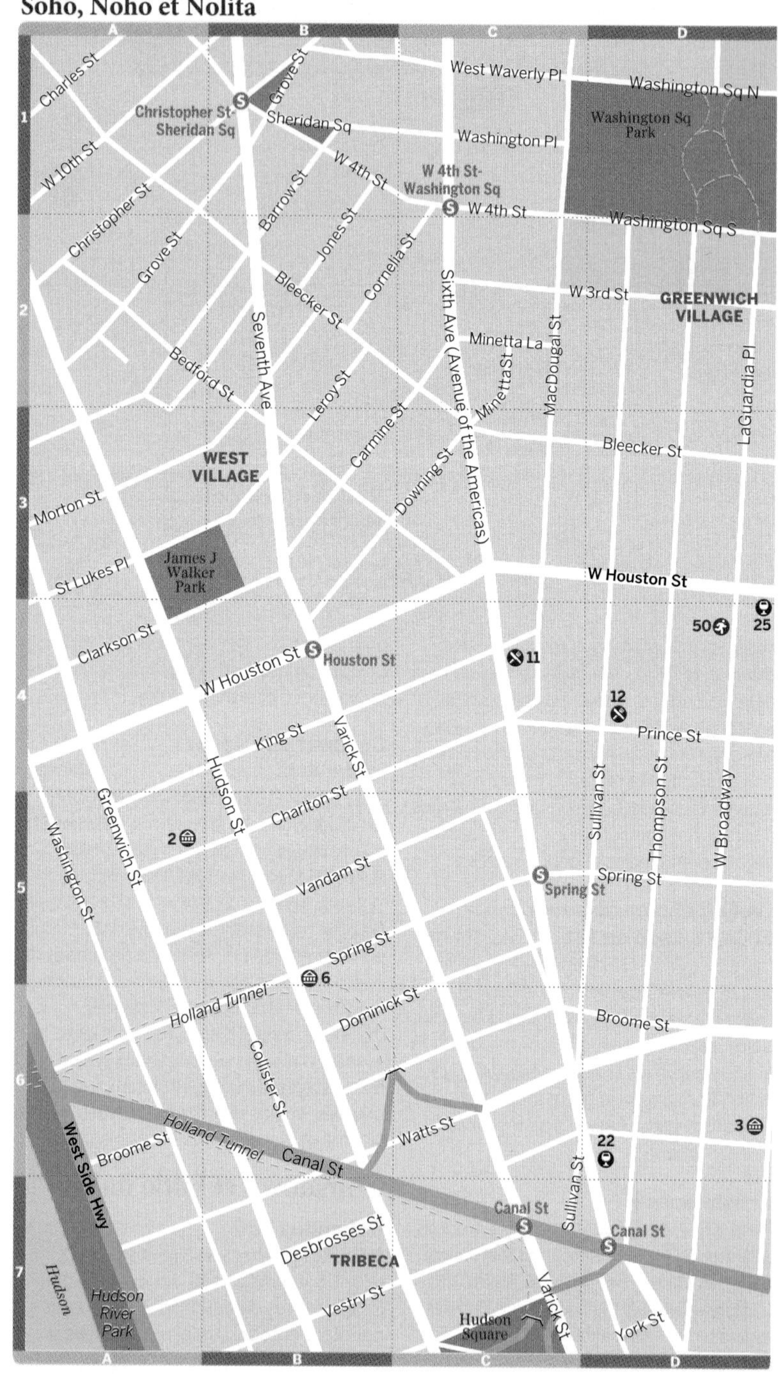

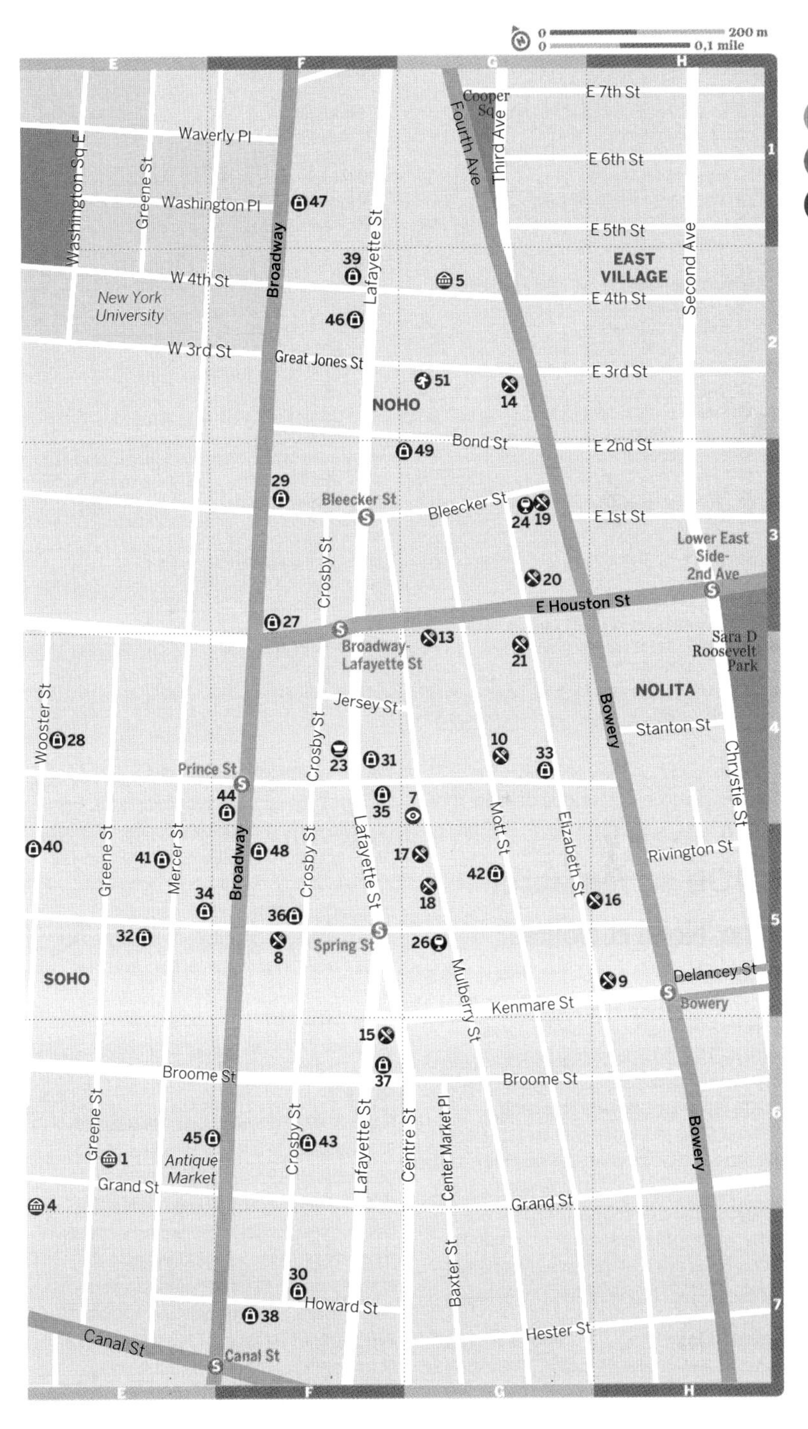

Waverly Pl
Washington Sq E
Greene St
Washington Pl
Broadway
Lafayette St
Cooper Sq
Fourth Ave
Third Ave
E 7th St
E 6th St
E 5th St
EAST VILLAGE
E 4th St
Second Ave
W 4th St
New York University
W 3rd St
Great Jones St
E 3rd St
NOHO
Bond St
E 2nd St
Bleecker St
E 1st St
Crosby St
Lower East Side-2nd Ave
E Houston St
Broadway-Lafayette St
Sara D Roosevelt Park
NOLITA
Bowery
Jersey St
Stanton St
Wooster St
Chrystie St
Prince St
Mott St
Elizabeth St
Mercer St
Rivington St
Spring St
SOHO
Mulberry St
Delancey St
Kenmare St
Broome St
Centre St
Center Market Pl
Antique Market
Grand St
Baxter St
Howard St
Hester St
Canal St

## Soho, Noho et Nolita

**À voir**

1 Artists Space ........ E6
2 Children's Museum of the Arts ........ A5
3 Drawing Center ........ D6
4 Leslie-Lohman Museum of Gay & Lesbian Art ........ E6
5 Merchant's House Museum ........ G2
6 New York City Fire Museum ........ B5
7 Ravenite Social Club ........ G4

**Où se restaurer**

8 Balthazar ........ F5
9 Butcher's Daughter ........ H5
10 Café Gitane ........ G4
11 Charlie Bird ........ C4
12 Dutch ........ D4
13 Estela ........ G4
14 Il Buco Alimentari & Vineria ........ G2
15 La Esquina ........ F6
16 Lovely Day ........ H5
17 Rubirosa ........ G5
18 Ruby's ........ G5
19 Saxon + Parole ........ G3
20 Siggi's ........ G3
21 Tacombi ........ G4

**Où prendre un verre et faire la fête**

22 Jimmy ........ D6
23 La Colombe ........ F4
24 Madam Geneva ........ G3
25 Pegu Club ........ D4
26 Spring Lounge ........ G5

**Shopping**

27 Adidas ........ F3
28 Adidas Originals ........ E4
29 Atrium ........ F3
30 De Vera ........ F7
31 Etiqueta Negra ........ F4
32 Evolution ........ E5
33 INA Men ........ G4
34 Kiosk ........ E5
35 McNally Jackson ........ F4
36 MoMA Design Store ........ F5
37 Odin ........ F6
38 Opening Ceremony ........ F7
39 Other Music ........ F2
40 Piperlime ........ E5
41 Rag & Bone ........ E5
42 Resurrection ........ G5
43 Saturdays ........ F6
44 Scholastic ........ F4
45 Scoop ........ E6
46 Screaming Mimi's ........ F2
47 Shakespeare & Co ........ F1
48 Uniqlo ........ F5
49 United Nude ........ G3

**Sports et activités**

50 Bunya Citispa ........ D4
51 Great Jones Spa ........ G2

faux airs de Shanghai, elle constitue pourtant le cœur historique de New York.

# Où se restaurer

## Soho, Noho et Nolita

### Tacombi — Mexicain $

**Plan p. 82 (www.tacombi.com ; 267 Elizabeth St, entre E Houston St et Prince St ; tacos à partir de 4 $ ; 11h-fermeture tardive lun-ven, 9h fermeture tardive sam-dim ; S B/D/F/M jusqu'à Broadway-Lafayette St, 6 jusqu'à Bleecker St).** Guirlandes festives, chaises pliantes et tacos servis par des Mexicains dans un vieux Combi Volkswagen… Un établissement décontracté, convivial et hyper-populaire servant d'excellents tacos frais, dont les *huevos con chorizo* (œufs et chorizo) au petit-déjeuner.

### Lovely Day — Thaïlandais $

**Plan p. 82 (www.lovelydaynyc.com ; 196 Elizabeth St, entre Spring St et Prince St ; plats 5,50-15 $ ; 11h-23h dim-jeu, 11h-24h ven-sam ; S 6 jusqu'à Spring St, J jusqu'à Bowery, N/R jusqu'à Prince St).** Avec un style entre maison de poupées et *diner* rétro, cet adorable établissement pourrait sembler bien incongru pour accueillir une succulente cuisine d'inspiration thaïlandaise. Pourtant, vous trouverez ici un flot de fidèles dégustant un excellent *pad thai*, un curry vert relevé ou un parfait *chow fun* thaïlandais (nouilles de riz plates, brocolis chinois et sauce hoisin) aigre-doux.

### Ruby's — Café $

**Plan p. 82 (www.rubyscafe.com ; 219 Mulberry St, entre Spring St et Prince St ; petit-déj 5-12 $, déj et dîner plats 9,50-13,50 $ ; 9h30-22h30 ; S 6 jusqu'à Spring St, N/R jusqu'à Prince St).** Les bonnes choses se consomment avec modération. Avec ses cinq tables, cet établissement à l'influence australienne en est la preuve. Petit-déjeuner spécial avec tartines à l'avocat (avocat en purée et tomates fraîches servis sur pain aux 7 graines) et pancakes au lait battu, paninis et pâtes haut de gamme, salades relevées et burgers imposants.

**Estela** Américain moderne, Méditerranéen **$$**

**Plan p. 82 (212-219-7693 ; www.estelanyc.com ; 47 E Houston St, entre Mulberry St et Mott St ; plats 12-32 $ ; 17h30-23h lun-jeu, 17h30-23h30 ven-sam, 17h30-22h30 dim ; S B/D/F/M jusqu'à Broadway-Lafayette St, 6 jusqu'à Bleecker St).** Dissimulé au sommet d'un escalier anonyme, ce petit bar à vins animé ne cache rien en cuisine. Picorez dans les diverses assiettes collectives à base de produits du marché et d'influences méditerranéennes.

**Il Buco Alimentari & Vineria** Italien **$$**

**Plan p. 82 (www.ilbucovineria.com ; 53 Great Jones St, entre Bowery et Lafayette St ; déj 15-32 $, dîner plat 19-42 $ ; café 7h-fermeture tardive lun-ven, 9h-fermeture tardive week-end, restaurant 12h-15h et 17h30-fermeture tardive lun-ven, 11h-15h et 17h30-fermeture tardive week-end ; ; S 6 jusqu'à Bleecker St, B/D/F/M jusqu'à Broadway-Lafayette St).** Qu'il s'agisse d'un expresso au comptoir, d'un *panino* à emporter côté épicerie fine, ou d'un long festin à l'italienne dans la salle à manger en contrebas, le rejeton le plus branché d'Il Buco répond toujours présent. La brique, la toile de jute et les énormes lampes industrielles créent un style rustico-branché, que l'on retrouve dans les saveurs à la fois audacieuses et nostalgiques du menu.

**Rubirosa** Pizzeria **$$**

**Plan p. 82 (212-965-0500 ; www.rubirosanyc.com ; 235 Mulberry St entre Spring St et Prince St ; pizzas 16-26 $, plats 12-28 $ ; 11h30-tard ; S N/R jusqu'à Prince St ; B/D/F/M jusqu'à Broadway-Lafayette St ; 6 jusqu'à Spring St).** La pizza (d'après une recette familiale) parfaitement fine et croustillante de cet établissement attire une clientèle des quatre coins de la ville.

**Butcher's Daughter** Végétarien **$$**

**Plan p. 82 (www.thebutchersdaughter.com ; 19 Kenmare St, à la hauteur de Elizabeth St ; repas 9-16 $ ; 8h-15h45 lun, 8h-fermeture tardive mar-sam ; ; S J jusqu'à Bowery, 6 jusqu'à Spring St).** La cuisine ici est saine, mais sans rien d'ennuyeux. Tout y est divin : muesli bio, salade César au chou frisé avec parmesan d'amande, ou *Butcher's burger* du soir (steak haché avec champignons portobello, kasha, et cheddar à la noix de cajou).

## Immigrants chinois

L'histoire des immigrants chinois aux États-Unis est longue et tumultueuse. Les premiers d'entre eux à mettre le pied sur le sol américain furent les bâtisseurs du chemin de fer transcontinental américain, qui connurent d'innommables conditions de travail. D'autres, plus tard, partirent jouer les chercheurs d'or sur la Côte Ouest. Lorsque les perspectives se firent plus rares, nombre d'entre eux prirent le chemin de New York pour travailler à la chaîne et dans les blanchisseries du New Jersey.

**La Esquina** Mexicain **$$**

**Plan p. 82 (646-613-6700 ; www.esquinanyc.com ; 114 Kenmare St, à la hauteur de Petrosino Sq ; tacos à partir de 3,25 $, plats 12-32 $ ; 12h-fermeture tardive ; S 6 jusqu'à Spring St).** Ce petit endroit original et hyper-populaire est constitué de trois parties : un stand de tacos à emporter (ouvert jusqu'à 2h du matin), un café mexicain décontracté, et une salle de restaurant logée dans une cave très tendance à laquelle on accède sur réservation. Entre autres options authentiques et succulentes, citons les tacos au chorizo, les tacos à l'effiloché de porc braisé, ou encore les salades de mangue et de jicama.

**Siggi's** Café **$$**

**Plan p. 82 (www.siggysgoodfood.com ; 292 Elizabeth St, entre E Houston St et Bleecker St ; plats 10-22 $ ; 11h-22h30 lun-sam ; ; S 6 jusqu'à Bleecker St, B/D/F/M jusqu'à Broadway-Lafayette St).** Des délices bio vous attendent dans ce café décontracté (bonus pour la cheminée) tapissé

## Chinatown et Little Italy

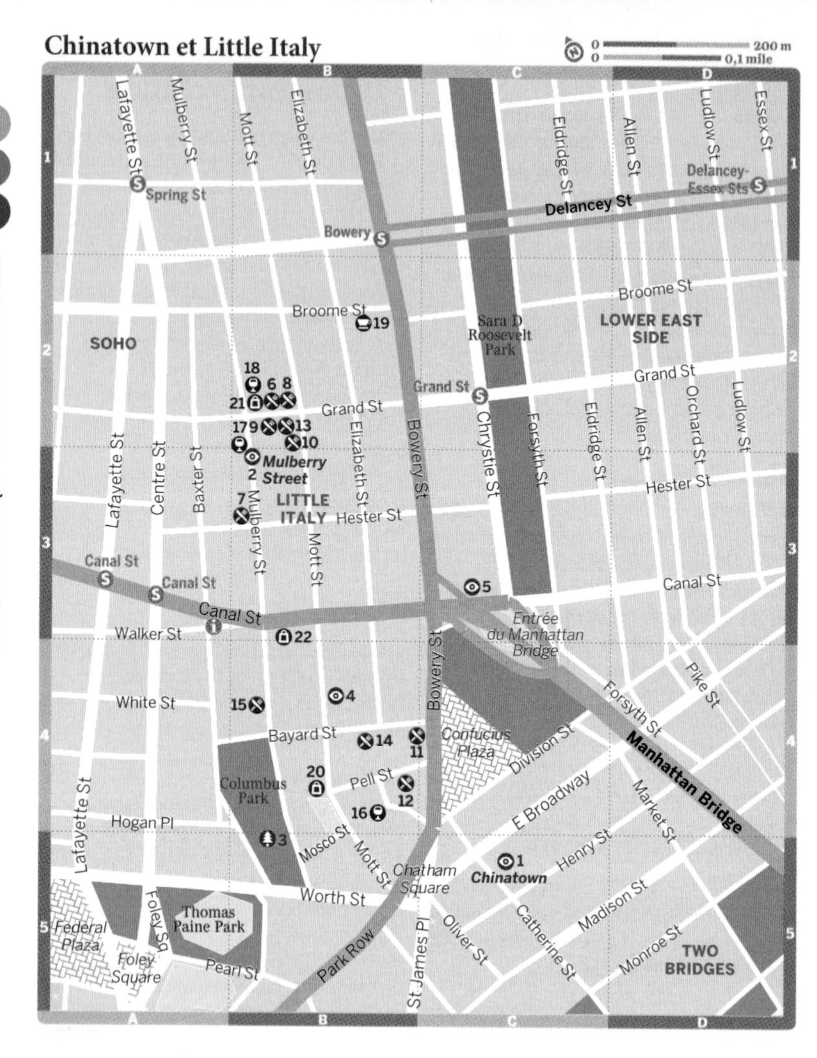


de tableaux. La carte affiche tous les fondamentaux : soupes, salades et burgers maison, sans oublier les lasagnes végétariennes et les ragoûts mijotés à petit feu.

### Café Gitane — Marocain, Méditerranéen $$

Plan p. 82 (212-334-9552 ; www.cafegitanenyc.com ; 242 Mott St, à la hauteur de Prince St ; plats 14-16 $ ; 8h30-minuit dim-jeu, 8h30-12h30 ven-sam ; S N/R jusqu'à Prince St, 6 jusqu'à Spring St). Rejoignez mannequins et habitués de Hollywood autour de mets tendance, comme le friand aux amandes et aux myrtilles, la salade de cœurs de palmier et le couscous marocain au poulet bio.

### Saxon + Parole — Américain moderne $$$

Plan p. 82 (212-254-0350 ; www.saxonandparole.com ; 316 Bowery, à la hauteur de Bleecker St ; déj 8-17 $, dîner plats 18-37 $ ; 17h-23h lun-jeu, 12h-24h ven, 10h30-24h sam, 10h30-22h dim ; S 6 jusqu'à Bleecker St, B/D/F/M jusqu'à

# Chinatown et Little Italy



**Broadway-Lafayette St).** Ce bar-bistrot divertissant et branché, qui doit son nom à deux pur-sang du XIXe siècle, joue les premiers rôles en matière de plats de viande et de poisson revisités : tartare de thon accompagné de *yuzu* (agrume asiatique), sauce avocat-wasabi et chips de légumes racines, ou formidable canard de Long Island.

Une fois repu, franchissez la porte secrète et pénétrez dans le bar à cocktails de **Madam Geneva** (**plan p. 82 ; www.madamgeneva-nyc.com ; 4 Bleecker St, à la hauteur de Bowery ; 18h-2h ; S 6 jusqu'à Bleecker St, B/D/F/M jusqu'à Broadway-Lafayette St**).

**Balthazar** Français **$$$**

**Plan p. 82 (212-965-1414 ; www.balthazarny.com ; 80 Spring St, entre Broadway et Crosby St ; plats 17-45 $ ; 7h30-fermeture tardive lun-ven, 8h-fermeture tardive sam-dim ; S 6 jusqu'à Spring St, N/R jusqu'à Prince St).** Une clientèle de connaisseurs fréquente la salle animée (bruyante, même) de ce bistrot français, roi de sa catégorie. Il doit sa réussite à trois atouts imbattables : son emplacement au milieu des boutiques de Soho, sa formidable atmosphère parisiano-new-yorkaise, et, naturellement, sa fabuleuse carte satisfaisant à tous les goûts.

**Dutch** Américain moderne **$$$**

**Plan p. 82 (212-677-6200 ; www.thedutchnyc.com ; 131 Sullivan St, entre Prince St et Houston St ; plats 19-52 $ ; 11h30-15h et 17h30-fermeture tardive lun-ven, 10h-15h sam-dim ; S C/E jusqu'à Spring St, N/R jusqu'à Prince St, 1 jusqu'à Houston St).** Au comptoir ou dans la douillette salle du fond de cette adresse en vue, attendez-vous à une cuisine élégante, saine et réjouissante : suaves huîtres du Maine, burger juteux à base de bœuf vieilli à sec, et pétoncles onctueux accompagnés d'une sauce pimentée. Réservation conseillée.

**Charlie Bird** Italien, Américain moderne **$$$**

**Plan p. 82 (www.charliebirdnyc.com ; 5 King St, entrée par Sixth Ave ; petites assiettes 12-16 $, plats 27-39 $ ; 17h30-fermeture tardive ; S C/E jusqu'à Spring St, 1 jusqu'à Houston St).** À la limite occidentale de Soho, cet établissement animé gagne régulièrement de nouveaux fidèles grâce à sa passion pour les produits locaux, son savoir-faire italien et ses inventions maison. Mêlez-vous à la clientèle autour du bar en marbre, ou glissez-vous sur une chaise en cuir pour déguster un plat artistement préparé : pêche grillée avec *prosciutto* et basilic frais, ou spaghettis aux œufs de cane et *guanciale* (joue de porc séchée).

## Chinatown et Little Italy

**Joe's Shanghai** Chinois **$**

**Plan p. 86 (212-233-8888 ; www.joeshanghairestaurants.com ; 9 Pell St, entre Bowery et Doyers St ; plats 5-26 $ ; 11h-23h ; S N/Q/R, J/Z, 6 jusqu'à Canal St, B/D jusqu'à Grand St).** Gagnez ce transfuge de Flushing

pour déguster l'un des *xiao long bao* les plus fondants de la ville. Outre les raviolis chinois, vous aurez au bout de vos baguettes des merveilles bon marché comme le relevé poisson-buffle à petite bouche, ou le sauté de porc et de calamars au piment *jalapeño*, accompagné de tofu. Espèces uniquement.

**Di Palo** Épicerie fine **$**
**Plan p. 86 (☎212-226-1033 ; www.dipaloselects.com ; 200 Grand St, à la hauteur de Mott St ; sandwichs à partir de 7 $ ; 🕘9h-18h30 lun-sam, 9h-16h dim ; S B/D jusqu'à Grand St, N/Q/R, J/Z, 6 jusqu'à Canal St).** Les blogueurs gastronomiques révèrent le croustillant sandwich à la *porchetta* – rôti de porc fondant, ail, fenouil et herbes – de cette épicerie fine familiale. Vendu à partir de 13h30, il n'est déjà plus disponible 20 minutes après. Présentez-vous donc à 13h15. N'est pas proposé le lundi.

**Pho Viet Huong** Vietnamien, chinois **$**
**Plan p. 86 (☎212-233-8988 ; www.phoviethuong.com ; 73 Mulberry St entre Bayard St et Walker St ; plats 5,50-17,50 $ ; 🕘11h-22h30 ; S N/Q/R, J/Z, 6 jusqu'à Canal St).** Au menu : soupes *pho* et *bánh mì* (sandwich vietnamien au rôti de porc servi dans une demi-baguette avec concombre, carottes marinées, sauce piquante et coriandre).

**Bánh Mì Saigon Bakery** Vietnamien **$**
**Plan p. 86 (☎212-941-1514 ; www.banhmisaigonnyc.com ; 198 Grand St, entre Mulberry St et Mott St ; sandwichs 3,50-5,75 $ ; 🕘8h-18h ; S N/Q/R, J/Z, 6 jusqu'à Canal St).** Cette vitrine sans chichis vend certains des meilleurs *bánh mì* de la ville : croustillant sandwich grillé garni de piments, de carottes marinées, de radis japonais, de concombre, de coriandre, et d'une viande de votre choix.

**Great New York Noodle Town** Chinois **$**
**Plan p. 86 (☎212-349-0923 ; www.greatnynoodletown.com ; 28 Bowery St à la hauteur de Bayard St ; plats 3,50-16 $ ; 🕘9h-4h ; S N/Q/R, J/Z, 6 jusqu'à Canal St).** Regardez les photos du menu pour décider sous

**À gauche :** Salade niçoise au Balthazar (p. 87)
**Ci-dessous :** Partie de mah-jongg à Columbus Park (p. 81)
(À GAUCHE) BLOOMBERG/GETTY IMAGES © ; (CI-DESSOUS) MARK DAFFEY/GETTY IMAGES ©

quelle forme et à quelle sauce apprécier les nouilles : en soupe avec porc ou canard rôti, *chow fun* au bœuf, *mai fun* (vermicelle de riz) épicé de Singapour, à la cantonaise, larges avec des crevettes et des œufs, en *lo mein* (nouilles à la farine de blé), façon Hong Kong au gingembre et aux oignons et, pour ceux qui préfèrent le riz, le *rice congee* (bouillon de riz épais) aux cuisses de grenouille ou au poisson.

**Golden Steamer** Chinois **$**

**Plan p. 86 (143a Mott St, entre Grand St et Hester St ; brioche à partir de 70 ¢ ; 7h-19h30 ; S B/D jusqu'à Grand St, N/Q/R, 6 jusqu'à Canal St, J jusqu'à Bowery).** Frayez-vous un passage dans ce minuscule établissement pour goûter les *bao* (brioches à la vapeur) les plus légères et savoureuses de Chinatown.

**Original Chinatown Ice Cream Factory** Glaces **$**

**Plan p. 86 (212-608-4170 ; www.chinatownicecreamfactory.com ; 65 Bayard St ; boule 4 $ ; 11h-22h ; ; S N/Q/R, J/Z, 6 jusqu'à Canal St).** Le glacier vedette de Chinatown cultive la fibre locale avec des parfums comme le thé vert, le gingembre, ou encore le sorbet au durian et litchi.

**Nyonya** Malaisien **$$**

**Plan p. 86 (212-334-3669 ; 199 Grand St, entre Mott St et Mulberry St ; plats 7-24 $ ; 11h-fermeture tardive ; S N/Q/R, J/Z, 6 jusqu'à Canal Street, B/D jusqu'à Grand St).** Vous vous sentirez transporté à Malacca en pénétrant dans ce temple érigé à la gloire de la cuisine sino-malaise-nyonya. Goûtez les saveurs sucrées, aigres et épicées de mets classiques comme le *kangkung belacan* (liseron d'eau sauté accompagné de piquante pâte de crevettes malaisienne), le bœuf *randang* (curry sec épicé) et le *rojak* (savoureuse salade de fruits assortie d'une sauce au tamarin relevée).

DAN HERRICK/GETTY IMAGES ©

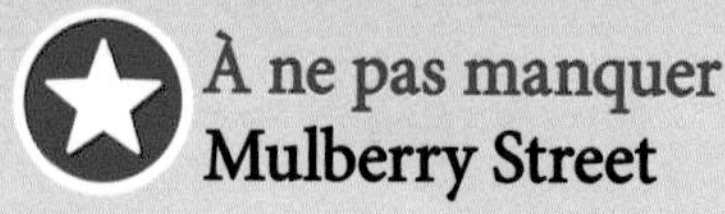

# À ne pas manquer
# Mulberry Street

Mulberry St, qui doit son nom à ses mûriers du temps jadis, est le cœur même de Little Italy. C'est un axe animé, regorgeant de vendeurs de nourriture ambulants (surtout entre Hester St et Grand St), de serveurs en verve et de souvenirs kitsch.

Si le visage du quartier a beaucoup changé au fil du temps, l'histoire continue d'y occuper une place importante. Ainsi, c'est dans le restaurant **Da Gennaro** (plan p. 86 ; 129 Mulberry St, à la hauteur de Hester St), anciennement Umberto's Clam House, que "Crazy Joe" Gallo fut assassiné le 2 avril 1972, un drôle de cadeau d'anniversaire pour ce truand originaire de Brooklyn. Un block plus au nord se trouve l'**Alleva** (plan p. 86 ; 188 Grand St, à la hauteur de Mulberry St), l'une des premières fromageries de la ville, réputée pour sa mozzarella depuis quatre générations. De l'autre côté de Grand St, un autre vétéran, **Ferrara Bakery & Cafe** (plan p. 86 ; 195 Grand St, S B/D jusqu'à Grand St), propose ses fameuses pâtisseries et glaces italiennes. Retournez dans Mulberry St, où l'antique **Mulberry Street Bar** (plan p. 86 ; ☎ 212-226-9345 ; 176½ Mulberry St, entre Broome St et Grand St, S B/D jusqu'à Grand St), l'un des lieux de prédilection de Frank Sinatra, a fait quelques apparitions sur le petit écran, comme dans *New York Police Judiciaire* ou *Les Soprano*. Jetez un œil à l'ancien **Ravenite Social Club** (plan p. 82 ; 247 Mulberry St ; S 6 jusqu'à Spring St, N/R jusqu'à Prince St). Désormais une boutique de chaussures de créateur, cette adresse abritait jadis un repaire de truands (d'abord baptisé Alto Knights Social Club) où des caïds notoires comme Lucky Luciano et John Gotti tuaient le temps (tout comme les agents du FBI, qui les surveillaient depuis l'immeuble en face).

## INFOS PRATIQUES

Plan p. 86 ; S N/Q/R, J/Z, 6 jusqu'à Canal St, B/D jusqu'à Grand St

## Où prendre un verre et faire la fête

**La Colombe** Café

**Plan p. 82 (www.lacolombe.com ; 270 Lafayette St, entre Prince St et Jersey St ; 7h30-18h30 lun-ven, 8h30-18h30 sam-dim ; S N/R jusqu'à Prince St, 6 jusqu'à Spring St).** Après une séance de shopping à Soho, vous rechargerez vos batteries dans ce minuscule bar à expresso. Les breuvages y sont puissants et charpentés.

**Pegu Club** Bar à cocktails

**Plan p. 82 (www.peguclub.com ; 77 W Houston St, entre W Broadway et Wooster St ; 17h-2h dim-mer, 17h-4h jeu-sam ; S B/D/F/M jusqu'à Broadway-Lafayette St, C/E jusqu'à Spring St).** Cet élégant établissement est une halte obligatoire pour les amateurs de cocktails. Enfoncez-vous dans un fauteuil en velours et savourez un impeccable breuvage préparé par le réputé Kenta Got.

**Spring Lounge** Bar

**Plan p. 82 (www.thespringlounge.com ; 48 Spring St, à la hauteur de Mulberry St ; 8h-4h lun-sam, 12h-4h dim ; S 6 jusqu'à Spring St, N/R jusqu'à Prince St).** Cet établissement aux néons rouge électrique n'en a jamais fait qu'à sa tête. Au temps de la Prohibition, il servait des torrents de bière. Aujourd'hui, le bar propose des boissons bon marché et des en-cas gratuits (hot-dogs le mercredi à partir de 17h, bagels le dimanche à partir de midi – dans la limite des stocks disponibles).

**Mulberry Project** Bar à cocktails

**Plan p. 82 (646-448-4536 ; www.mulberryproject.com ; 149 Mulberry St, entre Hester St et Grand St ; 18h-1h dim-jeu, 18h-4h ven-sam ; S N/Q/R, J/Z, 6 jusqu'à Canal St).** Caché derrière une porte anonyme, ce bar à cocktails intime doté d'une cour festive est l'un des meilleurs endroits du quartier pour se détendre.

**Jimmy** Bar à cocktails

**Plan p. 82 (212-201-9118 ; www.jimmysoho.com ; James Hotel, 15 Thompson St, à la hauteur de Grand St ; 17h-1h dim-mer, 17h-2h jeu-sam ; S A/C/E, 1 jusqu'à Canal St ; S A/C/E, 1/2 jusqu'à Canal St ; A/C/E jusqu'à Spring St).** Logé au sommet de l'hôtel James à Soho,

Apothéke

BLOOMBERG/GETTY IMAGES ©

le Jimmy offre une vue vertigineuse sur la ville. En été, les clients prennent l'air sur la terrasse, et par temps frais, se réfugient autour du comptoir encadré par d'immenses baies vitrées.

**Apothéke** Bar à cocktails
**Plan p. 82 (☎212-406-0400 ; www.apothekenyc.com ; 9 Doyers St ; ⏲18h30-2h lun-sam, 20h-2h dim ; S J jusqu'à Chambers St, 4/5/6 jusqu'à Brooklyn Bridge-City Hall).** Cet ancien repaire d'opiomanes de Doyers St, devenu un bar-pharmacie, n'est pas des plus faciles à localiser. À l'intérieur, des barmen compétents préparent des "remèdes" savoureux à base de produits locaux et bio provenant du marché ou du jardin aromatique sur le toit.

**Randolph** Café, bar à cocktails
**Plan p. 82 (www.randolphnyc.com/broome ; 349 Broome St, entre Bowery et Elizabeth St ; ⏲10h-2h lun-mer, 10h-4h jeu-sam, 10h-minuit dim ; 📶 S J jusqu'à Bowery).** Café le jour, bar à cocktails le soir, cet établissement décontracté utilise des torréfacteurs de premier plan et produit des breuvages axés sur les produits de saison.

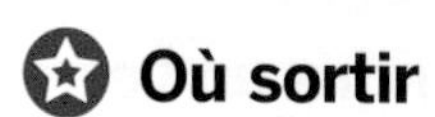

## Où sortir

**Angelika Film Center** Cinéma
**(☎212-995-2570 ; www.angelikafilmcenter.com ; 18 W Houston St, à la hauteur de Mercer St ; billet 10-14 $ ; 👪 ; S B/D/F/M jusqu'à Broadway-Lafayette St).** Ce cinéma, spécialisé dans les films étrangers et indépendants, possède quelques caractéristiques (grondement du métro, longues files d'attente, son parfois médiocre). Toutefois, la beauté du bâtiment de style Beaux-Arts signé Stanford White est indéniable, tandis que son vaste café constitue un formidable lieu de rendez-vous.

## Shopping

### Soho

**Rag & Bone** Mode
**Plan p. 82 (www.rag-bone.com ; 119 Mercer St, entre Prince St et Spring St ; ⏲11h-20h lun-sam, 12h-19h sam ; S N/R jusqu'à Prince St).** Cette enseigne est très prisée des New-Yorkais branchés, hommes et femmes

Films étrangers et indépendants au Angelika Film Center

confondus. Chemises et blazers épurés, T-shirts imprimés, robes à bretelles hyper légères, articles en cuir et jeans de la marque éponyme, réputés.

**MoMA Design Store** Articles de maison, cadeaux

**Planp. 82 (646-613-1367 ; www.momastore.org ; 81 Spring St, à la hauteur de Crosby St ; lun-sam 10h-20h, dim 11h-19h ; S N/R jusqu'à Prince St, 6 jusqu'à Spring St).** La boutique "downtown" du Museum of Modern Art affiche un énorme choix d'objets élégants et malins pour la maison, le bureau et la garde-robe.

**Saturdays** Mode, accessoires

**Plan p. 82 (www.saturdaysnyc.com ; 31 Crosby St, entre Broome St et Grand St ; 8h30-19h lun-ven, 10h-19h sam-dim ; S N/Q/R, J/Z, 6 jusqu'à Canal St).** Dans cette boutique de surfeurs version Soho, les planches, la cire et les combinaisons côtoient les soins de beauté de créateur, l'art graphique et les livres sur le surf, ainsi qu'une subtile ligne de vêtements maison pour les hommes.

**Adidas Originals** Chaussures, mode

**Plan p. 82 (212-673-0398 ; 136 Wooster St, entre Prince St et W Houston St ; 11h-19h lun-sam, 12h-18h dim ; S N/R jusqu'à Prince St).** Vous trouverez ici les tennis emblématiques de la marque aux trois bandes, dont beaucoup datent des prolifiques années 1960, 1970 et 1980. Il est possible de personnaliser/concevoir sa propre paire de chaussures. Pour la version XXL, rendez-vous au grand magasin **Adidas (plan p. 426 ; 212-529-0081 ; 610 Broadway, à la hauteur de Houston St ; 10h-22h lun-sam, 10h-20h dim ; S N/R jusqu'à Prince St, B/D/F/M jusqu'à Broadway-Lafayette St)**, qui s'étend à quelques rues de là sur près de 9 000 m².

**Piperlime** Mode, chaussures

**Plan p. 82 (www.piperlime.com ; 121 Wooster St, entre Prince St et Spring St ; 10h-20h lun-sam, 11h-19h dim ; S N/R jusqu'à Prince St, C/E jusqu'à Spring St).** Réputée pour la place qu'elle accorde aux nouveaux créateurs, cette boutique classe ses articles par catégories, comme "La méthode chic", "Les filles aux petits moyens" ou "Le choix de l'invitée".

**INA Men** Rétro

**Plan p. 82 (www.inanyc.com ; 19 Prince St, à la hauteur d'Elizabeth St ; 12h-20h lun-sam, 12h-19h dim ; S 6 jusqu'à Spring St, N/R jusqu'à Prince St).** Les spécialistes de la mode masculine adorent les vêtements, les chaussures et les accessoires de cette friperie de luxe. L'ensemble de la gamme est de haute qualité, avec des articles recherchés tels les jeans Rag & Bone, les pantalons en laine d'Alexander McQueen, les chemises Burberry et les chaussures Church's. La boutique femmes est juste à côté.

**McNally Jackson** Livres

**Plan p. 82 (212-274-1160 ; www.mcnallyjackson.com ; 52 Prince St entre Lafayette St et Mulberry St ; lun-sam 10h-22h, dim 10h-21h ; S N/R jusqu'à Prince St, 6 jusqu'à Spring St).** Cette librairie attrayante possède une excellente sélection de magazines et de livres – romans contemporains, cuisine, architecture et design, art et histoire. L'agréable café est idéal pour consulter les ouvrages.

**Scholastic** Librairie jeunesse

**Plan p. 82 (www.scholastic.com/sohostore ; 557 Broadway, entre Prince St et Spring St ; 10h-19h lun-sam, 11h-18h dim ; S N/R jusqu'à Prince St).** Vaste et lumineuse, cette librairie est un paradis pour les jeunes lecteurs (et pour tous ceux qui ont su garder une âme d'enfant).

**Kiosk** Cadeaux

**Planp. 82 (212-226-8601 ; www.kioskkiosk.com ; 2e ét, 95 Spring St entre Mercer St et Broadway ; 12h-19h lun-sam ; S N/R jusqu'à Prince St, B/D/F/M jusqu'à Broadway-Lafayette St).** Les propriétaires de Kiosk courent la planète pour acquérir les objets les plus intéressants (livres, abat-jour, dentifrice, etc.) puis les revendre à Soho avec un talent d'expert.

**Uniqlo** Mode

**Plan p. 82 (917-237-8811 ; www.uniqlo.com ; 546 Broadway, entre Prince St et Spring St ; lun-sam 10h-21h, dim 11h-20h ; S N/R jusqu'à Prince St, 6 jusqu'à Spring St).** Cet énorme magasin sur trois niveaux doit son succès à des articles séduisants et de bonne facture à prix modérés : jeans japonais, cachemires de Mongolie, T-shirts imprimés et jupes bien coupées.



**United Nude** Chaussures
**Plan p. 82 (☎212-420-6000 ; www.unitednude.com ; 25 Bond St, entre Lafayette St et Bowery ; ⏰12h-19h dim et lun, 11h-19h mar-jeu, 11h-20h ven-sam ; Ⓢ6 jusqu'à Bleecker St, B/D/F/M jusqu'à Broadway-Lafayette St).** Le magasin phare de cette enseigne possède une collection au style incroyable, dans le registre extravagant, classique, business ou sportif.

**Other Music** Musique
**Planp. 82(☎212-477-8150 ;www.othermusic.com ; 15 E 4th St, entre Lafayette St et Broadway ; ⏰lun-ven 11h-21h, sam 12h-20h, dim 12h-19h ; Ⓢ6 jusqu'à Bleecker St).** Ce magasin de CD neufs ou d'occasion a su fidéliser une clientèle grâce à une sélection savante et variée de musiques : *offbeat lounge*, psychédélique, électronique, rock indé, etc.

**Etiqueta Negra** Mode, chaussures
**Planp. 82(☎212-219-4015 ;www.etiquetanegra.us ; 273 Lafayette St, à la hauteur de Prince St ; ⏰11h-19h lun-sam, 12h-19h dim ; ⓈN/R jusqu'à Prince St, B/D/F/M jusqu'à Broadway-Lafayette St).** Outre la Bugatti de course décapotable garée près de la caisse, cette boutique argentine vaut pour sa collection hommes intemporelle et abordable.

**Atrium** Mode, chaussures
**Plan p. 82 (☎212-473-3980 ; www.atriumnyc.com ; 644 Broadway, à la hauteur de Bleecker St ; ⏰10h-21h lun-sam, 11h-20h dim ; Ⓢ6 jusqu'à Bleecker St, B/D/F/M jusqu'à Broadway-Lafayette St).** Venez découvrir d'intéressants articles de créateurs pour les deux sexes, dont des chaussures et des accessoires, signés Canada Goose ou T by Alexander Wang.

**De Vera** Objets anciens
**Plan p. 82 (☎212-625-0838 ; www.deveraobjects.com ; 1 Crosby St à la hauteur de Howard St ; ⏰mar-sam 11h-19h ; ⓈN/Q/R/J/Z, 6 jusqu'à Canal St).** Federico de Vera explore la planète à la recherche d'articles ravissants – bijoux, sculptures, laques et autres objets d'art – pour sa merveilleuse boutique.

**Odin** Vêtements, accessoires
**Plan p. 82 (☎212-966-0026 ; www.odinnewyork.com ; 199 Lafayette St, entre Kenmare St et Broome St ; ⏰11h-20h lun-sam, 12h-19h dim ; Ⓢ6 jusqu'à Spring St, N/R jusqu'à Prince St).** Le magasin vedette de cette enseigne pour hommes propose des marques locales branchées, telles 3.1 Phillip Lim, Rag & Bone ou Death to Tennis.

**Opening Ceremony** Mode
**Plan p. 82 (☎212-219-2688 ; www.openingceremony.us ; 35 Howard St, entre Broadway et Lafayette St ; ⏰11h-20h lun-sam, 12h-19h dim ; ⓈN/Q/R, J/Z, 6 jusqu'à Canal St).** Une adresse réputée pour sa sélection constamment renouvelée de marques indépendantes.

Rues de Soho

### Screaming Mimi's — Vintage

**Plan p. 82 (☎212-677-6464 ; 382 Lafayette St, entre E 4th St et Great Jones St ; 🕒12h-20h lun-sam, 13h-19h dim ; S 6 jusqu'à Bleecker St, B/D/F/M jusqu'à Broadway-Lafayette St).** Cette formidable boutique propose un excellent choix d'articles d'autrefois – classés par décennies, des années 1950 à 1990 (demandez à voir la sélection de vêtements des années 1920, 1930 et 1940).

### Resurrection — Vintage

**Plan p. 82 (☎212-625-1374 ; www.resurrectionvintage.com ; 217 Mott St, entre Prince St et Spring St ; 🕒11h-19h lun-sam, 12h-19h dim ; S 6 jusqu'à Spring St, N/R jusqu'à Prince St).** Cette boutique redonne vie aux créations novatrices des décennies passées. Des articles en parfait état couvrent les époques mod, glam-rock et new-wave, tandis que des sommités du stylisme, tel Marc Jacobs, viennent y chercher leur inspiration.

### Shakespeare & Co — Livres

**Plan p. 82 (☎212-529-1330 ; www.shakeandco.com ; 716 Broadway, à la hauteur de Washington Pl ; 🕒lun-sam 10h-21h, dim 12h-19h ; S N/R/W jusqu'à 8th St ; 6 jusqu'à Astor Pl).** Cette librairie très prisée offre un grand choix de romans et d'essais contemporains, de livres d'art et d'ouvrages sur New York.

### Scoop — Mode

**Plan p. 82 (☎212-925-3539 ; www.scoopnyc.com ; 473 Broadway, entre Broome St et Grand St ; 🕒11h-20h lun-sam, 11h-19h dim ; S N/Q/R jusqu'à Canal St, 6 jusqu'à Spring St).** Dans cette formidable boutique tout-en-un, découvrez des créations contemporaines de designers comme Theory, Diane Von Furstenberg, Michael Kors ou J Brand.

### Evolution — Cadeaux

**Plan p. 82 (☎212-343-1114 ; www.theevolutionstore.com ; 120 Spring St entre Mercer St et Greene St ; 🕒11h-19h ; S N/R jusqu'à Prince St, 6 jusqu'à Spring St).** Ce superbe cabinet de curiosités vend des articles habituellement exposés dans les muséums d'histoire naturelle : papillons sous verre, insectes piégés dans un cube d'ambre, peaux de zèbre, dents de requins et pierres de toutes sortes (dont des météorites ou des fossiles vieux de 100 millions d'années).

## Chinatown

### Aji Ichiban — Alimentation

**Plan p. 86 (☎212-233-7650 ; 37 Mott St, entre Bayard St et Mosco St ; 🕒10h-20h ; S N/Q/R, J/Z, 6 jusqu'à Canal St).** En japonais, cette enseigne se traduit par "génial", ce qui retranscrit exactement la pensée des amateurs de sucreries une fois passé le seuil de cette confiserie hongkongaise : marshmallows parfumés au sésame, confiseries thaïlandaises au durian, gommes au cassis et goyave séchée.

### Kam Man — Articles de maison

**Plan p. 86 (☎212-571-0330 ; 200 Canal St entre Mulberry St et Mott St ; 🕒8h30-20h30 ; S N/Q/R, J/Z, 6 jusqu'à Canal St).** Au sous-sol de ce magasin d'alimentation typique de Canal St, où vous trouverez, entre autres, des services à thé chinois et japonais, des baguettes, des bols, des woks et des cuiseurs à riz.

## Sports et activités

### Great Jones Spa — Spa

**Plan p. 82 (☎212-505-3185 ; www.greatjonesspa.com ; 29 Great Jones St, entre Lafayette St et Bowery ; 🕒16h-22h lun, 9h-22h mar-dim ; S 6 jusqu'à Bleecker St, B/D/F/M jusqu'à Broadway-Lafayette St).** Un temple feng shui, avec cascade sur trois niveaux. À partir de 100 $ dépensés (les massages et les soins du visage de 1 heure coûtent un minimum de 140 $ et 130 $, respectivement), vous gagnez un accès de 2 heures au bain bouillonnant, au sauna et à la piscine d'eau froide. Maillot de bain impératif.

### Bunya Citispa — Spa

**Plan p. 82 (☎212-388-1288 ; www.bunyacitispa.com ; 474 W Broadway, entre Prince St et W Houston St ; 🕒10h-22h lun-sam, 10h-21h dim ; S N/R jusqu'à Prince St, C/E jusqu'à Spring St).** Épuisés ? Trouvez refuge dans cet élégant spa d'inspiration asiatique : réflexologie, soins capillaires au thé vert, massages aux pierres chaudes et "Oriental herbal compress" (1 heure, 120 $), un soin thaïlandais très prisé.

# East Village et Lower East Side

L'ancien côtoie le nouveau dans ces deux quartiers appréciés pour leur vie nocturne et leurs restaurants bon marché, qui attirent une population mélangée.

S'il n'est plus le quartier radical et avant-gardiste des décennies passées, l'East Village demeure un endroit très cool où abondent boutiques, bars, restaurants et personnages hauts en couleur. Les alentours de Tompkins Square Park et les avenues portant des lettres (ou Alphabet City) à l'est recèlent les meilleurs bars et restaurants, ainsi que de charmants jardins communautaires où se reposer.

À l'origine fief de la communauté juive puis latino, le Lower East Side (LES) est devenu le lieu où il faut être vu. Et pour cela, on s'entasse au choix dans des lounges à l'éclairage tamisé ou des clubs de musique live, ou bien l'on déniche une table dans un restaurant onéreux. Une poignée de luxueuses résidences et d'hôtels de charme côtoient de grands logements à loyer modéré et autres immeubles d'habitation.

Fresque murale dans l'East Village
KRZYSZTOF DYDYNSKI/GETTY IMAGES ©

# East Village et Lower East Side À ne pas manquer

## Bars (p. 109)

Bars à cocktails, troquets estudiantins, mais aussi lounges attirant les étrangers voulant s'enivrer dans l'ancien QG punk-rock de New York, l'East Village est le quartier idéal pour la tournée des bars. Le Lower East Side, lui, est le quartier branché du centre. Dans un secteur relativement compact, des bars de toutes sortes abondent : lieux de drague, établissements modestes, répliques de speakeasies, bars à thème, adresses tendance...

1

2

## Espaces artistiques (p. 115)

Récent pilier du milieu artistique toujours en mouvement de Manhattan, le New Museum of Contemporary Art (p. 102), à l'architecture si particulière, offre une approche novatrice : les expositions présentent l'art à travers une kyrielle de supports. Quelques galeries d'art contemporain avant-gardiste, dont Sperone Westwater (p. 109), ont également ouvert leurs portes dans le Lower East Side. Le New Museum of Contemporary Art

LONELY PLANET/GETTY IMAGES ©

## 3 Tenement Museum (p. 110)

Aucun musée new-yorkais n'illustre mieux le passé cosmopolite de la ville que celui-ci. Cette institution en constante évolution décline l'héritage passionnant du quartier avec plusieurs reconstitutions d'habitations du tournant du XIXe et du XXe siècle. Le musée propose également diverses visites et débats hors les murs.

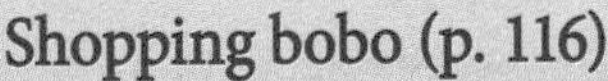

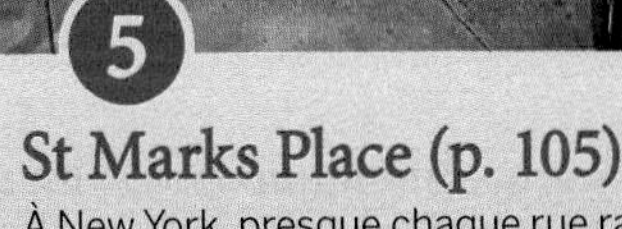

GARDEL BERTRAND/GETTY IMAGES ©

## 4 Shopping bobo (p. 116)

Les modeux en quête d'un look dernier cri, expérimental ou hip-hop à l'ancienne mettent le cap sur le Lower East Side. Une myriade de boutiques vendant vêtements vintage, baskets en série limitée et confiseries à l'ancienne émaillent le quartier. Dans l'East Village, on trouve encore des magasins de T-shirts punk-rock, des salons de tatouage et des boutiques de fripes poussiéreuses aux côtés de celles de créateurs, et même de grandes enseignes.

## 5 St Marks Place (p. 105)

À New York, presque chaque rue raconte une histoire, du présent qui se déroule sous nos yeux au passé dissimulé derrière les façades colorées. St Marks Place est particulièrement riche en la matière. Chaque bâtiment ou presque de cette rue mythique frémit d'anecdotes remontant à une époque où l'East Village incarnait un esprit bien plus rebelle.

# Promenade gastronomique dans le Lower East Side

*Vous trouverez un choix de mets époustouflant au cours de cette promenade. Partez vers midi, à jeun bien sûr. Démarrez doucement et sachez doser votre effort. Il est toujours possible d'acheter quelques denrées à consommer plus tard.*

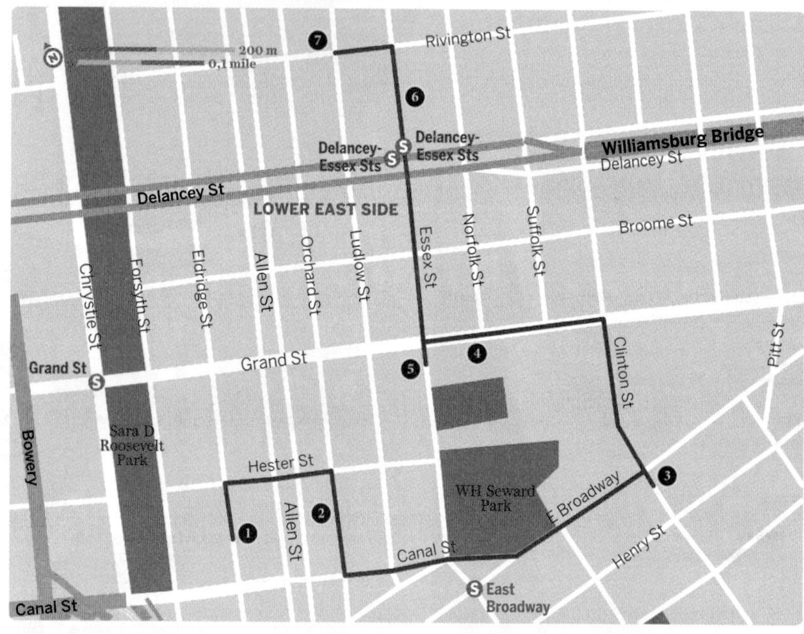


**ITINÉRAIRE**

- **Départ** Prosperity Dumplings
- **Arrivée** 'inoteca
- **Distance** 1,6 km
- **Durée** 2 heures

## ❶ Prosperity Dumpling

Puisque l'on est à la lisière de Chinatown, il est logique de débuter cette promenade par le **Prosperity Dumpling** (46 Eldridge St). Il sert de dodus raviolis chinois, garnis d'une mixture de porc et de ciboulette, de poulet ou de légumes. Quant aux prix, ils sont surréalistes (huit raviolis vous coûteront 2 $).

## ❷ Cheeky Sandwiches

À quelques rues de là se trouve le **Cheeky Sandwiches** (35 Orchard St), un petit restaurant délabré qu'on dirait fraîchement arrivé de La Nouvelle-Orléans. Les biscuits, sandwichs et pudding au pain, faits maison, sont exceptionnels.

## ❸ Eastwood

Poursuivez votre balade avec l'**Eastwood** (200 Clinton St), qui offre un curieux mélange de cuisines écossaise et israélienne. Pour comprendre de quoi il retourne, essayez l'Israeli Scotch egg – une sorte d'œuf dur inséré dans un falafel. Exquis.

### ④ Donut Plant

Revenez vers Grand St et poussez la porte du **Donut Plant** (379 Grand St). Comme son nom l'indique, cet établissement sert de splendides beignets – à la pistache, aux *tres leches* (lait concentré) et au chocolat Valrhona, entre autres parfums, plus quelques variétés du jour et de saison.

### ⑤ Pickle Guys

À deux pas, vous trouverez le **Pickle Guys** (49 Essex St), une boutique ouverte sur la rue dont les innombrables tonneaux abritent des produits marinés en tous genres – concombres, olives, poivrons, betteraves, etc. Le Lower East Side pratique les pickles depuis le début des années 1900, et cet endroit respire l'authenticité.

### ⑥ Essex Street Market

Ensuite, il sera temps d'aller saluer l'**Essex Street Market** (120 Essex St), le temple des en-cas, avec son saumon fumé, ses bagels de haut vol, ses fromages délicats, ses stands de produits frais et ses étals de cuisines exotiques. Nos préférés ? Le Brooklyn Taco Company, pour ses tacos de *chilorio* à la poitrine de bœuf, le Boubouki, pour sa tourte aux épinards et son baklava, et le Luca & Bosco, pour ses glaces (essayez le caramel épicé aux noix de cajou).

### ⑦ 'inoteca

Le marché est une bonne façon de terminer la journée. Cependant, si toute cette nourriture ne vous a pas coupé la soif, ralliez l'**'inoteca** (98 Rivington St), juste au coin de la rue. Ce formidable petit bar à vins compte plus de 600 crus en stock, dont 25 variétés au verre.

## Les meilleurs

### RESTAURANTS

**Cafe Mogador** Une adresse emblématique du quartier, servant de délicieux tagines et des brunchs réputés. (p. 104)

**Westville East** Une cuisine américaine d'autrefois ; notre enseigne préférée parmi les trois du centre-ville. (p. 105)

**Kuma Inn** Une adresse reculée servant une cuisine asiatique imaginative. (p. 108)

**Clinton Street Baking Company** Les meilleurs petits-déjeuners de la ville. (p. 108)

### BARS

**McSorley's Old Ale House** Atmosphère d'autrefois et sols couverts de sciure (p. 111)

**Wayland** Une joyeuse adresse conjuguant whisky de seigle, cocktails "de contrebande" et musique bluegrass. (p. 110)

**Ten Bells** Un charmant bar offrant vins et tapas excellentes. (p. 113)

**Immigrant** Deux étroits bars jumeaux, servant de fameuses bières artisanales et du vin au verre. (p. 112)

### ESPACES CULTURELS ALTERNATIFS

**Anthology Film Archives** Un cinéma comme on en voit rarement (p. 115)

**La MaMa ETC** Une vénérable institution programmant un théâtre expérimental. (p. 114)

Cuisine de restaurant dans l'East Village

# Découvrir l'East Village et le Lower East Side

## Depuis/vers l'East Village et le Lower East Side

**Métro** L'est de l'East Village n'est pas bien desservi par le métro. Cependant, une courte marche (ou un bref trajet en taxi ou en bus) suffit, depuis l'arrêt du 6 à Astor Pl, du F ou du V à Lower East Side-Second Ave ou du L à First ou Third Ave. Le métro F (stations Lower East Side-2nd Ave ou Delancey St) vous conduira à la limite du cœur du Lower East Side.

East River Park
DAN HERRICK/GETTY IMAGES ©

## À voir

### East Village

**Tompkins Square Park** Parc

**Plan p. 112 (www.nycgovparks.org ; E 7th St et 10th St, entre A Ave et B Ave ; 6h-minuit ; S 6 jusqu'à Astor Pl).** Les habitants aiment se retrouver pour jouer aux échecs, pique-niquer sur les pelouses par beau temps et jouer de la guitare ou des percussions dans ce parc de plus de 4 ha. L'endroit offre également quelques terrains de basket, un espace clos où les chiens peuvent courir librement, une aire de jeux pour les enfants et de fréquents concerts en été.

Le Tompkins Square Park accueille le Howl! Festival (www.howlfestival.com), en septembre, avec ses nombreuses manifestations culturelles (théâtre, danse, musique, cinéma, lectures). Le Charlie Parker Jazz Festival, qui s'y tient également, voit des grands noms du jazz investir le quartier au mois d'août.

**St Mark's in the Bowery** Église

**Plan p. 112 (212-674-6377 ; www.stmarksbowery.org ; 131 E 10th St à la hauteur de 2nd Ave ; lun-ven 10h-18h ; S L jusqu'à 3rd Ave ; 6 jusqu'à Astor Pl).** Appréciée des habitants pour ses offres culturelles – les lectures du Poetry Project, et les ballets avant-gardistes du Danspace et de l'Ontological Hysteric Theater –, cette église épiscopale est également un lieu historique.

### Lower East Side

**New Museum of Contemporary Art** Musée

**Plan p. 106 (212-219-1222 ; www.newmuseum.org ; 235 Bowery, entre Stanton St et Rivington St ;**

## East Village et Lower East Side

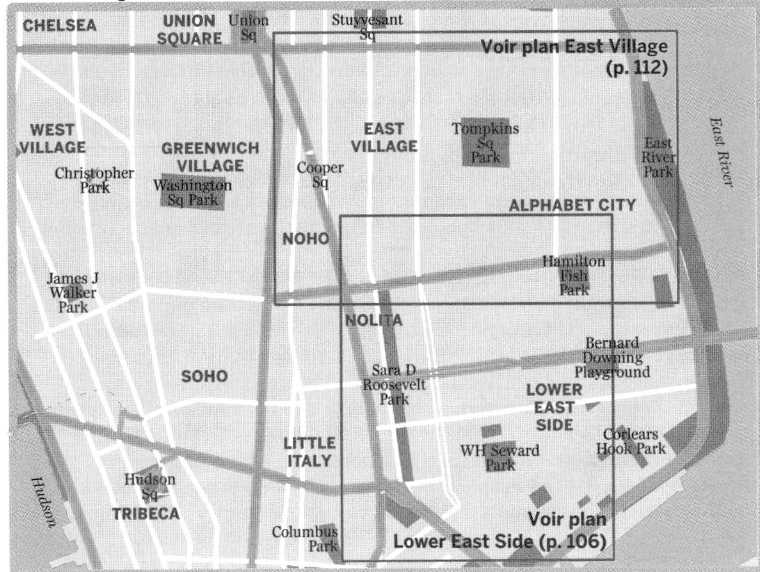




**adulte/enfant 16 $/gratuit, 19h-21h jeu gratuit ; 11h-18h mer et ven-dim, 11h-21h jeu ; S N/R jusqu'à Prince St, F jusqu'à 2nd Ave, J/Z jusqu'à Bowery, 6 jusqu'à Spring St).** Nouveau venu dans le quartier, le New Museum of Contemporary Art mérite vraiment le coup d'œil, avec son empilement aérien et décalé de boîtes immaculées sur sept niveaux, conçu par les architectes Kazuyo Sejima et Ryue Nishizawa (SANAA, Tokyo) et leurs homologues du cabinet Gensler (New York). Le spectacle continue à l'intérieur, où l'unique musée new-yorkais entièrement dédié à l'art contemporain décline sous de nouvelles formes un solide menu d'œuvres avant-gardistes.

### Museum at Eldridge Street Synagogue — Musée

**Plan p. 106 (212-219-0302 ; www.eldridgestreet.org ; 12 Eldridge St entre Canal St et Division St ; adulte/enfant 10/6 $ ; 10h-17h dim-jeu, 10h-15h ven ; S F jusqu'à East Broadway).** Cet important lieu de culte, bâti en 1887, était autrefois l'épicentre de la communauté juive, avant de tomber en déshérence dans les années 1920. Restauré il y a peu, le bâtiment a retrouvé sa splendeur originelle. Son musée propose des visites toutes les demi-heures (la dernière est programmée à 16h).

### East River Park — Parc

**Plan p. 112 (FDR Dr et E Houston St ; S F jusqu'à Delancey St-Essex St).** Outre d'excellents terrains de sport, des pistes de jogging et de cyclisme, un amphithéâtre de 5 000 places où se tiennent régulièrement des concerts, et de larges étendues de verdure, ce parc a quelque chose de vivifiant et il jouit d'une vue magnifique sur les ponts de Williamsburg, de Manhattan et de Brooklyn.

# Où se restaurer

## East Village

### Tacos Morelos — Mexicain $

**Plan p. 112 (438 E 9th St, entre 1st Ave et Ave A ; tacos à partir de 2,50 $ ; 12h-minuit dim-jeu, 12h-2h ven-sam ; S L jusqu'à 1st Ave).** En 2013, le fameux food truck Tacos Morelos s'est sédentarisé et cet établissement tout

## Jardins communautaires

En plein New York, les jardins communautaires d'Alphabet City offrent un spectacle saisissant. Ils ont été aménagés sur des parcelles abandonnées et transformés en jardins publics pour les habitants des quartiers pauvres. Des arbres, des fleurs, des bacs à sable et des sculptures faites de matériaux de récupération occupent désormais des espaces entre les immeubles, voire des *blocks* entiers. Nombre d'entre eux sont souvent ouverts au public le week-end ; les jardiniers, très impliqués dans la vie du quartier, sont une bonne source d'informations sur la politique locale.

**Le Petit Versailles** (plan p. 112 ; http://lpvtv.blogspot.com ; 346 E Houston St à la hauteur d'Ave C ; S F jusqu'à Delancey St, J/M/Z jusqu'à Essex St) allie oasis de verdure et arts, avec d'étonnantes performances et projections. Le **6th & B Garden** (plan p. 112 ; www.6bgarden.org ; E 6th St et Ave B ; 13h-18h sam-dim ; 6 jusqu'à Astor Pl) est un espace bien organisé qui accueille des concerts, des ateliers et des cours de yoga gratuits ; consultez le site Internet pour plus de détails. Trois splendides saules pleureurs ornent les jardins jumeaux de **9th St Garden** et **La Plaza Cultural** (plan p. 112 ; www.laplazacultural.com ; E 9th St à la hauteur d'Ave C ; 12h-17h sam-dim avr-oct). Visitez aussi l'**All People's Garden** (plan p 422 ; E 3rd St entre les avenues B et C) et **Brisas del Caribe** (plan p. 112 ; 237 E 3rd St).

simple de l'East Village s'est rapidement imposé comme l'une des adresses à tacos préférées de Manhattan. Petit conseil : payez le supplément de 50 ¢ pour une tortilla maison.

### Minca — Ramen $

Plan p. 112 (www.newyorkramen.com ; 536 E 5th St entre Ave A et Ave B ; ramen 11-14 $ ; 12h-23h30 ; S F jusqu'à 2nd Ave ; J/M/Z jusqu'à Essex St ; F jusqu'à Delancey St). Ce petit restaurant typique de l'East Village propose de gargantuesques bols de *ramen* (soupe de nouilles) fumants, accompagnés de *gyoza* (raviolis) frits.

### Kanoyama — Sushis $

Plan p. 112 (212-777-5266 ; www.kanoyama.com ; 175 2nd Ave près de E 11th St ; rouleaux à partir de 5 $ ; 17h30-23h ; ; S L jusqu'à 3rd Ave ; L, N/Q/R/W, 4/5/6 jusqu'à 14th St-Union Sq). Avec ses sushis sans chichis et ses plats du jour frais, c'est l'une des adresses favorites du quartier.

### Veselka — Ukrainien $

Plan p. 112 (212-228-9682 ; www.veselka.com ; 144 2nd Ave à la hauteur de 9th St ; plats 10-18 $ ; 24h/24 ; S L jusqu'à 3rd Ave ; 6 jusqu'à Astor Pl). Hommage haut en couleur aux racines ukrainiennes du quartier, le Veselka sert des *varenyky* (raviolis maison) et du goulash de veau, entre autres classiques.

### Angelica Kitchen — Végétarien, café $$

Plan p. 112 (212-228-2909 ; www.angelicakitchen.com ; 300 E 12th St entre 1st Ave et 2nd Ave ; plats 11-19 $ ; 11h30-22h30 ; ; S L jusqu'à 1st Ave). Depuis longtemps, les végétariens apprécient l'atmosphère apaisante (chandelles sur des tables intimes ou communes) ainsi que la créativité culinaire de cette adresse.

### Cafe Mogador — Marocain, Moyen-Orient $$

Plan p. 112 (212-677-2226 ; 101 St Marks Pl ; plats déj 8-14 $, dîner 17-21 $ ; 9h-1h dim-jeu, 9h-2h ven-sam ; S 6 jusqu'à Astor Pl). Tenu par une famille, ce bastion culinaire new-yorkais sert de généreuses portions de couscous, d'agneau grillé au feu de bois et de merguez, le tout accompagné

GARDEL BERTRAND/GETTY IMAGES ©

## À ne pas manquer
## St Marks Place

Si St Marks Place est l'une des rues les plus célèbres de New York, c'est aussi l'une des plus courtes, avec ses trois pâtés de maisons entre Astor Pl et Tompkins Square Park. L'artère regorge néanmoins de perles historiques qui raviront les amateurs d'anecdotes. Les plus fameuses étant aux numéros 2, 4, 96, 98, et 122 St Marks Place. Au numéro 2, occupé aujourd'hui par le St Mark's Ale House, se trouvait jadis le Five-Spot. C'est là que l'immense jazzman Thelonious Monk fit ses premières armes dans les années 1950.

Le numéro 4, bâti par le fils d'Alexander Hamilton, a également vu défiler quelques personnages hauts en couleur : James Fenimore Cooper y résida dans les années 1830, avant que les artistes du mouvement Fluxus de Yoko Ono n'y prennent leurs quartiers dans les années 1960.

Plus loin, les numéros 96 et 98 furent immortalisés sur la pochette de *Physical Graffiti*, un album de Led Zeppelin. Enfin, malgré sa fermeture dans les années 1990, le numéro 122 reste lié au populaire café Sin-é, où se produisaient souvent Jeff Buckley et David Gray.

### INFOS PRATIQUES

**Plan p. 112 ; St Marks Pl, Ave A jusqu'à 3rd Ave ; S N/R/W jusqu'à 8th St-NYU ; 6 jusqu'à Astor Pl**

de riz basmati et de séduisantes assiettes mixtes à base de houmous et de *baba ghanoush* (purée d'aubergine). Le brunch (servi le week-end de 9h à 16h) est excellent.

**Westville East** Américain moderne **$$**

**Plan p. 112 (☎212-677-2033 ; www.westvillenyc.com ; 173 Ave A ; plats 11-22 $ ; ⏲10h-23h ; S L jusqu'à 1st Ave, 6 jusqu'à Astor Pl).** Les légumes frais

## Lower East Side

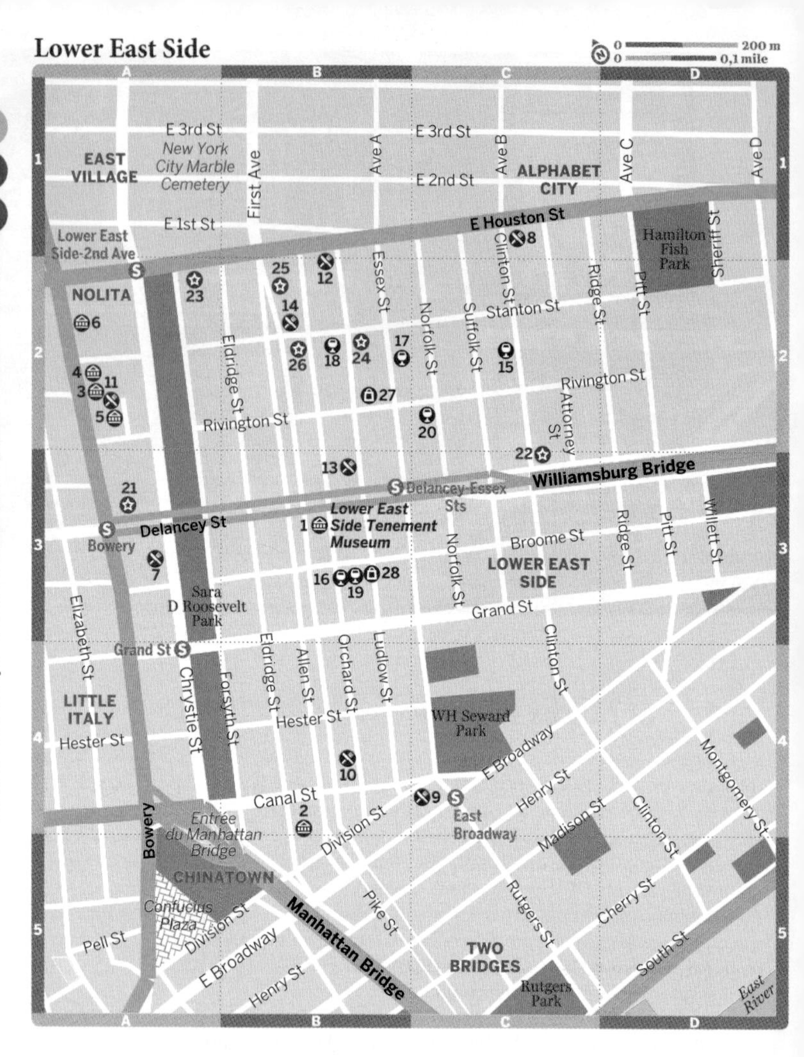




du marché et les plats délicieux sont les marques de fabrique du Westville, sans oublier son cadre chic-champêtre.

**Luzzo's** Pizzeria **$$**

**Plan p. 112 (☎212-473-7447 ; 211-213 First Ave entre 12th St et 13th St ; pizza à partir de 20 $ ; ⏲12h-23h mar-dim, 17h-23h lun ; 14-17 $ ; ⏲lun 17h-23h, mar-dim 12h-13h ; S 1st Ave).** Chaque soir, le populaire Luzzo attire les foules autour de pizzas fines, nappées de tomates généreuses et cuites dans un four à bois.

**Redhead** Cuisine du Sud **$$**

**Plan p. 112 (☎212-533-6212 ; www.theredheadnyc.com ; 349 E 13th St entre 1st Ave et 2nd Ave ; plats 12-24 $ ; ⏲17h30-1h lun-sam, 17h-22h dim ; S L jusqu'à 1st Ave ou 3rd Ave ; 6 jusqu'à Astor Pl).** Les briques apparentes et l'accueil chaleureux sont en adéquation avec une cuisine roborative à l'accent du Sud.

**Motorino** Pizzeria **$$**

**Plan p. 112 (www.motorinopizza.com ; 349 E 12th St entre 1st Ave et 2nd Ave ;**

## Lower East Side



**pizzas 15-18 $ ; 11h-minuit dim-jeu, 11h-1h ven-sam ; ; S L jusqu'à First Ave ; 4/5/6 jusqu'à 14th St-Union Sq).** Les pizzas de ce restaurant intime de l'East Village sont moelleuses et épaisses à souhait.

### MUD — Café $$

**Plan p. 112 (www.themudtruck.com ; 307 E 9th St entre 2nd Ave et 1st Ave ; brunch 15 $ ; 8h-24h ; S L jusqu'à 3rd Ave ou 1st Ave ; 4/6 jusqu'à Astor Pl).** Avec son bon café et son brunch imparable, voici l'une des adresses préférées des résidents de l'East Village.

### Brick Lane Curry House — Indien $$

**Plan p. 112 (306 E 6th St, entre 1st Ave et 2nd Ave ; plats 16-25 $ ; 12h-23h dim-jeu, 12h-1h ven-sam).** Conçu sur le modèle des restaurants indiens de l'Est londonien, le Brick Lane sert d'authentiques *tikka massala*, *vindaloo* et autres *tandoori* qui dépassent largement les établissements voisins de E 6th St (même si cela se ressent sur l'addition).

### Upstate — Fruits de mer $$

**Plan p. 112 (www.upstatenyc.com ; 95 First Ave, entre 5th St et 6th St ; plats 15-30 $ ; 17h-23h ; S F jusqu'à 2nd Ave).** Souvent sous-estimé, ce petit établissement sert pourtant d'excellents fruits de mer et bières artisanales. La carte, modeste mais constamment renouvelée, affiche moules à la bière, ragoût de fruits de mer, pétoncles sur lit de risotto aux champignons et un formidable choix d'huîtres.

### Prune — Fusion $$$

**Plan p. 112 (212-677-6221 ; www.prunerestaurant.com ; 54 E 1st St, entre 1st Ave et 2nd Ave ; plats brunch/dîner à partir de 12/25 $ ; 17h30-23h tlj et 10h-15h30 sam-dim ; S F/V jusqu'à Lower East Side-Second Ave).** Attendez-vous à de longues files d'attente le week-end, lorsque les fêtards viennent se remettre d'aplomb avec un brunch et un excellent Bloody Mary (10 variétés). La petite salle, toujours bondée, voit affluer les clients en quête d'un bar rôti avec fondue de poireaux, d'un magret de canard ou d'un ris de veau. Réservation pour le dîner uniquement.

## Lower East Side

### Dimes — Café $

**Plan p. 106 (212-240-9410 ; 143 Division St, entre Canal St et Ludlow St ; plats 8-12 $ ; 8h-16h lun-ven, 9-16h sam-dim ; ).** Une clientèle d'amateurs de design s'y masse autour d'un petit-déjeuner riche en œufs (service continu), d'une salade inventive (avec fenouil, orange sanguine, choux de Bruxelles, graines de potiron, etc.), de légumes grillés ou encore de sandwichs à l'effiloché de poulet.

**Meatball Shop** Italien **$**

**Plan p. 106 (☎212-982-8895 ; www.themeatballshop.com ; 84 Stanton St, entre Allen St et Orchard St ; plats à partir de 10 $ ; ⏲12h-2h dim-jeu, 12h-4h jeu-sam ; Ⓢ2nd Ave, F jusqu'à Delancey St, J/M/Z jusqu'à Essex St).** Élevant l'humble boulette de viande au rang d'art, le Meatball Shop en sert cinq variétés (dont une option végétarienne). Le restaurant du Lower East Side possède une atmosphère rock'n'roll, avec personnel tatoué et musique puissante.

**Clinton Street Baking Company** Américain **$**

**Plan p. 106 (☎646-602-6263 ; www.clintonstreetbaking.com ; 4 Clinton St entre Stanton St et Houston St ; plats à partir de 9-17 $ ; ⏲8-16h et 18h-23h lun-sam, 9h-18h dim ; ⓈJ/M/Z jusqu'à Essex St ; F jusqu'à Delancey St ; F jusqu'à 2nd Ave).** Cet établissement remporte la palme dans tellement de catégories – pancakes, muffins, *po'boys* (sandwichs à la mode du Sud), biscuits, etc. – que vous pouvez difficilement vous tromper en vous y arrêtant.

**Kuma Inn** Asiatique **$$**

**Plan p. 106 (☎212-353-8866 ; 113 Ludlow St entre Delancey St et Rivington St ; petites assiettes 8-14 $ ; ⏲dîner mar-dim ; ⓈF, J/M/Z jusqu'à Delancey St-Essex St).** La réservation est vivement conseillée dans ce restaurant prisé, discrètement logé au 1er étage (cherchez une petite porte rouge avec l'inscription "Kuma Inn"). Tapas d'inspiration philippino-thaïe, rouleaux de printemps végétariens (avec *jicama*), crevettes très épicées, et pétoncles poêlés au saké et bacon font partie du menu.

Bière, vin ou saké à prévoir (le droit de bouchon s'applique).

**Boil** Fruits de mer **$$**

**Plan p. 106 (139 Chrystie St, entre Delancey St et Broome St ; crevettes/crabe à partir de 12/30 $ la livre ; ⏲17h-23h lun-ven, 17h-24h sam-dim).** Vous provoquerez sans doute une vraie pagaille en vous attaquant aux succulents crabes, homards, langoustines, crevettes et palourdes (d'où des gants). Les bières artisanales accompagnent agréablement le tout. Espèces uniquement.

**À gauche :** Katz's Delicatessen
**Ci-dessous :** Pizzas new-yorkaises typiques
(À GAUCHE) RACHEL LEWIS/GETTY IMAGES © ; (CI-DESSOUS) JUANMONINO/GETTY IMAGES ©



**Katz's Delicatessen** Épicerie fine **$$**
**Plan p. 106 (☎212-254-2246 ; www.katzsdelicatessen.com ; 205 E Houston St à la hauteur de Ludlow St ; pastrami sur pain de seigle 17 $ ; 🕒8h-22h45 lun-mer et dim, 8h-2h45 jeu-sam ; S F jusqu'à 2nd Ave).** Le Katz's compte parmi le peu d'anciens restaurants juifs traditionnels du quartier. C'est ici que Meg Ryan simula son fameux orgasme dans le film *Quand Harry rencontre Sally* (1989). Si vous appréciez le pastrami et le salami sur pain de seigle, cela aura peut-être le même effet sur vous.

**Fat Radish** Britannique moderne **$$$**
**Plan p. 106 (17 Orchard St, entre Hester St et Canal St ; plats 18-28 $ ; 🕒12h-15h30 tlj, 17h30-24h lun-sam, 17h30-22h dim ; 🖉 ; S F jusqu'à East Broadway, B/D jusqu'à Grand St).** Une clientèle jeune et tendance se presse dans cet établissement affichant lumières tamisées, murs en brique nue et détails industriels. Malgré le bourdonnement ambiant d'une clientèle jeune et tendance, les plats principaux faisant appel à des produits locaux de saison méritent toute votre attention.

**Freemans** Américain **$$$**
**Plan p. 106 (☎212-420-0012 ; www.freemansrestaurant.com ; au bout de Freeman Alley ; plats déj 12-19 $, dîner 22-32 $ ; 🕒11h-23h30 lun-ven, 10h-23h30 sam-dim ; S F jusqu'à 2nd Ave).** Délicieusement niché dans une ruelle, cet établissement attire une clientèle majoritairement branchée venue siroter de généreux cocktails.

## Où prendre un verre et faire la fête

### East Village

**Ost Cafe** Café
**Plan p. 112 (441 E 12th St, angle Ave A ; 🕒7h30-22h lun-ven, 8h30-22h sam-dim ; S L jusqu'à 1st Ave).** Si vous cherchez un

WENDY CONNETT/ALAMY ©

## À ne pas manquer
## Lower East Side Tenement Museum

Ce musée décline le patrimoine passionnant du quartier à travers la reconstitution émouvante de trois habitations du tournant du XXe siècle. On y découvre notamment le logis et magasin de vêtements des Levine, une famille polonaise arrivée à la fin du XIXe siècle, et deux logements d'immigrants datant des deux grandes crises de 1873 et 1929.

Le centre des visiteurs propose également un petit film illustrant les rudes conditions de vie des locataires des immeubles environnants, souvent sans eau et sans électricité. La découverte du musée se fait uniquement par le biais de visites guidées (dont le prix est inclus dans le billet d'entrée), normalement prévues chaque jour. Mieux vaut toutefois téléphoner ou consulter le site Internet, car les horaires changent fréquemment. D'autres visites figurent aussi au programme : l'une d'entre elles explore plusieurs sites du Lower East Side et leur rôle dans l'histoire migratoire du quartier, tandis qu'une autre invite à découvrir le logis d'immigrants irlandais confrontés à la perte d'un enfant dans les années 1860.

### INFOS PRATIQUES

Plan p. 106 ☎212-982-8420 ; www.tenement.org ; 103 Orchard St, entre Broome St et Delancey St ; entrée 22 $ ; ⏲10h-18h ; Ⓢ B/D jusqu'à Grand St, J/M/Z jusqu'à Essex St, F jusqu'à Delancey St

endroit charmant où siroter un *latte* bien mousseux, n'allez pas plus loin. Avec ses murs de brique nue, son plafond en étain embossé et ses fauteuils veloutés, l'Ost Cafe a de l'allure. Il sert aussi d'excellentes boissons à base de café (du genre crémeux et savamment présenté) et du vin au verre (environ 11 $).

### Wayland
Bar

**Plan p. 112 (700 E 9th St, angle Ave C ; 17h-4h ; S L jusqu'à 1st Ave).** Les murs chaulés, les parquets patinés et les lampes de récup' confèrent à ce bastion urbain un parfum de Mississippi, qui se marie parfaitement à la musique live en semaine (bluegrass, jazz, folk).

### Proletariat
Bar

**Plan p. 112 (102 St Marks Pl, entre 1st Ave et Ave A ; 17h-2h ; S L jusqu'à 1st Ave).** Les amateurs de houblon new-yorkais s'entassent dans ce minuscule bar équipé de 10 tabourets, immédiatement à l'ouest de Tompkins Square Park.

### Golden Cadillac
Bar

**Plan p. 112 (13 1st Ave, angle 1st St ; 17h-2h dim-mer, 17h-4h jeu-sam ; S 2nd Ave).** Ce séduisant nouveau venu rend hommage aux années 1970, avec ses lambris splendides, son papier peint à motifs et ses tubes très "groove" en fond sonore – sans oublier les unes de *Playboy* dans les toilettes.

### ABC Beer Co
Bar

**Plan p. 112 (96 Ave C, entre 6th St et 7th St ; 12h-minuit dim-jeu, 12h-2h ven-sam).** À première vue, l'ABC ressemble à une échoppe à bières mal éclairée (on peut d'ailleurs y acheter des bières). En faisant quelques mètres, on découvre pourtant une longue table commune, de somptueuses banquettes en cuir et des murs en brique nue, le tout baigné dans du rock indé.

### Terroir
Bar à vins

**Plan p. 112 (646-602-1300 ; www.wineisterroir.com ; 413 E 12th St entre 1st Ave et Ave A ; 17h-2h lun-sam, 17h-minuit dim ; S L jusqu'à 1st Ave ; 6 jusqu'à Astor Pl).** Dénué du côté prétentieux de certains bars à vins, le Terroir accueille ses clients autour de grandes tables communes en bois.

### McSorley's Old Ale House
Bar

**Plan p. 112 (212-474-9148 ; 15 E 7th St entre 2nd Ave et 3rd Ave ; 11h-1h lun-sam, à partir de 13h dim ; S 6 jusqu'à Astor Pl).** Installé dans le quartier depuis 1854, le McSorley's semble imperméable à la branchitude de l'East Village. Vous risquez davantage d'y croiser des pompiers, des réfugiés de Wall St et quelques touristes.

### Death + Co
Bar lounge

**Plan p. 112 (212-388-0882 ; www.deathandcompany.com ; 433 E 6th St, entre 1st Ave et Ave A ; 18h-1h lun-jeu et dim, 18h-2h ven-sam ; S F jusqu'à 2nd Ave, L jusqu'à 1st Ave, 6 Astor Pl).** Détendez-vous dans ce cadre aux lumières tamisées et au décor en bois tressé, puis laissez les experts barmen concocter d'excellentissimes cocktails (14-16 $).

McSorley's Old Ale House

## East Village

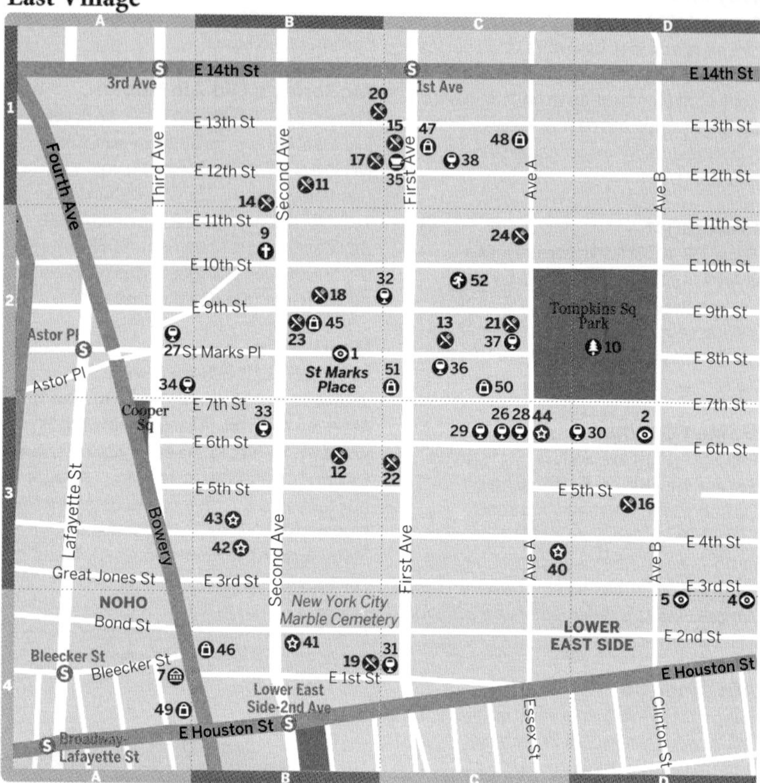


### Angel's Share

Bar

**Plan p. 112 (212-777-5415 ; 2e niveau, 8 Stuyvesant St près de 3rd Ave et E 9th St ; 17h-24h ; S 6 jusqu'à Astor Pl).** Arrivez de bonne heure dans ce petit bijou niché derrière un restaurant japonais (au même étage) pour espérer avoir une chaise. Calme et élégant, l'endroit propose des cocktails inventifs qu'il faut impérativement consommer assis.

### Eastern Bloc

Bar gay

**Planp. 112( 222-777-2555 ;www.easternblocnyc.com ; 505 E 6th St entre Ave A et Ave B ; 19h-4h ; S F jusqu'à 2nd Ave).** En dépit de l'inspiration "rideau de fer" de l'établissement, la tendance est plutôt au velours et au taffetas dans ce bar gay de l'East Village.

### Ten Degrees Bar

Bar à vins

**Plan p. 112 ( 212-358-8600 ; www.10degreesbar.com ; 121 St Marks Pl, entre 1st Ave et Ave A ; 12h-4h lun-dim ; S F jusqu'à 2nd Ave, L jusqu'à 1st Ave, L jusqu'à 3rd Ave).** Ce séduisant petit bar de St Marks Place, éclairé à la bougie, est une formidable adresse pour débuter la soirée, avec ses banquettes en cuir, ses barmen sympathiques et son excellente carte des vins et des cocktails.

### Immigrant

Bar à vins et à bières

**Plan p. 112 ( 212-677-2545 ; www.theimmigrantnyc.com ; 341 E 9th St, entre 1st Ave et 2nd Ave ; 17h-1h lun-mer et dim, 17h-2h jeu, 17h-3h ven-sam ; S L jusqu'à 1st Ave, 4/6 jusqu'à Astor Pl).** Ce minuscule et humble bar à vins pourrait vite devenir votre adresse préférée. Le personnel, connaisseur et aimable, n'hésite pas à se mêler aux

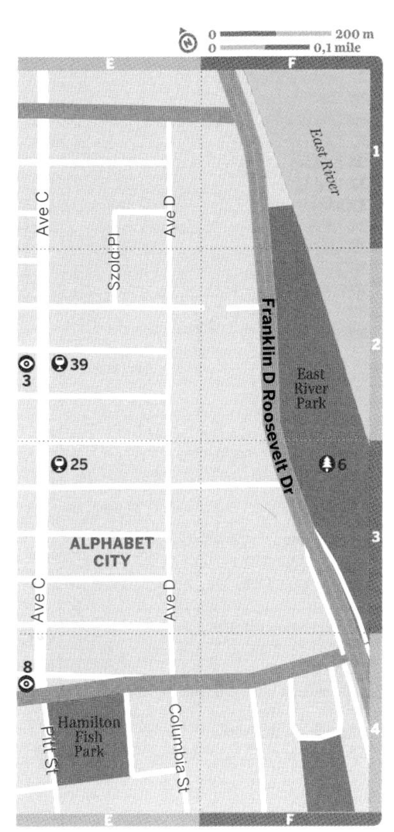


habitués tout en servant des assiettes d'olives et des verres de vin importé.

**Cienfuegos** Bar

**Plan p. 112 (☎212-614-6818 ; www.cienfuegosny.com ; 95 Ave A entre 6th St et 7th St ; ⏲18h-2h dim-jeu, 18h-3h ven-sam ; S F jusqu'à 2nd Ave ; L jusqu'à 1st Ave ; 4/6 jusqu'à Astor Pl).** Décor chic et ambiance cubaine endiablée dans ce temple du rhum et du punch new-yorkais. Si l'endroit vous plaît, faites un petit détour par l'**Amor y Amargo (plan p. 112 ; www.amoryamargo.com ; 443 E 6th St entre Ave A et 1st Ave ; ⏲lun-mer et dim 17h-23h, jeu 17h-24h, ven-sam 17h-1h ; S F jusqu'à 2nd Ave ; L jusqu'à 1st Ave ; 4/6 jusqu'à Astor Pl)**, son petit frère.

**Mayahuel** Bar à cocktails

**Plan p. 112 (☎212-253-5888 ; 304 E 6th St à la hauteur de 2nd Ave ; ⏲18h-2h ; S L jusqu'à 1st Ave ou 3rd Ave ; 6 jusqu'à Astor Pl).** Les amoureux de l'agave se feront un plaisir d'en tester les nombreuses variétés (tous les cocktails sont à 14 $) ; entre deux verres, grignotez quelques *tamales* et *quesadillas*.

## Lower East Side

**Ten Bells** Bar à tapas

**Plan p. 106 (☎212-228-4450 ; 247 Broome St, entre Ludlow St et Orchard St ; ⏲17h-2h lun-ven, 15h-2h sam-dim ; S F jusqu'à Delancey St, J/M/Z jusqu'à Essex St).** Ce bar à tapas discret possède une déco de style caverne, avec chandelles vacillantes, plafonds sombres en étain embossé, murs en brique et bar en U, idéal pour se faire de nouveaux amis. Situé juste à côte du magasin Top Hat.

**Stanton Social** Bar lounge

**Plan p. 106 (99 Stanton St, entre Orchard St et Ludlow St ; ⏲17h-1h).** Gagnez directement cet élégant bar lounge à l'étage, qui possède un côté bar clandestin – une porte en acier quelconque conduit jusque dans cet espace. Joignez-vous à la clientèle d'élégants New-Yorkais sirotant des cocktails (13 $) sur fond de musique chaloupée servie par un DJ.

**Beauty & Essex** Bar

**Plan p. 106 (☎212-614-0146 ; www.beautyandessex.com ; 146 Essex St, entre Stanton St et Rivington St ; ⏲17h-1h ; S F jusqu'à Delancey St, J/M/Z jusqu'à Essex St).** Le glamour de ce nouveau venu se dissimule derrière une boutique criarde de prêteur sur gages. On découvre alors un élégant espace de 3 000 m², avec canapés et banquettes en cuir, spectaculaire éclairage aux teintes ambrées et escalier en colimaçon conduisant dans une autre zone lounge et bar.

**Barrio Chino** Bar à cocktails

**Plan p. 106 (☎212-228-6710 ; 253 Broome St entre Ludlow St et Orchard St ; ⏲11h30-16h30 et 17h30-1h ; S F, J/M/Z jusqu'à Delancey St-Essex St).** Ce petit restaurant à mi-chemin entre La Havane et Pékin se transforme volontiers en lieu de fête, où les tequilas

## East Village

**Les incontournables**

1 St Marks Place ... B2

**À voir**

2 6th and B Garden ... D3
3 9th St Garden & La Plaza Cultural ... E2
4 All People's Garden ... D4
5 Brisas del Caribe ... D4
6 East River Park ... F3
7 Hole ... A4
8 Le Petit Versailles ... E4
9 St Mark's in the Bowery ... B2
10 Tompkins Square Park ... D2

**Où se restaurer**

11 Angelica Kitchen ... B1
12 Brick Lane Curry House ... B3
13 Cafe Mogador ... C2
14 Kanoyama ... B1
15 Luzzo's ... C1
16 Minca ... D3
17 Motorino ... B1
18 MUD ... B2
19 Prune ... B4
20 Redhead ... B1
21 Tacos Morelos ... C2
22 Upstate ... C3
23 Veselka ... B2
24 Westville East ... C2

**Où prendre un verre et faire la fête**

25 ABC Beer Co ... E3
26 Amor y Amargo ... C3
27 Angel's Share ... A2
28 Cienfuegos ... C3
29 Death + Co ... C3
30 Eastern Bloc ... D3
31 Golden Cadillac ... C4
32 Immigrant ... C2
33 Mayahuel ... B3
34 McSorley's Old Ale House ... A2
35 Ost Cafe ... C1
36 Proletariat ... C2
37 Ten Degrees Bar ... C2
38 Terroir ... C1
39 Wayland ... E2

**Où sortir**

40 Amore Opera ... C3
41 Anthology Film Archives ... B4
42 La MaMa ETC ... B3
43 New York Theater Workshop ... B3
44 Sidewalk Café ... C3

**Shopping**

45 Dinosaur Hill ... B2
46 John Varvatos ... B4
47 No Relation Vintage ... C1
48 Obscura Antiques ... C1
49 Patricia Field ... A4
50 Still House ... C2
51 Tokio 7 ... C2

**Sports et activités**

52 Russian & Turkish Baths ... C2



sont à l'honneur. Vous pouvez aussi vous contenter d'une *margarita* à l'orange sanguine ou aux prunes noires, d'un *guacamole* ou de tacos au poulet.

### Welcome to the Johnsons — Bar

**Plan p. 106 (☎212-420-9911 ; 123 Rivington St entre Essex St et Norfolk St ; 🕓16h30-4h lun-ven, 13h-4h sam-dim ; Ⓢ F, J/M/Z jusqu'à Delancey St-Essex St).** Décoré comme une salle de jeu des années 1970, le Johnsons, avec son air décalé, ne lasse pas sa clientèle d'habitués. C'est peut-être à cause des bières bon marché, du billard, du juke-box tonitruant ou des banquettes en skaï.

### Barramundi — Bar lounge

**Plan p. 106 (☎212-529-6999 ; 67 Clinton St entre Stanton St et Rivington St ; 🕓18h-4h ; Ⓢ F, J/M/Z jusqu'à Delancey St-Essex St).** Cet endroit bohème sis dans un immeuble ancien est tenu par un Australien féru d'art. Alcôves, prix raisonnables et quelques troncs d'arbres reconvertis en tables.

# Où sortir

## East Village

### Sidewalk Café — Country, folk

**Plan p. 112 (☎212-473-7373 ; www.sidewalkmusic.net ; 94 Ave A à la hauteur de 6th St ; Ⓢ F/V jusqu'à Lower East Side-2nd Ave ; 6 jusqu'à Astor Pl).** Malgré son aspect de bar à hamburgers, cette salle est le repaire des musiciens "antifolk". Les Moldy Peaches y ont forgé leur légende avant le succès du film *Juno*. Scène ouverte le lundi soir et séances de slam presque tous les mardis.

**La MaMa ETC** Théâtre

**Plan p. 112 (☎212-475-7710 ; www.lamama.org ; 74A E 4th St ; 10-20 $ ; S F jusqu'à 2nd Ave).** Bastion historique du théâtre expérimental, La MaMa abrite désormais trois salles de spectacle, un café, une galerie d'art et un autre bâtiment qui accueille des pièces d'avant-garde, des spectacles d'humour et des lectures.

**New York Theater Workshop** Théâtre

**Plan p. 112 (☎212-460-5475 ; www.nytw.org ; 79 E 4th St entre 2nd Ave et 3rd Ave ; S F jusqu'à 2nd Ave).** Ce théâtre, qui a récemment fêté ses 25 ans, reste un fleuron de l'avant-garde et monte des pièces contemporaines qui suscitent la réflexion. C'est de là que sont nés deux grands succès de Broadway, *Rent* et *Urinetown*.

**Anthology Film Archives** Cinéma

**Plan p. 112 (☎212-505-5181 ; www.anthologyfilmarchives.org ; 32 2nd Ave à la hauteur de 2nd St ; S F jusqu'à 2nd Ave).** Ce cinéma, ouvert en 1970, considère vraiment le film comme une forme artistique. Il projette des films indépendants de jeunes réalisateurs et fait revivre classiques et vieux films oubliés, de Luis Buñuel à Ken Brown.

**Amore Opera** Opéra

**Plan p. 112 (www.amoreopera.org ; Connelly Theater, 220 E 4th St, entre Ave A et Ave B ; billet 40 $ ; S F jusqu'à 2nd Ave).** Cette compagnie, formée par plusieurs membres de l'ancien Amato Opera, présente des œuvres connues comme *La Flûte enchantée, La Bohème, Le Mikado* ou *Hansel et Gretel* dans sa salle de l'East Village.

## Lower East Side

**Slipper Room** Burlesque

**Plan p. 106 (www.slipperroom.com ; 167 Orchard St, accès par Stanton St ; entrée 7-15 $ ; S F jusqu'à 2nd Ave).** Ce club sur deux niveaux accueille une vaste gamme de spectacles, dont le populaire rendez-vous comique de Seth Herzog *(Sweet)*. Le burlesque est aussi à l'honneur plusieurs fois par semaine, – en général, le spectacle vaut largement le prix de l'entrée. Billets disponibles en ligne.

**Bowery Ballroom** Musique live

**Plan p. 106 (☎212-533-2111 ; www.boweryballroom.com ; 6 Delancey St à la hauteur de Bowery St ; S J/Z jusqu'à Bowery).** Cette superbe salle de taille moyenne possède l'acoustique et l'ambiance parfaites pour

## Galeries du Lower East Side

Si Chelsea reste le poids lourd new-yorkais en matière de galeries d'art, le Lower East Side compte néanmoins plusieurs lieux de qualité. Parmi les pionniers le **Sperone Westwater Gallery** (www.speronewestwater.com ; 257 Bowery), ouvert en 1975, défend des grands noms tels que William Wegman et Richard Long. Non loin de là, le **Salon 94**, une galerie d'avant-garde, a deux adresses dans le Lower East Side : l'une, discrètement installée dans Freeman Alley, et l'autre à Bowery, près du New Museum. Quelques *blocks* plus au nord, on trouve le **Hole**, un espace de 1 200 m² aussi connu pour ses œuvres d'art que pour ses vernissages. Ces derniers rassemblent les habitués de la scène artistique du sud de Manhattan et des personnalités célèbres.

Broome St, entre Chrystie St et Bowery, est en train de devenir l'épicentre de la scène artistique du Lower East Side. Les galeries de premier plan, telles que **White Box**, **Canada**, **Jack Hanley** et **Marlborough**, s'y succèdent. On trouve une autre série de lieux animés dans Orchard St, entre Rivington St et Canal St.

les concerts explosifs de rock indé (The Shins, Stephen Malkmus, Patti Smith).

**Delancey** Musique live

**Plan p. 106 (☎212-254-9920 ; www.thedelancey.com ; 168 Delancey St à la hauteur de Clinton St ; S F jusqu'à Delancey St, J/M/Z jusqu'à Essex St).** Étonnamment élégant pour le Lower East Side, le Delancey accueille des groupes locaux pour les fans de rock indé.

**Pianos** Musique live

**Plan p. 106 (☎212-505-3733 ; www.pianosnyc.com ; 158 Ludlow St à la hauteur de Stanton St ; billets 8-10 $ ; 🕐12h-4h ; S F jusqu'à 2nd Ave).** Son nom vient de l'enseigne, relique du magasin de pianos d'autrefois. L'établissement accueille un pot-pourri de genres musicaux, avec une préférence pour la pop, le punk et la new wave, sans oublier une touche de hip-hop et de musique indé.

**Rockwood Music Hall** Musique live

**Plan p. 106 (☎212-477-4155 ; www.rockwoodmusichall.com ; 196 Allen St entre Houston St et Stanton St ; S F/V jusqu'à Lower East Side-2nd Ave).** Lancée par le rockeur Ken Rockwood, cette minuscule salle de concerts composée de trois scènes invite des groupes ou compositeurs/interprètes qui ont droit à une heure maximum (les plus déterminés peuvent en voir cinq ou plus par nuit). L'entrée est gratuite. Coup d'envoi à 15h le week-end et à 18h en semaine.

**Landmark Sunshine Cinema** Cinéma

**Plan p. 106 (☎212-260-7289 ; www.landmarktheatres.com ; 143 E Houston St, entre Forsyth St et Eldridge St ; S F/V jusqu'à Lower East Side-2nd Ave).** Autrefois théâtre yiddish, le merveilleux Landmark, rénové, projette des films étrangers et des exclusivités sur écrans géants. Ses sièges, conçus comme ceux d'un stade, assurent une bonne vision quel que soit votre voisin de devant.

# Shopping

## East Village

**Dinosaur Hill** Enfants

**Planp. 112(☎212-473-5850 ;www.dinosaurhill.com ; 306 E 9th St ; 🕐11h-19h ; S 6 jusqu'à Astor Pl).**

Russian & Turkish Baths

DAN HERRICK/GETTTY IMAGES ©

Ce petit magasin de jouets désuet, davantage nourri par l'imagination que par les productions Disney, offre quantité d'idées de cadeaux.

**Still House** Articles en verre
**Plan p. 112 (212-539-0200 ; 117 E 7th St ; 12h-20h ; S 6 jusqu'à Astor Pl).** Dans cette petite boutique paisible, flânez au fil des pièces en verre et des poteries : vases faits main, objets géométriques pour dessus de table, bols et tasses en céramique, entre autres atours pour la maison.

**No Relation Vintage** Vêtements vintage
**Plan p. 112 (212-228-5201 ; 204 1st Ave, entre 12th St et 13th St ; 12h-20h dim-jeu, 12h-21h ven-sam ; S L jusqu'à 1st Ave).** Parmi les nombreuses boutiques vintage de l'East Village, celle-ci se distingue par ses collections fournies : vestes en jean et en cuir, pantalons, tennis, chemises à carreaux, T-shirts couleur bonbon, blousons Teddy, Levi's, pochettes, etc.

**Tokio 7** Dépôt-vente
**Plan p. 112 (212-353-8443 ; www.tokio7.net ; 83 E 7th St, près de 1st Ave ; 12h-20h ; S 6 jusqu'à Astor Pl).** Ce dépôt-vente chic et révéré propose des vêtements de créateurs pour hommes et femmes, en bon état mais passablement coûteux.

**Patricia Field** Mode
**Plan p. 112 (212-966-4066 ; 306 Bowery St à la hauteur de 1st St ; dim-jeu 11h-20h, ven-sam 11h-21h ; S F jusqu'à 2nd Ave).** Styliste de la série *Sex and the City*, Patricia Field n'a peur de rien : boas en plumes, vestes roses, robes disco, T-shirts graphiques et colorés, escarpins imprimés léopard, Lycra argenté.

**Obscura Antiques** Antiquités
**Plan p. 112 (212-505-9251 ; 207 Ave A, entre 12th St et 13th St ; 12h-20h lun-sam, 12h-19h dim ; S L jusqu'à 1st Ave).** Ce petit cabinet de curiosités enchante les amoureux du macabre comme les passionnés d'objets anciens.

**John Varvatos** Mode, chaussures
**Plan p. 112 (212-358-0315 ; 315 Bowery entre 1st St et 2nd St ; lun-sam 12h-20h, dim 12h-18h ; S F jusqu'à 2nd Ave ; 6 jusqu'à Bleecker St).** Aménagée dans CBGB, un club mythique, la boutique de John Varvatos tente d'associer mode et rock'n'roll en vendant des disques, des équipements audio des années 1970 et des guitares électriques à côté de vêtements en denim, de bottes et ceintures en cuir, et de T-shirts imprimés.

## Lower East Side

**Top Hat** Accessoires
**Plan p. 106 (212-677-4240 ; 245 Broome St, entre Ludlow St et Orchard St ; 12h-20h ; S B/D jusqu'à Grand St).** Avec ses curiosités du monde entier, cette petite boutique fantaisiste ne cesse de surprendre : crayons à papier italiens rétro, jolis calepins en cuir miniatures, appeaux magnifiquement sculptés, etc.

**Edith Machinist** Vintage
**Plan p. 106 (212-979-9992 ; 104 Rivington St à la hauteur de Essex St ; 12h-19h mar-sam, 12h-18h dim ; S F jusqu'à Delancey St, J/M/Z jusqu'à Essex St).** Edith Machinist peut vous aider à adopter le style savamment négligé du Lower East Side : une touche de glamour vintage avec des bottes en daim à hauteur de genou, des robes en soie années 1930 et des ballerines.

# Sports et activités

**Russian & Turkish Baths** Bains russes et turcs
**Plan p. 112 (212-674-9250 ; www.russianturkishbaths.com ; 268 E 10th St entre 1st Ave et Ave A ; 35 $ ; lun, mar, jeu et ven 12h-22h, mer 10-22h, sam 9h-22h, dim 8h-22h ; S L jusqu'à 1st Ave ; 6 jusqu'à Astor Pl).** Depuis 1892, ils séduisent tous ceux qui veulent se plonger dans la vapeur, piquer une tête dans l'eau glacée, profiter du sauna ou prendre un bain de soleil. Les bains sont mixtes la plupart du temps (maillot de bain obligatoire à ces horaires), même si l'endroit est parfois uniquement réservé aux hommes ou aux femmes.

# Greenwich Village, Chelsea et Meatpacking District

**Ce secteur de New York est à juste titre surnommé le Village.** Les rues calmes et pittoresques s'y frayent un chemin entre les maisons de ville en brique, offrant un terrain de promenade aux touristes ou aux New-Yorkais. La New York University (NYU) domine l'essentiel du centre du Village, mais l'ambiance se fait plus douce et tranquille à l'ouest du parc.
Le Meatpacking District – ancien quartier des abattoirs, aujourd'hui repaire de boutiques chics et de discothèques animées – se niche dans les quelques pâtés de maisons tortueux immédiatement en contrebas de 14th St.

Chelsea, un peu plus au nord, comble le fossé entre West Village et Midtown. C'est le quartier de la très sociable communauté gay de la ville, et ses larges avenues sont bordées de cafés chaleureux, de bars à thème et de clubs. Les nombreuses galeries se trouvent à l'ouest, à partir de 20th St et contrastent vivement avec les grandes enseignes commerciales autour de Sixth Ave.

Maisons de grès brun, Greenwich Village
GREGORY OLSEN/GETTY IMAGES ©

# Greenwich Village, Chelsea et Meatpacking District - À ne pas manquer

## D'une galerie à l'autre (p. 138)

Chelsea abrite la plus importante concentration de galeries d'art de la ville – et elles fleurissent toujours plus avec chaque nouvelle saison. La plupart se trouvent autour de 20th St, entre Tenth Ave et Eleventh Ave. Il peut être difficile de choisir laquelle visiter. Heureusement, une promenade au hasard peut se révéler passionnante. Pace Gallery

## Washington Square Park (p. 131)

Malgré sa récente rénovation, Washington Square Park demeure la place du Village. On voit les mêmes personnages insolites danser autour de la fontaine, les étudiants de la NYU feuilleter Nietzsche, et les joueurs d'échecs amateurs disputer de longues parties. Seule différence : aujourd'hui, tout ce petit monde évolue dans d'impeccables jardins paysagers.

# Musique live (p. 137)

Greenwich Village abrite quelques-uns des plus éminents clubs de jazz de la ville, tels le Blue Note, le Village Vanguard et le Smalls. Le Poisson Rouge, relativement nouveau venu, affiche une programmation étonnamment variée – jazz, hip-hop, folk, musiques du monde (Afrique, Islande, Japon) – qu'apprécie le public ouvert au multiculturalisme. Blue Note (p. 143)

MICHELLE BENNETT/GETTY IMAGES ©

# La High Line (p. 124)

D'anciennes voies ferrées transformées en promenades verdoyantes et haut perchées : cet exemple parfait d'une rénovation urbaine réussie vaut à la High Line de figurer aujourd'hui parmi les espaces verts les plus populaires de la ville. Une balade à cette altitude garantit quelques points de vue inhabituels sur la métropole, tandis que les plantes et les fleurs endémiques ajoutent à la beauté brute de ce cadre inhabituel.

# Chelsea Market (p. 126)

Installé dans une ancienne usine, ce vaste marché fait figure de must parmi les fins gastronomes. Sur fond de brique nue et de détails industriels, une riche gamme de boutiques dispense du pain encore chaud, des fruits de mer, des légumes frais, des desserts et du vin. On y trouve aussi quantité d'endroits pour s'offrir un en-cas ou un vrai déjeuner, même si la proximité de la High Line et du front de mer en fait un lieu de ravitaillement idéal en vue d'un pique-nique.

# Promenade dans Greenwich Village

*De tous les quartiers de New York, Greenwich Village est le plus adapté aux piétons, avec ses rues pavées qui tranchent avec le quadrillage typique du reste de l'île.*

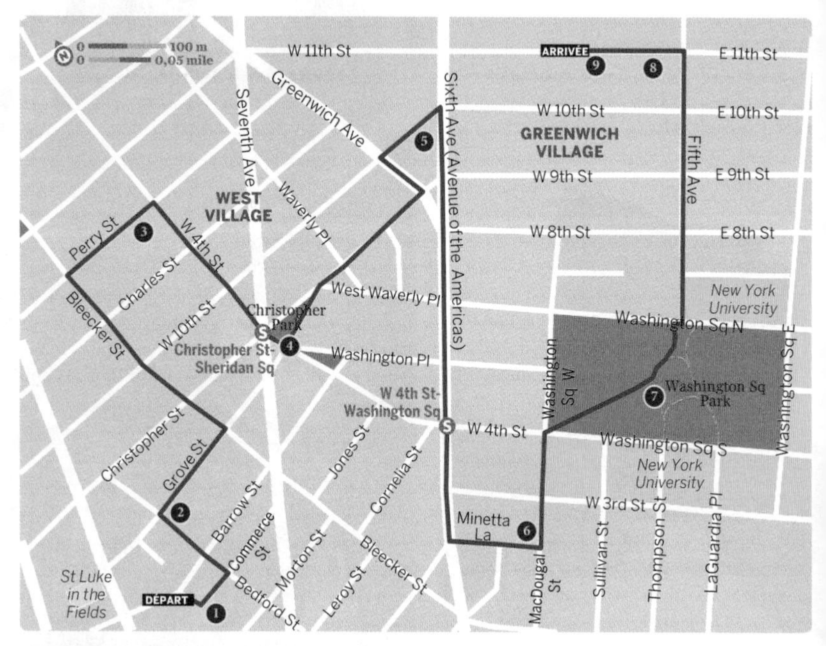


## ITINÉRAIRE

- **Départ** Cherry Lane Theater
- **Arrivée** Oscar Wilde's House
- **Distance** 1,6 km
- **Durée** 1 heure 15

### ❶ Cherry Lane Theater

Débutez votre promenade au petit Cherry Lane Theater. Créé en 1924, c'est le plus vieil établissement de l'off-Broadway toujours en fonctionnement. Il était le centre de l'activité artistique dans les années 1940.

### ❷ 90 Bedford St

Tournez à gauche et marchez jusqu'au 90 Bedford St, à droite de l'angle de Grove St : vous reconnaîtrez sûrement l'immeuble où habitent les personnages de la série *Friends*.

### ❸ 66 Perry St

Pour rejoindre un autre lieu emblématique de la télévision, remontez Bleecker St et prenez à droite sur Perry St ; le **66 Perry St** fut utilisé comme façade de l'appartement de Carrie Bradshaw dans la série *Sex and the City*.

### 4 Christopher Park

Tournez à droite sur W 4th St jusqu'à Christopher Park, où deux statues blanches figurant un couple homosexuel montent la garde. Au nord, se dresse le légendaire Stonewall Inn (p. 136), où un groupe de drag-queens manifesta pour ses droits en 1969, donnant le coup d'envoi de la révolution gay.

### 5 Jefferson Market Library

Suivez Christopher St jusqu'à Sixth Ave pour trouver la Jefferson Market Library, nichée sur un terrain triangulaire. Sa tour néogothique était initialement une tour de surveillance incendie. Aujourd'hui, le bâtiment abrite une section de la bibliothèque publique

### 6 Café Wha?

Descendez Sixth Ave, prenez à gauche sur Minetta Lane et passez devant le Café Wha?, célèbre établissement où de nombreux musiciens et humoristes – comme Bob Dylan – ont fait leurs débuts.

### 7 Washington Square Park

Poursuivez sur MacDougal St pour rejoindre Washington Sq Park (p. 131) qui accueille des étudiants de NYU, des musiciens des rues et, bien souvent, une foule de manifestants. Quittez le parc en passant sous sa célèbre arche et remontez Fifth Ave.

### 8 Weatherman House

Tournez à gauche dans W 11th St, où se trouvent deux maisons intéressantes. La première est la célèbre Weatherman House (18 W 11th St), qui servit en 1970 d'atelier de fabrication de bombes artisanales au groupe radical Weatherman, jusqu'à ce qu'une explosion accidentelle tue trois de ses membres et détruise la maison. Elle fut reconstruite en 1978.

### 9 Oscar Wilde's House

Un peu plus à l'ouest, voici l'ancienne maison d'Oscar Wilde (48 W 11th St). L'écrivain irlandais y résida quelques semaines en 1882.

## Les meilleurs

### RESTAURANTS

**RedFarm** Décor champêtre et cuisine goûteuse à tendance fusion chinoise. (p. 127)

**Chelsea Market** Pour un pique-nique ? Du vin, des sandwichs et des *cupcakes*. (p. 126)

**Jeffrey's Grocery** Repaire animé du West Village, réputé pour ses fruits de mer. (p. 130)

**Tía Pol** Tapas et vin espagnols après avoir écumé les galeries de Chelsea. (p. 133)

### BARS

**Bell Book & Candle** Cocktails, huîtres, lumières tamisées et box spacieux. (p. 134)

**Buvette** Charmant petit bar à vins du West Village. (p. 135)

**Little Branch** Repaire du West Village à l'atmosphère très speakeasy. (p. 135)

**Marie's Crisis** Le piano-bar exigu par excellence où personne n'a peur d'être soi-même. (p. 136)

### SCÈNES

**Le Poisson Rouge** Une programmation passionnante de genres musicaux très variés. (p. 137)

**Village Vanguard** Vénérable institution pour les stars du jazz. (p. 137)

**Joyce Theater** La meilleure scène new-yorkaise pour la danse moderne. (p. 139)

*Gay Liberation*, monument dans Christopher Park

# À ne pas manquer
# La High Line

Au début des années 1900, la zone située à l'ouest autour du Meatpacking District et de Chelsea était le plus grand quartier industriel de Manhattan. Dans les années 1930, une voie ferrée aérienne fut construite pour désengorger les rues saturées en contrebas. Ces rails, essentiellement destinés au transport de marchandises, devinrent peu à peu obsolètes. En 1999, on décida donc de les convertir en un espace vert public. Le 9 juin 2009, le premier tronçon de ce projet de rénovation urbaine ouvrit en grande pompe. Ce lieu est depuis lors l'un des sites phares de la ville.

212-500-6035

www.thehighline.org

Gansevoort St

7h-19h

M11 jusqu'à Washington St, M11, M14 jusqu'à 9th Ave, M23, M34 jusqu'à 10th Ave, S L ou A/C/E jusqu'à 14th St-8th Ave, C/E jusqu'à 23rd St-8th Ave

## Plus qu'un simple espace public

Alors que West Village et Chelsea se sont transformés en quartiers résidentiels, la High Line entend bien devenir un lieu où se retrouvent familles et amis. En la parcourant, vous croiserez des employés portant des T-shirts ornés du logo de la High Line, un double H, qui peuvent vous orienter ou vous donner des informations supplémentaires sur la voie reconvertie.

Envie de soutenir cette initiative écolo ? Devenez membre du comité des Amis de la Highline. En souscrivant la formule Spike (75 $) vous aurez droit à diverses réductions dans les commerces du quartier situé au-dessous, aussi bien dans la boutique de Diane von Furstenberg, reconnaissable à son dôme géodésique original, que chez Amy's Bread, une savoureuse échoppe d'alimentation du très populaire Chelsea Market.

## Passé industriel

Difficile d'imaginer que la High Line – exemple remarquable de rénovation urbaine – était jadis une voie ferrée vétuste qui desservait un quartier louche constitué d'abattoirs, de petits voyous et de travestis. Elle fut construite dans les années 1930 lorsque la municipalité décida de rehausser les rails situés au niveau de la rue après des années d'accidents qui valurent à Tenth Ave le surnom de "Death Avenue" (avenue de la Mort). Ce projet coûta plus de 150 millions de dollars (l'équivalent d'environ 2 milliards de dollars aujourd'hui) et dura cinq ans. Après deux décennies d'utilisation effective, l'essor du transport et du trafic routiers entraîna une diminution progressive de sa fréquentation et cette voie finit par devenir obsolète dans les années 1980. Les riverains signèrent alors des pétitions pour faire retirer ce qu'ils considéraient être un affront esthétique. Toutefois, en 1999, un comité, Friends of the High Line ("les Amis de la High Line") – créé par Joshua David et Robert Hammond – se créa avec pour projet la transformation de la voie en un espace vert suspendu.

**Ma sélection**

## La High Line

RECOMMANDATIONS DE ROBERT HAMMOND, COFONDATEUR ET DIRECTEUR DES AMIS DE LA HIGH LINE.

### 1 LES POINTS FORTS DE LA HIGH LINE

Pour moi, West Village évoque le passé industriel de New York et son futur résidentiel. Ce que j'aime le plus dans la High Line, ce sont ses petits secrets. Comme cette vue que l'on peut avoir du belvédère sur Tenth Ave, près de 17th St : la plupart des gens s'assoient sur les gradins, mais si vous regardez de l'autre côté vous pouvez voir la statue de la Liberté au loin. Les mordus d'architecture adoreront observer 18th St en contrebas, et plus haut, au-dessus de 30th, se trouve mon endroit préféré – un belvédère en acier surplombant les voitures.

### 2 POUR FAIRE UNE HALTE

Pour déjeuner près de la High Line, je recommande **Hector's Café & Diner** (**44 Little W 12th St ; plats 8-13 $ ; ⌚2h-22h lun-sam**). C'est un endroit bon marché, peu touristique et pas du tout prétentieux – les cookies sont excellents. Si vous êtes dans le coin, il faut visiter les galeries de Chelsea – il y en a plus de 300 – et passer chez **Printed Matter** (**plan p. 134 ; ☎212-925-0325 ; 195 10th Ave entre 21st St et 22nd St ; ⌚11h-19h sam et lun-mer, 11h-20h jeu-ven ; S C/E jusqu'à 23rd St**) voir ses livres faits par des artistes. Jetez un coup d'œil à l'**Hôtel Americano** (p. 282), dans le nord de Chelsea – c'est un endroit très prometteur. Pour une soirée en ville, allez au Boom Boom Room au **Top of the Standard** (p. 136) – arrivez tôt et réservez.

### 3 POUR DES ACTIVITÉS EN FAMILLE

La High Line est également idéale pour les enfants, grâce à la programmation qui leur est dédiée les mercredis et samedis.

# Découvrir Greenwich Village, Chelsea et Meatpacking District

### Depuis/vers Greenwich Village, Chelsea et Meatpacking District

- **Métro** Sixth Ave, Seventh Ave et Eighth Ave disposent de stations commodes, mais les transports publics se font plus rares vers l'ouest. Prenez les lignes A, C, E ou 1, 2, 3 pour rejoindre ces quartiers colorés – et descendez à 14th St (sur toutes ces lignes).
- **Bus** Essayez le M14 ou le M8 si vous traversez la ville et voulez rejoindre les zones les plus à l'ouest de Chelsea et de West Village en transports publics.

Rubin Museum of Art
STEVEN GREAVES/GETTY IMAGES ©

## À voir

## Greenwich Village et Meatpacking District

### La High Line (p. 124)

**New York University** Université
**Plan p. 128 (NYU ; ☎212-998-2222 ; www.nyu.edu ; centre d'information 50 W 4th St ; Ⓢ A/C/E, B/D/F/M jusqu'à W 4th St-Washington Sq ; N/R jusqu'à 8th St-NYU).** Albert Gallatin, secrétaire du Trésor du président Thomas Jefferson, fonda en 1831 un petit centre d'enseignement supérieur ouvert à tous les étudiants, sans considération de race ni de classe. Certains endroits ne manquent pas de charme, à l'instar de la cour verdoyante de la School of Law, tandis que d'autres se révèlent résolument modernes, tel le Skirball Center for the Performing Arts, une salle de 850 places où danse, théâtre, musique et autres arts du spectacle sont mis à l'honneur.

## Chelsea

**Chelsea Market** Marché
**Plan p. 134 (www.chelseamarket.com ; 75 Ninth Ave à la hauteur de 15th St ; ⏱7h-22h lun-sam, 8h-21h dim ; Ⓢ A/C/E jusqu'à 14th St; L jusqu'à 8th Ave)** Dans un effort exemplaire de réaménagement et de conservation, le marché de Chelsea s'est installé dans une ancienne usine appartenant au fabricant de biscuits Nabisco, transformée en galerie de produits alimentaires de près de 250 m de long. Toutefois, les acheteurs viennent avant tout pour la bonne vingtaine de boutiques d'alimentation, dont Amy's Bread, Fat Witch Bakery, le Lobster Place, Hale & Hearty Soup, Ronnybrook Dairy et le Nutbox.

## Greenwich Village, Chelsea et Meatpacking District

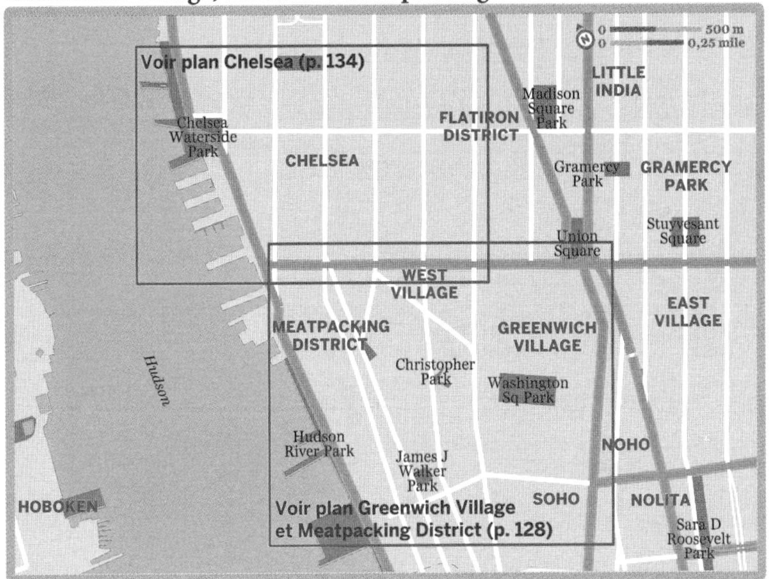


**Rubin Museum of Art** Musée

**Plan p. 134 (www.rmanyc.org ; 150 W 17th St à la hauteur de 7th Ave ; adulte/enfant 10 $/gratuit, 18h-22h ven gratuit ; 11h-17h lun et jeu, 11h-21h mer, 11h-22h ven, 11h-18h sam-dim ; S 1 jusqu'à 18th St).** Il s'agit du premier musée du monde occidental à s'intéresser à l'art de l'Himalaya et des régions environnantes. Ses impressionnantes collections comprennent des broderies chinoises, des sculptures en métal du Tibet, des sculptures sur pierre du Pakistan, de complexes peintures du Bhoutan, ainsi que des objets rituels et des masques de danse de différentes régions tibétaines, couvrant une période allant du IIe au XIXe siècle.

# Où se restaurer

## Greenwich Village et Meatpacking District

**Moustache** Moyen-oriental **$**

**Plan p. 128 (212-229-2220 ; www.moustachepitza.com ; 90 Bedford St entre Grove St et Barrow St ; plats 8-17 $ ; 12h-minuit ; S 1 jusqu'à Christopher St-Sheridan Sq).** Sans chichis et chaleureux, ce petit établissement aux tables cuivrées et aux murs en briques prépare de généreux et goûteux sandwichs (cuisse d'agneau, merguez, falafel), des pizzas à la pâte fine, des salades acidulées et de copieuses spécialités come l'*ouzi* (pâte filo fourrée au poulet, au riz et aux épices) et de la moussaka.

**RedFarm** Fusion **$$$**

**Plan p. 128 (212-792-9700 ; www.redfarmnyc.com ; 529 Hudson St, entre 10th St et Charles St ; plats 19-49 $ ; 17h-23h45 lun-sam, jusqu'à 23h dim et 11h-14h30 sam-dim ; S A/C/E, B/D/F/M jusqu'à W 4th St, 1 jusqu'à Christopher St-Sheridan Sq).** En pleine effervescence, cette petite adresse dans Hudson St transforme la cuisine chinoise en pure et délectable œuvre d'art. *Bruschette* crabe-aubergines, entrecôte juteuse (marinée toute la nuit dans de la papaye, du gingembre et du soja) et rouleaux de *pastrami* aux œufs figurent parmi les plats les plus créatifs qui unissent Orient et Occident avec brio.

# Greenwich Village et Meatpacking District

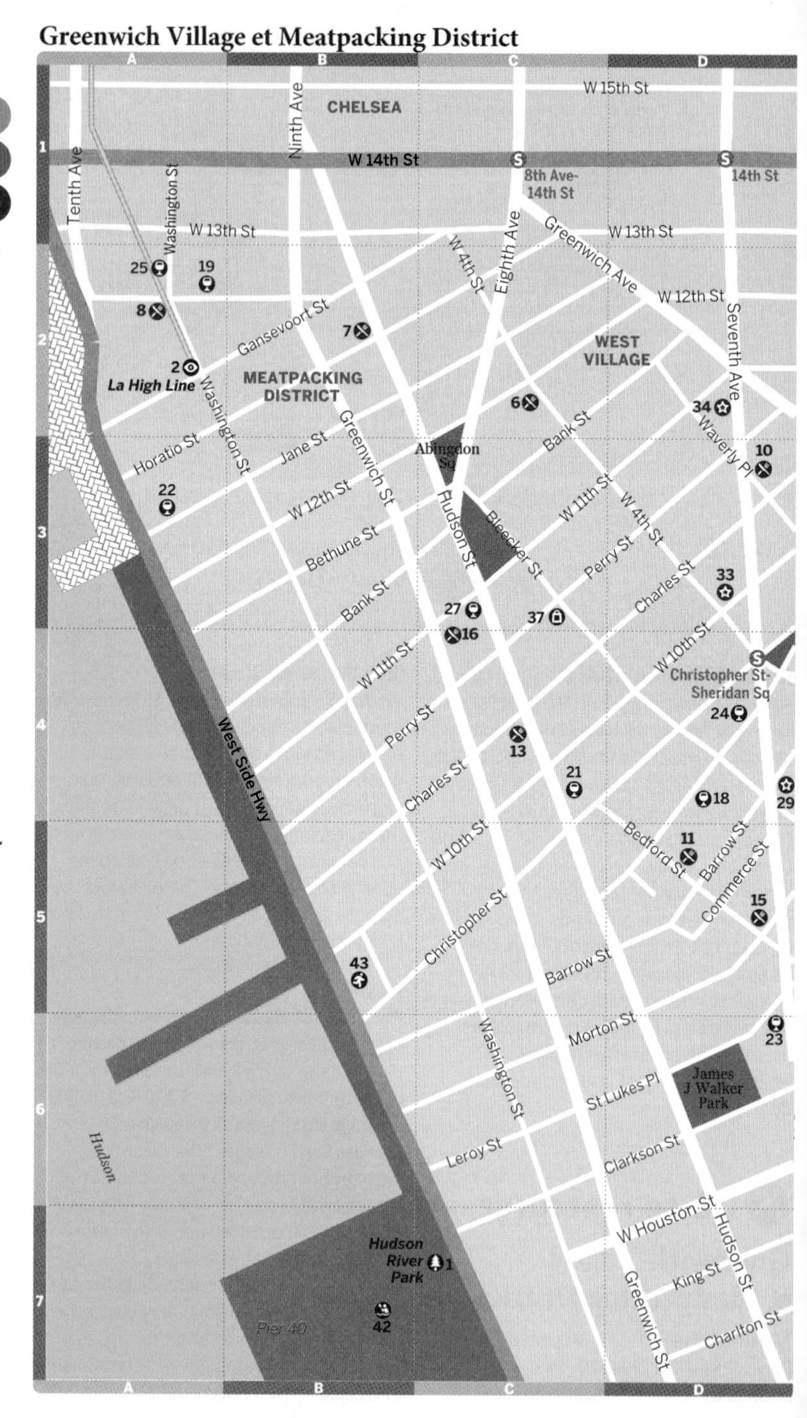

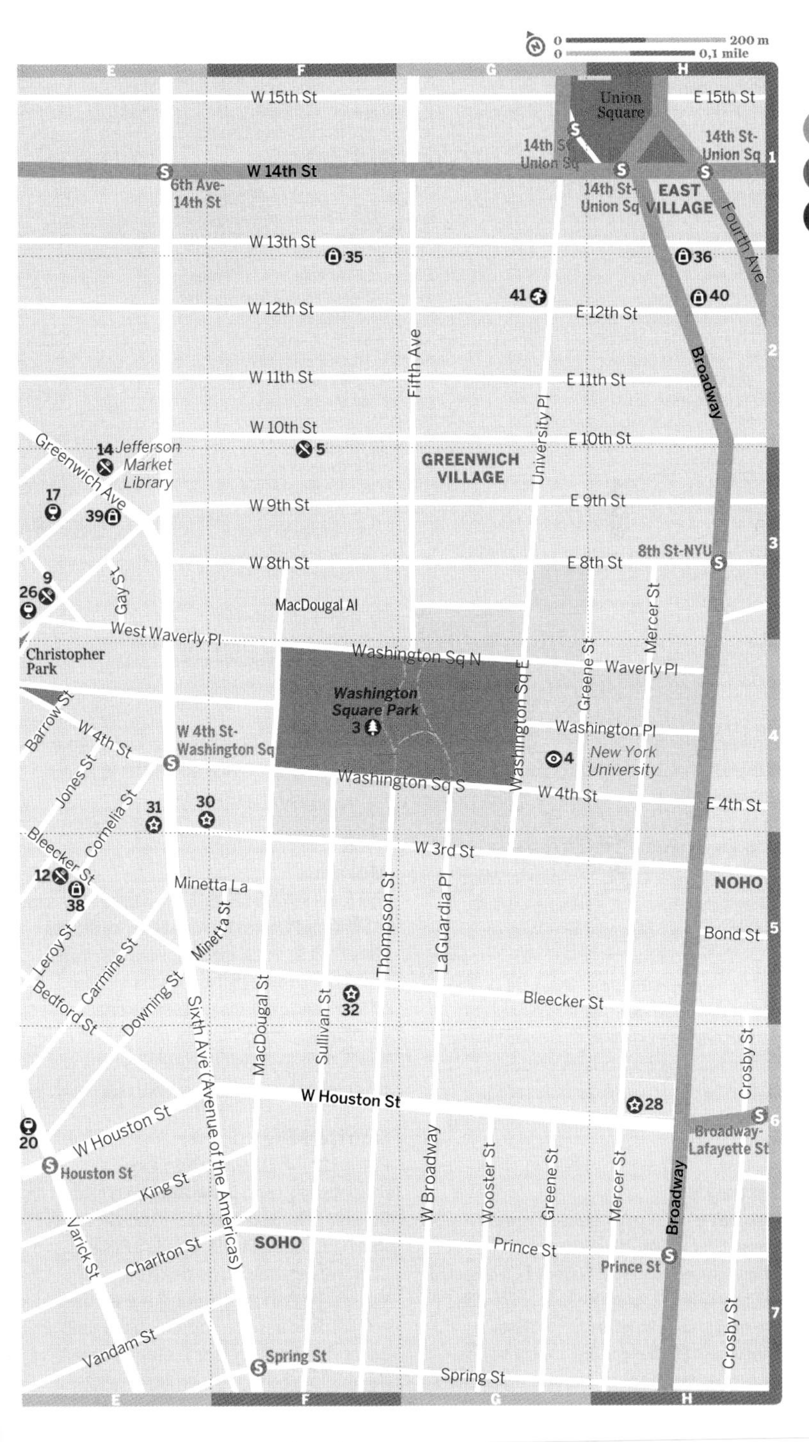
200 m
0,1 mile
W 15th St
E 15th St
Union Square
14th St-Union Sq
W 14th St
6th Ave-14th St
EAST VILLAGE
Fourth Ave
W 13th St
35
36
40
41
W 12th St
E 12th St
Fifth Ave
Broadway
W 11th St
E 11th St
University Pl
W 10th St
E 10th St
14 Jefferson Market Library
5
GREENWICH VILLAGE
Greenwich Ave
17
39
W 9th St
E 9th St
8th St-NYU
W 8th St
E 8th St
9
26
Gay St
MacDougal Al
Mercer St
West Waverly Pl
Christopher Park
Washington Sq N
Greene St
Waverly Pl
Washington Square Park
3
Barrow St
W 4th St
W 4th St-Washington Sq
Washington Sq E
Washington Pl
4
New York University
Washington Sq S
Jones St
E 4th St
31
30
Cornelia St
W 3rd St
Bleecker St
12
38
Minetta La
NOHO
Thompson St
LaGuardia Pl
Minetta St
Bond St
Leroy St
Carmine St
Bedford St
Downing St
Sixth Ave (Avenue of the Americas)
MacDougal St
Sullivan St
32
Bleecker St
Crosby St
W Houston St
28
20
W Houston St
Broadway-Lafayette St
Houston St
W Broadway
Wooster St
Greene St
Mercer St
Broadway
King St
Varick St
Charlton St
SOHO
Prince St
Prince St
Vandam St
Spring St
Spring St
Crosby St
E
F
G
H
1
2
3
4
5
6
7

## Greenwich Village et Meatpacking District

**Les incontournables**
1 Hudson River Park ..... C7
2 La High Line ..... A2
3 Washington Square Park ..... F4

**À voir**
4 New York University ..... G4

**Où se restaurer**
5 Alta ..... F3
6 Café Cluny ..... C2
7 Fatty Crab ..... B2
8 Hector's Café & Diner ..... A2
9 Jeffrey's Grocery ..... E3
10 Morandi ..... D3
11 Moustache ..... D5
12 Murray's Cheese Bar ..... E5
13 RedFarm ..... C4
14 Rosemary's ..... E3
15 Snack Taverna ..... D5
16 Spotted Pig ..... C4

**Où prendre un verre et faire la fête**
17 Bell Book & Candle ..... E3
18 Buvette ..... D4
19 Cielo ..... A2
20 Clarkson ..... E6
21 Employees Only ..... C4
22 Jane Ballroom ..... A3
Le Bain ..... (voir 25)
23 Little Branch ..... D6
24 Marie's Crisis ..... D4
25 Standard ..... A2
26 Stonewall Inn ..... E3
Top of the Standard ..... (voir 25)
27 White Horse Tavern ..... C3

**Où sortir**
28 Angelika Film Center ..... H6
29 Barrow Street Theater ..... D4
30 Blue Note ..... E4
31 IFC Center ..... E4
32 Le Poisson Rouge ..... F5
33 Smalls ..... D3
34 Village Vanguard ..... D2

**Shopping**
35 Beacon's Closet ..... F2
36 Forbidden Planet ..... H2
37 Marc by Marc Jacobs ..... C3
38 Murray's Cheese ..... E5
39 Personnel of New York ..... E3
40 Strand Book Store ..... H2

**Sports et activités**
41 Bowlmor Lanes ..... G2
42 Downtown Boathouse ..... B7
43 Waterfront Bicycle Shop ..... B5

### Rosemary's — Italien $$

**Plan p. 128 (212-647-1818 ; rosemarysnyc.com ; 18 Greenwich Ave, à la hauteur de W 10th St ; plats 12-26 $ ; 8h-minuit ; S 1 jusqu'à Christopher St-Sheridan Sq).** Cet établissement, un des hauts lieux gastronomiques de West Village du moment, sert une cuisine italienne haut de gamme. Dans un cadre aux allures de ferme, vous vous jetterez sur ses généreuses portions de pâtes maison, ses salades et ses planches de fromages et de *salumi* (charcuterie). Parmi les derniers coups de cœur : *acqua pazza* (mijoté de poissons) et épaule de porc braisé avec légumes grillés.

### Jeffrey's Grocery — Américain moderne $$

**Plan p. 128 (646-398-7630 ; www.jeffreysgrocery.com ; 172 Waverly Pl, à la hauteur de Christopher St ; plats 18-35 $ ; 8h-23h dim-mer, jusqu'à 2h jeu-sam ; S 1 jusqu'à Christopher St-Sheridan Sq).** Les produits de la mer tiennent la vedette dans cette institution de West Village : bar à huîtres et une gamme de plats joliment préparés, comme les couteaux au caviar et à l'aneth, la daurade grillée au curry, et des plateaux de fruits de mer à partager.

### Morandi — Italien $$

**Plan p. 128 (212-627-7575 ; www.morandiny.com ; 211 Waverly Pl, entre 7th Ave et Charles St ; plats 17-30 $ ; 8h-minuit lun-ven, 10h-minuit sam, 10h-23h dim ; S 1 jusqu'à Christopher St-Sheridan Sq).** Dans ce restaurant chaleureux et animé aux murs en brique, parquet et lustres champêtres tenu par un célèbre restaurateur, Keith McNally.

### Spotted Pig — Pub $$

**Plan p. 128 (212-620-0393 ; www.thespottedpig.com ; 314 W 11th St, à la hauteur de Greenwich St ; plats 16-35 $ ; 11h-2h ; ; S A/C/E jusqu'à 14th St, L jusqu'à 8th Ave).** Cantine des habitants de Greenwich Village, ce pub gastronomique étoilé au Michelin sert de copieux plats italo-britanniques. Avec ses 2 étages ornés de bibelots rétro, l'ensemble dégage une atmosphère chic-décontractée.

PATTI MCCONVILLE/GETTY IMAGES ©

## À ne pas manquer
## Washington Square Park

Cette place du Village qui était à l'origine un cimetière pour indigents et un site d'exécutions publiques, est aujourd'hui fréquentée par des étudiants de la NYU, des cracheurs de feu, des résidents promenant leur chien et des joueurs d'échecs. Entouré de riches *brownstones* et de superbes bâtiments modernes (tous propriétés de la NYU), Washington Square Park est l'un des plus beaux espaces verts de New York – surtout lorsqu'on arrive par l'emblématique Stanford White Arch, au nord de la place.

**INFOS PRATIQUES**

Plan p. 128 Fifth Ave at Washington Sq S N A/C/E, B/D/F/M jusqu'à W 4th St-Washington Sq ; N/R jusqu'à 8th St-NYU

**Café Cluny** Café **$$**

(Plan p. 128 ; 212-255-6900 ; www.cafecluny.com ; 284 W 12th St ; plats 10-32 $ ; 8h-23h30 lun-ven, 9h-23h sam-dim ; S L jusqu'à 8th Ave ; A/C/E, 1/2/3 jusqu'à 14th St). Le Café Cluny apporte un petit air de Paris dans West Village et sert les classiques steak-frites, salades composées et poulet rôti.

**Alta** Tapas **$$**

(Plan p. 128 ; 212-505-7777 ; www.altarestaurant.com ; 54 W 10th St entre 5th Ave et 6th Ave ; petites assiettes 5-19 $ ; 18h-23h, jusqu'à minuit ven-sam ; S A/C/E, B/D/F/V jusqu'à W 4th St-Washington Sq). Cette superbe maison de ville illustre le charme désuet du quartier : briques et poutres apparentes, lueur des bougies, miroirs massifs et cheminée romantique. Les petites assiettes à la carte sont parfaites si vous ne savez pas quoi choisir. Mention spéciale pour les boulettes d'agneau, le vivaneau grillé à la purée d'artichauts,

STEVEN GREAVES/GETTY IMAGES ©

## À ne pas manquer Hudson River Park

La High Line a beau faire fureur, à un bloc de là s'étire un ruban de verdure de 8 km qui a transformé la ville de façon spectaculaire ces 10 dernières années.

Couvrant 222 ha de Battery Park à l'extrémité sud de Manhattan jusqu'à 59th St à Midtown, l'Hudson River Park est le jardin des merveilles de Manhattan. Ce long sentier en bordure de fleuve est l'endroit idéal pour courir, flâner et **pédaler** (plan p. 128 ; www.bikeshopny.com ; 391 West St, entre W 10th St et Christopher St ; location 1/4 heures 10/20 $ ; 10h-19h). Plusieurs **centres nautiques** (voir p. 141) y louent des kayaks et proposent de longues excursions pour les plus expérimentés. On y trouve aussi des terrains de beach-volley et de basket, un skate-park et des courts de tennis. Quatre aires de jeux flambant neuf, un manège (près de 22nd St) ou encore un mini-golf (sur le Pier 25, en face de West St, près de N Moore St) : pour les familles avec jeunes enfants, les possibilités sont légion.

Ceux qui ont simplement besoin d'échapper à la frénésie urbaine viennent ici pour se prélasser sur les pelouses, observer leurs congénères et contempler le fleuve (pour une activité moins méditative, rejoignez les amateurs de sangria et de soleil au **Frying Pan** (p. 137), amarré le long du quai). Par ailleurs, le parc est un endroit délicieux pour venir admirer le coucher du soleil.

les champignons sautés, le chèvre chaud et la paella à l'encre de seiche.

**Fatty Crab** Asiatique **$$**
Plan p. 128 (212-352-3590 ; www.fattycrew.com ; 643 Hudson St entre Gansevoort St et Horatio St ; plats 16-35 $ ; 12h-23h dim-mer, jusqu'à minuit jeu-sam ; S L jusqu'à 8th Ave ; A/C/E, 1/2/3 jusqu'à 14th St). L'équipe du Fatty récidive avec ce restaurant d'inspiration malaisienne. Une adresse hyper-branchée attirant les New-Yorkais venus en nombre pour dévorer des curries de poisson

et de la poitrine de porc accompagnés d'une sélection maison de cocktails.

**Snack Taverna** Grec **$$**
**Plan p. 128 (☎212-929-3499 ; www.snacktaverna.com ; 63 Bedford St ; petites assiettes 12-14 $, grandes assiettes 22-28 $ ; ⏲7h30-23h lun-ven, 11h-23h sam, jusqu'à 22h dim ; 63 Bedford St ; plats 15-25 $ ; ⏲12h-23h lun-sam, 12h-22h dim ; S A/C/E, B/D jusqu'à W 4 St ; 1/2 jusqu'à Christopher St-Sheridan Sq).** Cette adresse ne sert pas le typique sandwich grec mais une sélection saisonnière de délicieuses petites assiettes qui accompagnent des plats du marché. Les vins régionaux n'ont rien d'exceptionnel, mais les bières méditerranéennes sont rafraîchissantes.

**Murray's Cheese Bar** Fromage **$$**
**Plan p. 128 (www.murrayscheesebar.com ; 246 Bleecker St ; plats 12-17 $, plateau de fromage 12-16 $ ; ⏲12h-22h dim-mar, jusqu'à minuit mer-sam ; S A/C/E, B/D/F/M jusqu'à W 4th St).** *Mac 'n' cheese* (gratin de macaronis au fromage) gourmet, sandwichs au fromage fondu, soupe à l'oignon, et autres plats à base de fromage monopolisent la carte de ce bar-restaurant. Carte des vins recherchée (à partir de 9 $ le verre), avec suggestions d'accompagnement pour les plateaux de fromages.

# Chelsea

**Chelsea Market** **(p. 126)**

**Heath** **Supper Club $$**
**Plan p. 134 (☎212-564-1622 ; mckittrickhotel.com/theheath ; 542 W 27th St, entre 10th Ave et 11th Ave ; plats 24-32 $ ; ⏲18h-2h ; S C/E jusqu'à 23rd St).** Fin 2103, les créateurs de la pièce de théâtre à succès *Sleep No More* ("Ne dormez plus") ont ouvert un restaurant à côté de leurs entrepôts. À l'instar du McKittrick Hotel de cette fiction, le Heath se situe dans un autre temps et un autre espace (évoquant vaguement la Grande-Bretagne des années 1920), avec barmen à bretelles, meubles d'époque et (fausses) volutes de fumée flottant dans la salle à manger, tandis qu'un groupe de jazz joue sur scène. Les acteurs en costume de serveurs interagissent avec les clients.

La carte présente des classiques anglais (cuisse d'agneau rôtie, terrines, tourte au bœuf et à la bière, pétoncles), pour la plupart quelconques. Mais cette soirée théâtrale sera inoubliable car elle vous réserve plein de surprises.

**Foragers City Table** Américain moderne **$$**
**Plan p. 134 (www.foragerscitygrocer.com ; 300 W 22nd St, angle 8th Ave ; plats 22-28 $ ; ⏲18h-22h mar-sam, à partir de 10h30 sam-dim ; 🍸 ; S C/E, 1 jusqu'à 23rd St).** Les propriétaires de ce nouveau restaurant de Chelsea possèdent une ferme dans la vallée de l'Hudson, où ils puisent une grande partie de leurs produits. Vous succomberez à la soupe de courge avec topinambours et truffes noires, au poulet rôti à la polenta, au porc de race en filet, et aux produits de saison, dont le quinoa grillé et un savoureux assortiment de légumes.

**Cookshop** Américain moderne **$$**
**Plan p. 134 (☎212-924-4440 ; www.cookshopny.com ; 156 10th Ave entre 19th St et 20th St ; plats 15-35 $ ; ⏲11h30-16h et 17h30-23h30 tlj, à partir de 10h30 sam-dim ; S L jusqu'à 8th Ave ; A/C/E jusqu'à 23rd St).** Excellent service, cocktails exquis, pain parfait et plats inventifs font de ce restaurant l'un des plus plébiscités à Chelsea le dimanche après-midi. Le dîner est également une valeur sûre. Vaste terrasse aux beaux jours.

**Co** Pizzeria **$$**
**Plan p. 134 (☎212-243-1105 ; www.co-pane.com ; 230 9th Ave à la hauteur de 24th St ; pizzas 15-20 $ ; ⏲17h-23h lun, 11h30-23h mar-dim ; S C/E jusqu'à 23rd St).** Des pizzas magistralement préparées sont servies dans la salle lumineuse au décor de bois qui évoque une ferme scandinave.

**Tía Pol** Tapas **$$**
**Plan p. 134 (☎212-675-8805 ; www.tiapol.com ; 205 10th Ave entre 22nd St et 23rd St ; petites assiettes 4-16 $ ; ⏲17h30-23h lun, 12h-23h mar-dim ; S C/E jusqu'à 23rd St).** Ce minuscule bar à tapas vaut le détour, comme l'atteste la foule d'habitués à l'entrée. Les vins rouges méritent des médailles et les tapas sont pléthoriques.

## Chelsea

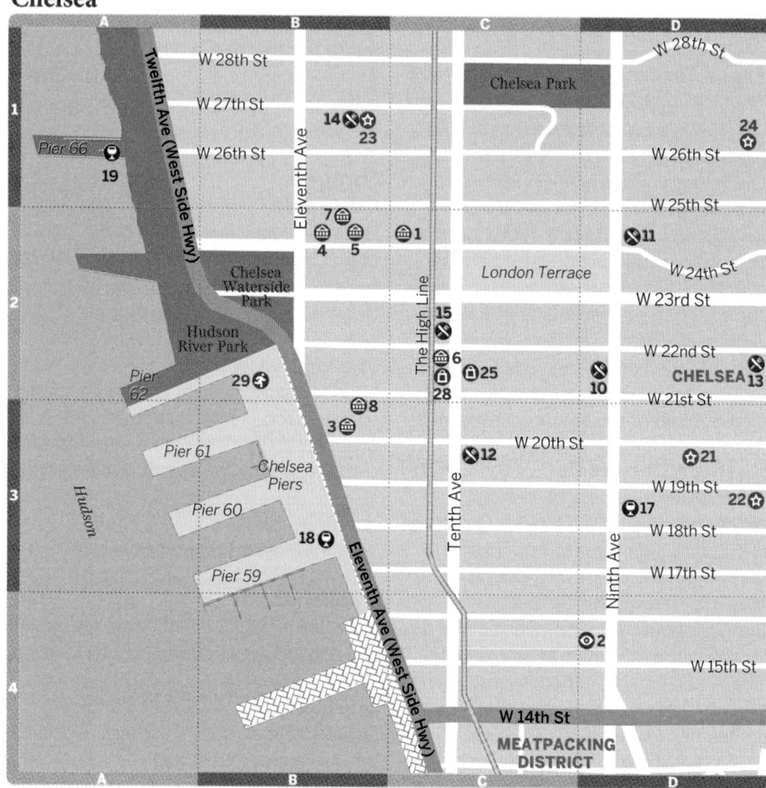




**Blossom** Végétalien **$$**

**Plan p. 134 (☎212-627-1144 ; www.blossomnyc.com ; 187 9th Ave entre 21st St et 22nd St ; plats déj 12-18 $, dîner 19-23 $ ; ⏲déj et dîner ; 🖉 S C/E jusqu'à 23rd St).** Un paradis pour végétariens, que jouxte un bar à vins et à chocolats, paisible et romantique. Plats kasher à base de tofu, de *seitan* et de légumes.

# Où prendre un verre et faire la fête

## Greenwich Village et Meatpacking District

**Clarkson** Bar

**Plan p. 128 (225 Varick St, à la hauteur de Clarkson St ; ⏲11h-1h30 lun, jusqu'à 2h30 mar-sam, jusqu'à 22h dim ; S 1 jusqu'à Houston St).** Dépouillé mais distingué, ce nouveau venu possède un comptoir en bois ciré en U ainsi qu'une salle secondaire, où les tables sont disposées au milieu des colonnes aux motifs zébrés, et qui propose une originale cuisine française de bistrot.

**Bell Book & Candle** Bar

**Plan p. 128 (141 W 10th St, entre Waverley et Greenwich Ave ; S A/B/C, B/D/F/M jusqu'à W 4th St, 1 jusqu'à Christopher St-Sheridan Sq).** Plonger dans ce pub gastronomique éclairé aux chandelles proposant des cocktails créatifs (nous recommandons le *canela margarita*, avec de la tequila à la cannelle.

**Jane Ballroom** Bar lounge

**Plan p. 128 (113 Jane St, angle West St ; S L jusqu'à 8th Ave, A/C/E, 1/2/3 jusqu'à 14th St).**

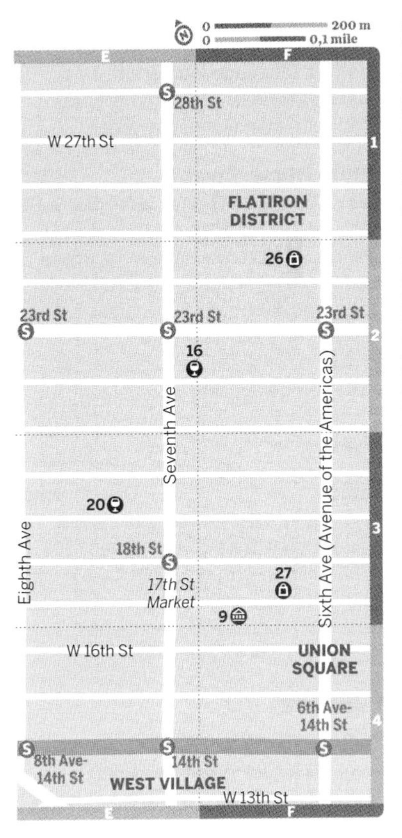


## Chelsea

**À voir**

1 Barbara Gladstone Gallery ................. C2
2 Chelsea Market ................. D4
3 David Zwirner ................. B3
4 Gagosian ................. B2
5 Mary Boone Gallery ................. B2
6 Matthew Marks Gallery ................. C2
7 Pace Gallery ................. B2
8 Paula Cooper Gallery ................. B3
9 Rubin Museum of Art ................. F3

**Où se restaurer**

10 Blossom ................. D2
Chelsea Market ................. (voir 2)
11 Co ................. D2
12 Cookshop ................. C3
13 Foragers City Table ................. D2
14 Heath ................. B1
15 Tía Pol ................. C2

**Où prendre un verre et faire la fête**

16 Barracuda ................. E2
17 Bathtub Gin ................. D3
18 Chelsea Brewing Company ................. B3
19 Frying Pan ................. A1
20 G Lounge ................. E3
Gallow Green ................. (voir 14)

**Où sortir**

21 Atlantic Theater Company ................. D3
22 Joyce Theater ................. D3
23 Sleep No More ................. B1
24 Upright Citizens Brigade Theatre ................. D1

**Shopping**

25 192 Books ................. C2
26 Antiques Garage Flea Market ................. F2
27 Housing Works Thrift Shop ................. F3
28 Printed Matter ................. C2

**Sports et activités**

29 Chelsea Piers Complex ................. B2

Logé dans le Jane Hotel, ce bar lounge haut de plafond est un feu d'artifice animalier : sa gigantesque boule à facettes veille sur un méli-mélo de canapés en cuir et de chaises en velours, de tapis en peaux de bêtes, de palmiers en pot et de diverses créatures empaillées.

### Little Branch — Bar à cocktails

**Plan p. 128 (☎212-929-4360 ; 22 7th Ave à la hauteur de Leroy St ; 19h-3h ; S 1 jusqu'à Houston St).** Sans la présence du videur, vous ne devineriez jamais que cette porte quelconque cache un bar charmant. Une fois obtenu le feu vert, vous entrerez dans un bar en sous-sol dont l'ambiance vous ramènera à l'époque de la Prohibition, et où flottent des airs de jazz d'un autre temps. Les habitants du quartier y font tinter leurs verres et sirotent d'ingénieux cocktails.

### Buvette — Bar à vins

**Plan p. 128 (☎212-255-3590 ; www.ilovebuvette.com ; 42 Grove St, entre Bedford St et Bleecker St ; 8h-14h lun-ven, à partir de 10h sam-dim ; S 1 jusqu'à Christopher St-Sheridan Sq, A/C/E, B/D/F/M jusqu'à W 4th St).** Son décor rustique-chic (délicats carreaux d'étain et comptoir en marbre) en fait l'endroit idéal pour un verre de vin. Pour vous imprégner pleinement de cette autoproclamée "gastrothèque", picorez de petites assiettes en savourant des vins européens.

#### Marie's Crisis Bar

Plan p. 128 (☎212-243-9323 ; 59 Grove St entre 7th Ave et Bleecker St ; ⏲16h-4h ; S 1 jusqu'à Christopher St-Sheridan Sq). Reines de Broadway vieillissantes, jeunes gays débarqués de province, touristes gloussantes et autres fans de comédies musicales se rassemblent tous autour du piano et poussent la chansonnette. Ambiance bon enfant.

#### Employees Only Bar

Plan p. 128 (☎212-242-3021 ; 510 Hudson St près de Christopher St ; ⏲18h-4h ; S 1 jusqu'à Christopher St-Sheridan Sq). Ce repaire caché, qui se remplit au fil de la nuit, se trouve derrière une enseigne au néon indiquant "Psychic". Les barmen, experts en cocktails, concoctent des mélanges incroyables et addictifs tels que le Ginger Smash et le Mata Hari. Idéal pour prendre un verre tard le soir, et même pour manger, grâce au restaurant qui sert après minuit.

#### Standard Bar

Plan p. 128 (☎212-645-4646, 877-550-4646 ; www.standardhotels.com ; 848 Washington St ; S A/C/E jusqu'à 14th St, L jusqu'à 8th Ave). Surplombant la High Line du haut de ses pilotis en béton, le Standard attire une clientèle triée sur le volet, avec son bar lounge guindé et sa boîte de nuit aux étages supérieurs – le **Top of the Standard** Plan p. 128 (☎212-645-4646 ; standardhotels.com/high-line ; 848 Washington St entre 13th St et Little W 12th St ; ⏲16h-2h ; S L jusqu'à 8th Ave ; 1/2/3, A/C/E jusqu'à 14th St) et **Le Bain** Plan p. 128 (☎212-645-4646 ; 848 Washington St, entre 13th St et Little W 12th St ; ⏲22h-4h mer-ven, 14h-4h sam-dim ; S L jusqu'à 8th Ave ; 1/2/3, A/C/E jusqu'à 14th St). Grill, espace bar-restauration (qui se transforme en patinoire en hiver) et *beer garden* avec menu allemand classique et mousses à la pression.

#### Stonewall Inn Bar gay

Plan p. 128 (53 Christopher St ; S 1 jusqu'à Christopher St-Sheridan Sq). Théâtre des émeutes de Stonewall en 1969, ce bar historique était en perte de vitesse jusqu'à ce que de nouveaux propriétaires décident de lui offrir un ravalement complet. Depuis sa réouverture il y a quelques années, il ne désemplit pas, séduisant une clientèle gay variée.

#### White Horse Tavern Bar

Plan p. 128 (☎212-243-9260 ; 567 Hudson St à la hauteur de 11th St ; S 1 jusqu'à Christopher St-Sheridan Sq). Son côté désormais un peu touristique n'ôte rien à l'atmosphère de ce bar séculaire où Dylan Thomas but son dernier verre avant de mourir (en 1953) et d'où Jack Kerouac se fit mettre à la porte complètement saoul. On peut s'asseoir soit à la longue table de chêne située à l'intérieur, soit en terrasse.

#### Cielo Discothèque

Plan p. 128 (☎212-645-5700 ; www.cieloclub.com ; 18 Little W 12th St ; droit d'entrée 15-25 $ ; ⏲22h30-5h lun-sam ; S A/C/E, L jusqu'à 8th Ave-14th St). Installée de longue date, cette discothèque à la clientèle cool bénéficie d'une excellente sono.

### Chelsea

#### Gallow Green Bar

Plan p. 134 (☎212-564-1662 ; mckittrickhotel.com/gallowgreen ; 542 W 27th St, entre 10th Ave et 11th Ave ; ⏲mai-oct ; S C/E jusqu'à 23rd St, 1 jusqu'à 28th St). Tenu par l'équipe de créateurs qui se cache derrière **Sleep No More** (p. 156), Gallow Green est un bar sur toit orné de vignes, de plantes en pot et d'éclairages féeriques, qui complètera à merveille le spectacle.

#### Bathtub Gin Bar à cocktails

Plan p. 134 (☎646-559-1671 ; www.bathtubginnyc.com ; 132 9th Ave entre 18th St et 19th St ; ⏲18h-1h30 dim-mar, 18h-3h30 mer-sam ; S A/C/E jusqu'à 14th St ; L jusqu'à 8th Ave ; A/C/E jusqu'à 23rd St). Parmi la pléthore de bars de type clandestin à New York, Bathtub Gin parvient à sortir du lot avec son entrée secrète cachée derrière le mur d'un café banal. À l'intérieur, la décoration rétro, la douce musique de fond et le personnel bienveillant en font un endroit idéal pour déguster des cocktails entre amis.

### G Lounge
Bar gay

**Plan p. 134 (212-929-1085 ; www.glounge.com ; 225 W 19th St entre 7th St et 8th Ave ; 16h-4h ; S 1 jusqu'à 18th St).** Une excellente adresse où vous pourrez boire et danser. Il se peut toutefois que vous deviez faire la queue en arrivant. Les spectacles de strip-tease ou de drag-queens ponctuels ajoutent à la bonne ambiance. Informations sur le site Internet. Paiement en espèces uniquement.

### Chelsea Brewing Company
Pub

**Plan p. 134 (212-336-6440 ; West Side Hwy à la hauteur de W 18th St, Chelsea Piers, Pier 59 ; 12h-1h ; S C/E jusqu'à 23rd St).** Dégustez une bonne bière de microbrasserie au bord de l'eau dans le grand espace extérieur de ce pub situé à l'extrême-ouest. Un endroit parfait pour conclure une journée sportive au **Chelsea Piers Complex** (p. 161).

### Barracuda
Bar gay

**Plan p. 134 (212-645-8613 ; 275 W 22nd St à la hauteur de 7th Ave ; S C/E jusqu'à 23rd St).** Défiant les bars plus récents et plus chics, le vénérable Barracuda n'a rien perdu de sa popularité, qu'il doit à une recette simple mais imparable : des cocktails à prix correct, une ambiance détendue et cosy et des spectacles gratuits par certaines des plus célèbres drag-queens de la ville.

### Frying Pan
Bar

**Plan p. 134 (212-989-6363 ; Pier 66 à la hauteur de W 26th St ; 12h-minuit ; S C/E jusqu'à 23rd St).** Sauvé du fond des eaux (ou du moins de la baie de Chesapeake), le bateau-phare *Frying Pan* et son bar sur deux niveaux sont parfaits pour un verre en début de soirée.

# Où sortir

## Greenwich Village et Meatpacking District

### Le Poisson Rouge
Concerts

**Plan p. 128 (212-505-3474 ; www.lepoissonrouge.com ; 158 Bleecker St ; S A/C/E, B/D/F/M jusqu'à W 4th St-Washington Sq).** Cet espace artistique conceptuel, agrémenté d'un aquarium suspendu, accueille une programmation musicale éclectique : par exemple, Deerhunter, Marc Ribot et Cibo Matto s'y sont produits ces dernières années. Entre classique, folk ou opéra, l'expérimentation et le mélange des genres sont à l'honneur.

### Village Vanguard
Jazz

**Plan p. 128 (212-255-4037 ; www.villagevanguard.com ; 178 7th Ave à la hauteur de 11th St ; entrée 25-30 $, plus 1 verre minimum ; S 1/2/3 jusqu'à 14th St).** Ce club de jazz a vu défiler tous les grands noms des 50 dernières années.

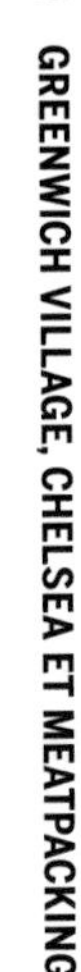

Club de jazz Smalls
ANGUS OBORN/GETTY IMAGES ©

LONELY PLANET/GETTY IMAGES ©

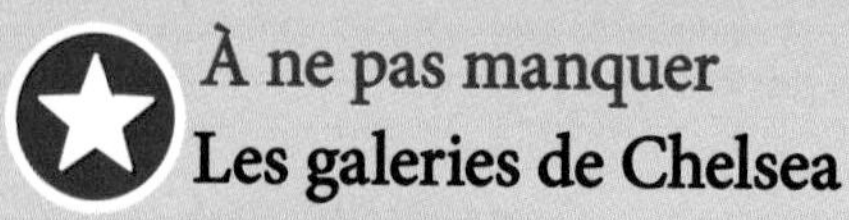

# À ne pas manquer
## Les galeries de Chelsea

Chelsea présente la plus grande concentration de galeries d'art de toute la ville, situées pour la plupart dans 20th St, entre 10th Ave et 11th Ave, et les vernissages ont généralement lieu le jeudi soir. Le magazine *Art Info's Gallery Guide* (avec plan) est disponible gratuitement dans la majorité d'entre elles. À noter que la plupart des galeries sont fermées le lundi.

Si vous êtes pressés par le temps, privilégiez les adresses suivantes :

**Pace Gallery** (plan p. 134 ; 534 W 25th St, entre 10th Ave et 11th Ave ; 10h-18h mar-sam ; S C/E jusqu'à 23rd St)

**Gagosian** (plan p. 134 ; 212-741-1111 ; www.gagosian.com ; 555 W 24th St ; 10h-18h mar-sam ; S C/E jusqu'à 23rd St)

**Mary Boone** (plan p. 134 ; www.maryboonegallery.com ; 541 W 24th St; 10h-18h mar-sam ; S C/E, 1 jusqu'à 23rd St)

**Barbara Gladstone** (plan p. 134 ; 212-206-9300 ; www.gladstonegallery.com ; 515 W 24th St, entre 10th Ave et 11th Ave ; 10h-18h mar-sam, fermé le week-end juil-août ; S C/E, 1 jusqu'à 23rd St)

**Matthew Marks** (plan p. 134 ; 212-243-0200 ; www.matthewmarks.com ; 522 W 22nd St ; 10h-18h mar-sam ; S C/E jusqu'à 23rd St)

**Paula Cooper** (plan p. 134 ; 534 W 21st St, entre 10th Ave et 11th Ave ; 10h-18h mar-sam ; S C/E jusqu'à 23rd St)

**David Zwirner** (plan p. 134 ; www.davidzwirner.com ; 537 W 20th St, entre 10th Ave et 11th Ave ; 10h-18h mar-sam ; S C/E jusqu'à 23rd St)

### Smalls
Jazz

**Plan p. 128 (☎212-252-5091 ; www.smallsjazzclub.com ; 183 W 4th St ; entrée 20 $ 19h30-0h30, 10 $ plus tard ; S 1 jusqu'à Christopher St-Sheridan Sq).** Cette petite salle de jazz en sous-sol offre tous les soirs un mélange hétéroclite de morceaux de jazz. Prix de l'entrée : 20 $ pour toute la soirée. On peut sortir s'acheter une pizza et revenir sans payer à nouveau.

### Blue Note
Jazz

**Plan p. 128 (☎212-475-8592 ; www.bluenote.net ; 131 W 3rd St entre 6th Ave et MacDougal St ; S A/C/E, B/D/F/M jusqu'à W 4th St-Washington Sq).** Le plus célèbre (et le plus cher) club de New York où se produisent les stars du jazz.

### Barrow Street Theater
Théâtre

**Plan p. 128 (☎212-243-6262 ; www.barrowstreettheatre.com ; 27 Barrow St, entre 7th Ave et W 4th St ; S 1/2 jusqu'à Christopher St-Sheridan Sq ; A/C/E, B/D/F, M jusqu'à W 4th St ; 1/2 jusqu'à Houston St).** Un fantastique espace d'off-Broadway au cœur de West Village présentant divers spectacles.

### IFC Center
Cinéma

**Plan p. 128 (☎212-924-7771 ; www.ifccenter.com ; 323 6th Ave à la hauteur de 3rd St ; S A/C/E, B/D/F/M jusqu'à W 4th St-Washington Sq).** Ce cinéma d'art et d'essai présente des films cultes, étrangers et de nouveaux films indé.

## Chelsea

### Sleep No More
Théâtre

**Plan p. 134 (www.sleepnomorenyc.com ; McKittrick Hotel, 530 W 27th St ; billets à partir de 106 $ ; ⏲19h-minuit lun-sam ; S C/E jusqu'à 23rd St).** Installée dans plusieurs entrepôts de Chelsea réaménagés pour ressembler à un hôtel abandonné, *Sleep No More* (adaptation libre de *Macbeth*), est une des œuvres théâtrales les plus participatives jamais réalisées.

### Joyce Theater
Danse

**Plan p. 134 (☎212-242-0800 ; www.joyce.org ; 175 8th Ave ; S C/E jusqu'à 23rd St, A/C/E jusqu'à 8th Ave-14th St, 1 jusqu'à 18th St).** Très prisée des mordus de danse pour son excellente vue sur la scène et ses productions décalées, cette salle intime est logée dans un cinéma rénové de 472 places.

### Atlantic Theater Company
Théâtre

**Plan p. 134 (☎212-691-5919 ; www.atlantictheater.org ; 336 W 20th St entre 8th Ave et 9th Ave ; S C/E jusqu'à 23rd St, 1 jusqu'à 18th St).** Fondé en 1985 par David Mamet et William H. Macy, l'Atlantic Theater est une pierre angulaire de l'off-Broadway. En un peu plus de 25 ans, il a accueilli de nombreux lauréats des Tony Awards et des Drama Desk Awards.

Bleecker St, Greenwich Village

**Upright Citizens Brigade Theatre** Spectacles comiques

**Plan p. 134 (☎212-366-9176 ; www.ucbtheatre.com ; 307 W 26th St, entre 8th Ave et 9th Ave ; entrée 5-10 $ ; S C/E jusqu'à 23rd St).** Cette salle de 74 places fréquentée par les directeurs de casting est le royaume des pros du sketch et des improvisations inénarrables.

# Shopping

## Greenwich Village et Meatpacking District

**Beacon's Closet** Friperie

**Plan p. 128 (10 W 13th St, entre 5th Ave et 6th Ave ; 🕘11h-20h ; S L, N/R, 4/5/6 jusqu'à Union Sq).** Vous trouverez un bon choix de vêtements d'occasion à l'esthétique résolument *hipster* de Brooklyn à des prix légèrement plus élevés seulement que chez sa jumelle de Williamsburg.

**Personnel of New York** Mode, accessoires

**Plan p. 128 (9 Greenwich Ave, entre Christopher St et W 10t St ; 🕘11h-20h lun-sam, 12h-19h dim ; S A/C/E, B/D/F/M jusqu'à W 4th St, 1 jusqu'à Christopher St-Sheridan Sq).** Ouverte en 2013, cette ravissante petite boutique indépendante vend des vêtements griffés pour hommes et femmes.

**Strand Book Store** Livres

**Plan p. 128 (☎212-473-1452 ; www.strandbooks.com ; 828 Broadway à la hauteur de 12th St ; 🕘9h30-22h30 lun-sam, 11h-22h30 dim ; S L, N/Q/R, 4/5/6 jusqu'à 14th St-Union Sq).** Cette librairie très prisée vend des livres neufs, d'occasion et rares. Ouvert depuis 1927, Strand renferme plus 2,5 millions de volumes sur près de 30 km de rayonnages, répartis sur trois niveaux.

**Marc by Marc Jacobs** Mode

**Plan p. 128 (☎212-924-0026 ; www.marcjacobs.com ; 403-405 Bleecker St ; 🕘12h-20h lun-sam, 12h-19h dim ; S A/C/E jusqu'à 14th St ; L jusqu'à 8th Ave).** Avec cinq petites boutiques réparties dans West Village, Marc Jacobs s'est imposé dans ce quartier huppé.

**Murray's Cheese** Fromagerie, épicerie fine

**Plan p. 128 (☎212-243-3289 ; www.murrayscheese.com ; 254 Bleecker St entre 6th et 7th Ave ; 🕘8h-20h lun-sam, 10h-19h dim ; S 1 jusqu'à Christopher St-Sheridan Sq).** Fondée en 1914, cette fromagerie est sans doute la meilleure de la ville.

**Forbidden Planet** BD

**Plan p. 128 (☎212-473-1576 ; 840 Broadway ; 🕘9h-22h dim-mer, jusqu'à minuit jeu-sam ; S L, N/Q/R, 4/5/6 jusqu'à 14th St-Union Sq).** Dans cet amoncellement de BD, mangas, romans graphiques, posters et figurines (de *Star Trek*

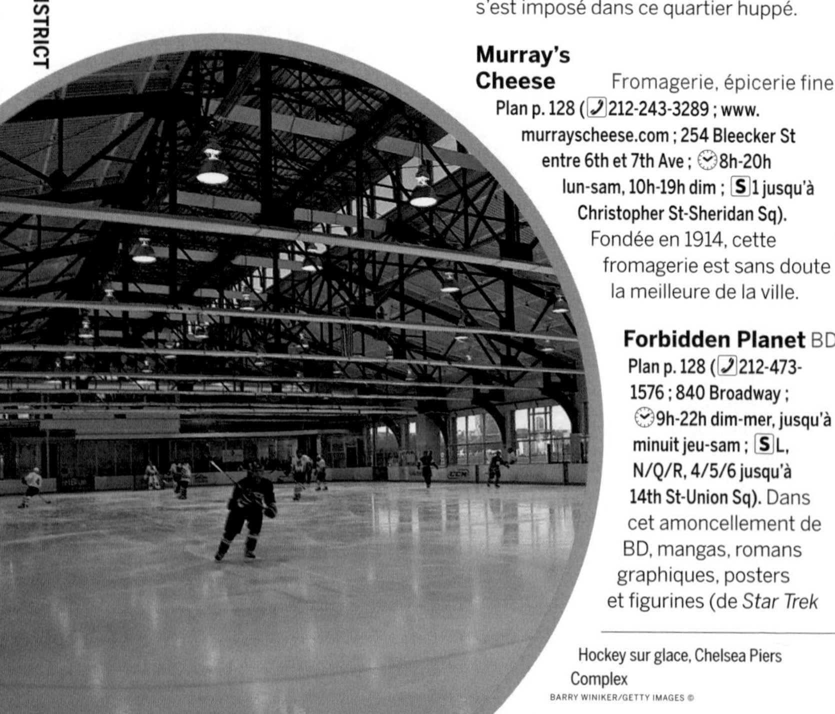

Hockey sur glace, Chelsea Piers Complex

à *Doctor Who*), vous ferez plaisir au fan de science-fiction et d'*héroïc fantasy* qui est en vous.

## Chelsea

### Housing Works Thrift Shop Vintage

**Plan p. 134 (☎718-838-5050 ; 143 W 17th St, entre 6th Ave et 7th Ave ; ⏲10h-19h lun-ven, 10h-18h sam, 12h-17h dim ; S 1 jusqu'à 18th St).** Avec sa vitrine joliment présentée, cette boutique, gérée par une association caritative, ressemble à un magasin classique et propose des vêtements, des accessoires, des meubles, des livres et des disques d'un excellent rapport qualité/prix.

### 192 Books Livres

**Plan p. 134 (☎212-255-4022 ; www.192books.com ; 192 10th Ave entre 21st St et 22nd St ; ⏲11h-19h ; S C/E jusqu'à 23rd St).** Dans le quartier des galeries, cette petite librairie indépendante comprend des sections romans, histoire, voyages, arts et critiques.

### Antiques Garage Flea Market Antiquités

**Plan p. 134 (112 W 25th St à la hauteur de 6th Ave ; ⏲9h-17h sam-dim ; S 1 jusqu'à 23rd St).** Le week-end, ce marché aux puces investit les deux niveaux d'un parking avec plus de 100 vendeurs.

# Sports et activités

### Chelsea Piers Complex Sports

**Plan p. 134 (☎212-336-6666 ; www.chelseapiers.com ; au bord de l'Hudson au bout de W 23rd St ; S C/E jusqu'à 23rd St).** Dans cet énorme complexe sportif, on peut effectuer un parcours de golf puis s'élancer sur la patinoire couverte ou louer des rollers pour se promener le long de la piste cyclable d'Hudson Park. Il comprend aussi un bowling, un espace pour le basket, une école de voile pour les enfants, des terrains de base-ball, des installations de gym avec piscine couverte (50 $ la journée pour les non-membres) et un mur d'escalade intérieur.

### Bowlmor Lanes Bowling

**Plan p. 128 (☎212-255-8188 ; www.bowlmor.com ; 110 University Pl ; partie à partir de 12 $/pers, location de chaussures 6 $ ; ⏲13h-minuit lun-jeu, 12h-2h ven-sam, 12h-minuit dim ; S L, N/Q/R, 4/5/6 jusqu'à 14th St-Union Sq).** Chez les New-Yorkais amateurs de rétro, une soirée bowling se transforme souvent en vaste partie de rigolade – la faute à ces chaussures ridicules, ou à toute cette bière qu'on y consomme ?

### Downtown Boathouse Canoë-kayak

**Plan p. 128 (www.downtownboathouse.org ; Pier 40, près de Houston St ; circuits gratuits ; ⏲10h-18h sam-dim, 17h-19h jeu de mi-mai à mi-oct ; S 1 jusqu'à Houston St).** Le week-end et certains soirs en semaine, le centre nautique le plus actif de New York propose des sessions de canoë-kayak gratuites (avec matériel) de 20 minutes dans une échancrure protégée de l'Hudson. Le week-end, des excursions plus longues (3 heures) partent généralement du site de Midtown vers **Clinton Cove (plan p. 446 ; Pier 96 à la hauteur de W 56th St ; ⏲9h-18h sam-dim, 17h-19h lun-ven de mi-juin à août ; S A/C, B/D, 1 jusqu'à 59th St-Columbus Circle).** On trouve un autre centre à **Riverside Park (plan p. 450 ; W 72nd St ; ⏲10h-17h dim ; S 1/2/3 jusqu'à 72nd St)**, dans l'Upper West Side, et un site sur **Governor's Island (www.downtownboathouse.org/governors-island/ ; ⏲10h30-16h sam juin-août)**, ouvert en été uniquement.

# Union Square, Flatiron District et Gramercy

**Ce trio de quartiers s'enorgueillit d'une belle architecture et d'espaces publics très divers.** Si Union Square doit son nom à la jonction de deux rues, Bowery et l'ancienne Bloomingdale Rd (aujourd'hui Broadway), il est bien plus que ça : véritable ciment urbain, il réunit en effet plusieurs secteurs disparates de la ville. Commerces et restaurants entourent le parc, théâtre de nombreuses activités.

Au nord-ouest s'étend le Flatiron District : avec ses innombrables lofts et boutiques, c'est une bonne imitation de Soho, le snobisme, les tarifs prohibitifs et la foule en moins. Le quartier tient son nom du Flatiron Building, bel immeuble élancé se dressant immédiatement au sud de Madison Square Park. Le secteur de Gramercy, composé de blocs s'étendant à l'est de Park Ave South, est principalement résidentiel. Il porte le nom de l'un des plus jolis parcs de New York.

Coucher de soleil sur le Flatiron District

TONY SHI PHOTOGRAPHY/GETTY IMAGES ©

# Union Square, Flatiron District et Gramercy – À ne pas manquer

## 1 Flatiron Building (p. 148)

Au croisement de Broadway, Fifth Ave et 23rd St, le célèbre Flatiron Building, sublime building de 1902, a la forme triangulaire de l'emplacement sur lequel il a été construit. Ce fut le premier gratte-ciel new-yorkais à charpente métallique, et le plus haut du monde jusqu'en 1909. Le quartier environnant est un lieu tendance émaillé de boutiques et de lofts. Profitez du meilleur point de vue, depuis une minuscule place juste au nord de 23rd St.

## 2 Madison Square Park (p. 148)

Cette oasis, entre downtown et midtown, est l'occasion d'une délicieuse pause. Prélassez-vous sur les pelouses, mangez sur le pouce au Shake Shack (p. 149) – ou achetez un pique-nique à Eataly, de l'autre côté de Broadway – et admirez les installations d'art qui surgissent chaque année. Les enfants ne manqueront pas l'aire de jeux tout au nord. En été, le parc organise une série de concerts et diverses manifestations.

Shake Shack, Madison Square Park

## Greenmarket Farmers Market (p. 148)

Si New York cultive une passion pour les marchés depuis vingt ans, le meilleur et le plus grand reste celui d'Union Square. Rejoignez les chefs et les gourmets qui viennent s'y ravitailler en produits bio et naturels auprès des producteurs de la région (la plupart sont basés à moins de 200 km de New York). Puis, allez pique-niquer à Union Square.

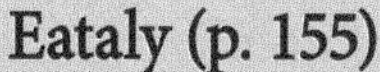



## Eataly (p. 155)

Hommage à la *dolce vita* sur 4 600 $m^2$, le paradis culinaire de Mario Batali est la version new-yorkaise de ces ravissants marchés toscans que l'on voit au cinéma. Rempli d'un bout à l'autre de mets raffinés, Eataly est l'endroit idéal pour se procurer de quoi pique-niquer. Gardez néanmoins une petite place pour savourer une épaule de porc au Birreria (p. 152), le bar-brasserie sur le toit.

## Union Square (p. 153)

Véritable carrefour de la ville, Union Square est l'un des meilleurs endroits de New York pour s'asseoir et s'imprégner de l'atmosphère. Sur fond d'escaliers en pierre et d'espaces verts clôturés, vous y croiserez des habitants de toutes sortes : cadres en costume prenant l'air pendant leur pause déjeuner, étudiants chahuteurs dévorant des en-cas bon marché, skateurs exécutant des figures et foules de manifestants défendant diverses causes.

# Promenade à Union Square, Flatiron District et Gramercy

*Vous percevrez la généreuse atmosphère du Village à travers ses cafés originaux, ses bars afterwork, ses devantures branchées et ses musiciens à dreadlocks.*

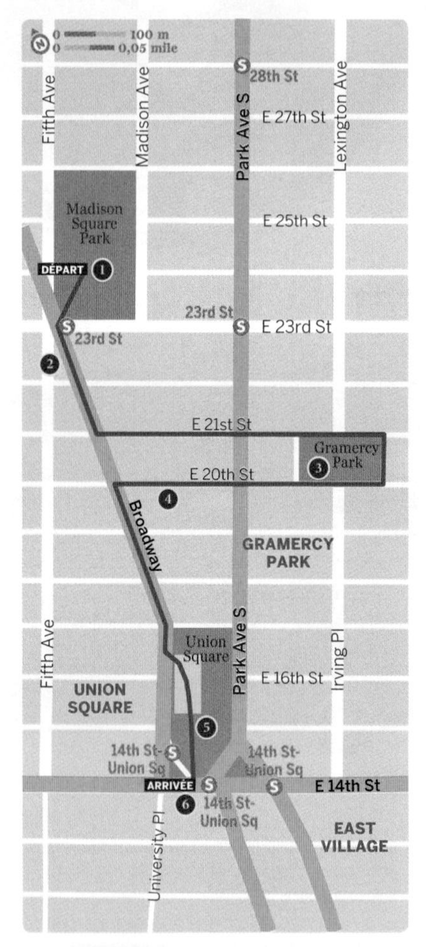


## ITINÉRAIRE

- **Départ** Madison Square Park
- **Arrivée** DSW
- **Distance** 3,2 km
- **Durée** 2 heures

### ❶ Madison Square Park

Partez du Madison Square Park (p. 148), paisible espace vert qui héberge plusieurs statues de personnalités du XIXe siècle, dont le sénateur Roscoe Conkling (mort de froid lors d'une brusque tempête de blizzard en 1888) et l'amiral David Farragut, héros de la guerre de Sécession. Entre 1876 et 1882, le bras de la statue de la Liberté portant la torche y fut exposé. Le premier Madison Square Garden, édifié en 1879, se tenait sur ce site (à l'angle de Madison Ave et de 26th St). Si vous préférez vous restaurer avant la balade, savourez un bon burger et des frites au Shake Shack (p. 149).

### ❷ Flatiron Building

Admirez la silhouette triangulaire du Flatiron Building (p. 148), chef-d'œuvre de style beaux-arts, avant de quitter le parc par son angle sud-ouest. Traversez la rue et observez cet étrange gratte-ciel de plus près, au croisement de Fifth Ave et Broadway. La construction de ce qui fut baptisé Fuller Building à l'origine coïncida avec la production en masse de cartes postales et ce partenariat scella son destin ; avant même qu'il ne soit achevé, les images de ce bâtiment qui serait bientôt le plus haut jamais érigé excitèrent la curiosité du monde entier.

### ❸ Gramercy Park

Suivez Broadway vers le sud jusqu'à 21st St puis tournez à gauche. Après Park Ave St, vous longerez le Gramercy Park, créé par Samuel Ruggles en 1831 sur un ancien marécage qui fut drainé à cette fin et au centre d'un réseau de rues à l'anglaise. Le parc n'est pas accessible au public, mais continuez jusqu'à la grille d'entrée pour jeter un coup d'œil à l'intérieur. En face de l'angle sud-ouest du parc, de l'autre côté de la rue, se tient le National Arts Club (p. 149). L'immeuble, conçu par Calvert Vaux, l'un des architectes de Central Park, était à l'origine la résidence privée de Samuel J. Tilden, gouverneur de New York et candidat malheureux à l'élection présidentielle de 1876.

### 4 Theodore Roosevelt's Birthplace

Retournez sur vos pas vers l'ouest en longeant 20th St et arrêtez-vous à l'endroit où a été reconstituée la maison natale de Theodore Roosevelt (p. 149). Sa gestion a été confiée au National Parks Service qui propose des visites guidées d'une heure.

### 5 Union Square

Retournez sur Broadway et continuez vers le sud jusqu'à l'angle nord-ouest d'Union Square (p. 153). Divers produits (fromage, plats préparés ou fleurs) sont vendus au marché fermier de Greenmarket (p. 148). Vous pouvez aussi observer les skateurs, aller voir la statue de Gandhi dans le coin sud-ouest du parc ou acheter dans les échoppes voisines de quoi pique-niquer.

### 6 DSW

Le gigantesque magasin DSW, sur Union Sq South (14th St), est un temple de la consommation pour les vêtements et accessoires de créateurs à petits prix. Que l'on se laisse tenter ou non par des emplettes, le principal attrait de l'endroit tient à ses immenses baies vitrées du 4e étage, orientées au nord. Elles offrent une vue imprenable sur le parc en contrebas et sur le sommet de l'Empire State Building.

## Les meilleurs

### RESTAURANTS

**Pure Food & Wine** Une cuisine végétarienne fraîche, inventive et absolument délicieuse. (p. 151)

**ABC Kitchen** Une cuisine américaine moderne et durable, servie dans un cadre évocateur. (p. 151)

**Eataly** Le plus grand marché italien, avec quelques restaurants de spécialités, tous différents. (p. 155)

### BARS

**Raines Law Room** Enfoncez-vous dans un confortable fauteuil en cuir pour siroter un cocktail artistement préparé. (p. 154)

**Old Town Bar & Restaurant** Le décor classique bien conservé ramène d'emblée au début du siècle. (p. 153)

**Flatiron Lounge** Élégante taverne d'inspiration Art déco. (p. 153)

### POINTS DE VUE

**Birreria** Superbe toit en terrasse. (p. 152)

**Madison Square Park** Le flanc sud donne directement sur le Flatiron Building. (p. 148)

Burger de chez Shake Shack (p. 149)

# Découvrir Union Square, Flatiron District et Gramercy

### Depuis/vers Union Square, Flatiron District et Gramercy

**Métro** De nombreuses lignes convergent sous Union Square, ralliant l'East Side de Manhattan (lignes n$^{os}$4/5/6), Williamsburg (ligne L) ou encore le Queens (lignes N/Q/ R).

Greenmarket Farmers Market

## À voir

**Madison Square Park** Parc

**Plan p. 150 (www.nycgovparks.org/parks/madisonsquarepark ; de 23rd St à 26th St, entre 5th Ave et Madison Ave ; 6h-23h ; S N/R, F/M, 6 jusqu'à 23rd St).** Ce parc marquait la limite nord de Manhattan jusqu'à l'explosion démographique de l'île après la guerre de Sécession. De nos jours, cette oasis particulièrement bienvenue au milieu du rythme effréné de Manhattan offre un espace où les chiens peuvent courir sans laisse, une vertigineuse aire de jeux pour les enfants, et un établissement de la chaîne de burgers **Shake Shack** (p. 149).

**Flatiron Building** Édifice remarquable

**Plan p. 150 (Broadway, à l'angle de Fifth Ave et de 23rd St ; S N/R, F/M, 6 jusqu'à 23rd St)** Conçu en 1902 par Daniel Burnham, ce bâtiment de 20 étages possède une façade de style Beaux-Arts et une étroite silhouette triangulaire unique en son genre, semblable à une étrave. Sa façade en pierre, construite sur une structure en acier, devient de plus en plus belle et complexe à mesure que le regard s'y attarde.

**Greenmarket Farmers Market** Marché alimentaire

**Plan p. 150 (212-788-7476 ; www.grownyc.org ; 17th St, entre Broadway et Park Ave S ; 8h-18h lun, mer, ven et sam).** Plusieurs fois par semaine, l'extrémité nord d'Union Square accueille le Greenmarket Farmers Market, le plus populaire des cinquante (ou presque) marchés alimentaires que totalisent les cinq *boroughs*. On y croise même des grands chefs en quête de denrées rares fraîchement cueillies, telles les crosses de fougère, les tomates anciennes et les feuilles de cari.

**Tibet House** Centre culturel

**Plan p. 150 (212-807-0563 ; www.tibethouse.org ; 22 W 15th St entre 5th Ave et Sixth Ave ; don de 5$ suggéré ; 11h-18h lun-ven, 11h-16h dim ; S F jusqu'à 14th St, L jusqu'à 6th Ave).** Parrainé par le dalaï-lama, cet espace culturel à but non lucratif expose des objets d'art consacrés aux anciennes traditions du Tibet. Il dispose également d'une bibliothèque et édite plusieurs publications.

Les expositions abordent divers sujets, des *tanka* (tissus peints) et sculptures tibétains traditionnels aux œuvres d'art bouddhique tibétain et tantrique hindou contemporaines.

**Theodore Roosevelt Birthplace** Édifice historique

**Plan p. 150 (212-260-1616 ; www.nps.gov/thrb ; 28 E 20th St entre ParkAve S et Broadway ; adulte/enfant 3$/gratuit ; visites guidées 10h, 11h, 13h, 14h, 15h et 16h mar-sam ; S N/R/W, 6 jusqu'à 23rd St).** La Theodore Roosevelt's Birthplace n'a d'historique que le nom, car la véritable maison natale du 26e président des États-Unis a été démolie de son vivant. Le bâtiment actuel est une reconstitution ajoutée à une demeure familiale voisine. Les visites guidées de la propriété durent 30 minutes.

**National Arts Club** Centre culturel

**Plan p. 150 (212-475-3424 ; www.nationalartsclub.org ; 15 Gramercy Park S ; S 6 jusqu'à 23rd St).** Créé en 1898 pour sensibiliser le public à l'art, ce centre culturel renferme un beau vitrail de plafond voûté, au-dessus du bar en bois de la salle de réception, tapissée de tableaux. Le centre présente des expositions d'art allant de la sculpture à la photographie, ouvertes au public de 9h à 17h du lundi au vendredi (les événements à venir sont annoncés sur le site Web).

## Où se restaurer

**Shake Shack** Hamburgers $

**Plan p. 150 (212-989-6600 ; www.shakeshack.com ; Madison Square Park, angle 23rd St et Madison Ave ; hamburgers à partir de 3,60 $ ; 11h-23h ; S N/R, F/M, 6 jusqu'à 23rd St).** Cet établissement, qui fait partie de la chaîne de burgers gastronomiques du chef Danny Meyer, prépare des hamburgers frais, des frites découpées à la main, des hot-dogs originaux et une gamme de crèmes glacées qui change avec les saisons. Les végétariens apprécieront le croustillant *Portobello burger*. L'attente est longue mais en vaut la peine.

**Artichoke Basille's Pizza** Pizzeria $

**Plan p. 150 (212-228-2004 ; www.artichokepizza.com ; 328 E 14th St entre 1st Ave et 2nd Ave ; à partir de 4,50 $ la part ; 11h-5h ; S L jusqu'à First Ave).** Tenu par deux Italiens de Staten Island, l'Artichoke Basille's propose des pizzas authentiques, relevées et généreusement garnies.

**Max Brenner** Desserts $

**Plan p. 150 (Chocolate by the Bald Man ; 646-467-8803 ; www.maxbrenner.com ; 841 Broadway, entre 13th St et 14th St ; desserts à partir de 8,50 $ ; 9h-minuit lun-jeu, 9h-2h ven-sam, 9h-23h dim ; S L, N/Q/R, 4/5/6 jusqu'à 14th St-Union Sq).** L'Australien Max Brenner nourrit les poignées d'amour des New-Yorkais dans ce café-chocolaterie.

**City Bakery** Boulangerie $

**Plan p. 150 (212-366-1414 ; www.thecitybakery.com ; 3 W 18th St, entre 5th Ave et 6th Ave ; pâtisseries à partir de 3 $, déj en libre-service 15 $/livre ; 7h30-19h lun-ven, 8h-19h sam, 9h-18h dim ; S L, N/Q/R, 4/5/6 jusqu'à 14th St-Union Sq).** Heureux mariage entre gastronomie et self-service, le City Bakery est mieux connu pour son succulent café filtre (vous remarquerez que le lait y est versé en premier : miam !) et son chocolat chaud maison. Le petit-déj se compose, entre autres, d'un yaourt aux fruits frais, de muffins, de croissants et d'œufs brouillés, et le brunch du dimanche est particulièrement prisé.

## Union Square, Flatiron District et Gramercy

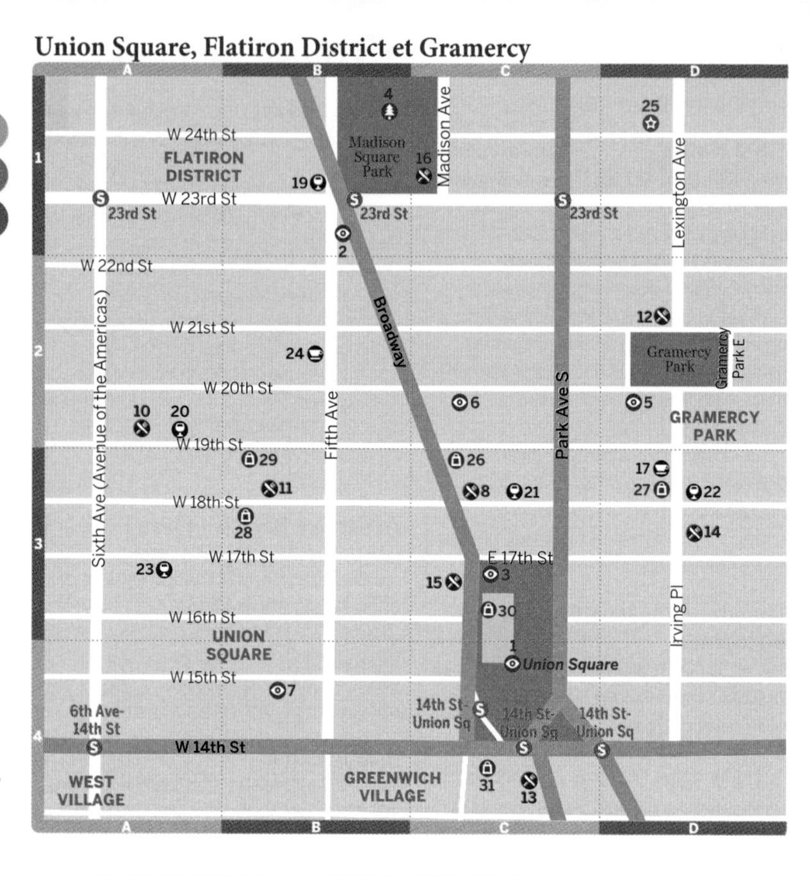


## Union Square, Flatiron District et Gramercy

**Les incontournables**

1 Union Square .......... C4

**À voir**

2 Flatiron Building .......... B1
3 Greenmarket Farmers Market .......... C3
4 Madison Square Park .......... B1
5 National Arts Club .......... D2
6 Theodore Roosevelt Birthplace .......... C2
7 Tibet House .......... B4

**Où se restaurer**

8 ABC Kitchen .......... C3
9 Artichoke Basille's Pizza .......... F4
10 Boqueria Flatiron .......... A2
11 City Bakery .......... B3
12 Maialino .......... D2
13 Max Brenner .......... C4
14 Pure Food & Wine .......... D3
15 Republic .......... C3
16 Shake Shack .......... C1

**Où prendre un verre et faire la fête**

17 71 Irving Place .......... D3
18 Beauty Bar .......... E4
19 Birreria .......... B1
20 Flatiron Lounge .......... A2
21 Old Town Bar & Restaurant .......... C3
22 Pete's Tavern .......... D3
23 Raines Law Room .......... A3
24 Toby's Estate .......... B2

**Où sortir**

25 Peoples Improv Theater .......... D1

**Shopping**

26 ABC Carpet & Home .......... C3
27 Bedford Cheese Shop .......... D3
28 Books of Wonder .......... B3
Eataly .......... (voir 19)
29 Idlewild Books .......... B3
30 Union Square Greenmarket .......... C3
31 Whole Foods .......... C4

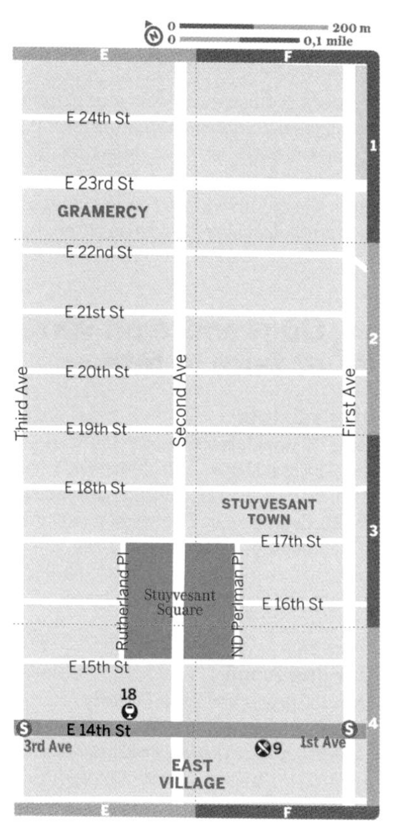


**Republic** Asiatique **$$**

**Plan p. 150 (www.thinknoodles.com ; 37 Union Sq W ; plats 12-15 $ ; 11h30-22h30 dim-mer, 11h30- 23h30 jeu-sam ; S L, N/Q/R, 4/5/6 jusqu'à 14th St-Union Sq).** Dans cet établissement de restauration rapide qui nourrit les foules avec des classiques asiatiques frais et savoureux, vous pourrez aspirer de réconfortantes nouilles au bouillon, mâcher de juteux *pad thai* ou opter pour du léger avec une salade papaye verte-mangue. Situé en plein sur Union Square, cet endroit bon marché est pratique pour manger sur le pouce.

**Boqueria Flatiron** Tapas **$$**

**Plan p. 150 (212-255-4160 ; www.boquerianyc.com ; 53 W 19th St, entre 5th Ave et 6th Ave ; plats 5-22 $ ; 12h-22h30 dim-mer, 12h-23h30 jeu-sam ; S F/M, N/R, 6 jusqu'à 23rd St).** Avec son fantastique éventail de petites assiettes et de plus grandes *raciones* (portions), cet établissement qui marie à merveille les tapas espagnoles aux produits frais du marché attire les clients qui viennent s'y lécher les babines et les doigts après le travail.

**Maialino** Italien **$$$**

**Plan p. 150 (212-777-2410 ; www.maialinonyc.com ; 2 Lexington Ave, à la hauteur de 21st St ; plats déj 19-26 $, dîner 28-72 $ ; 7h30-22h30 lun-ven, 10h-22h30 sam-dim ; S 6, N/R jusqu'à 23rd St).** Grouillant d'activité dans l'enceinte de l'indémodable Gramercy Park Hotel, ce restaurant incontournable de Danny Meyer offrira des vacances romaines à vos papilles. Élaborées à partir des produits du Greenmarket d'Union Square, ses versions de plats italiens campagnards sont exquises : il suffit de goûter à l'extraordinaire *brodetto* (ragoût de poisson) pour s'en convaincre.

**ABC Kitchen** Américain moderne **$$$**

**Plan p. 150 (212-475-5829 ; www.abckitchennyc.com ; 35 E 18th St, à la hauteur de Broadway ; pizzas 15-19 $, plats dîner 24-34 $ ; 12h-15h et 17h30-22h30 lun-mer, jusqu'à 23h jeu, jusqu'à 23h30 ven, 11h-15h30 et 17h30-23h30 sam, jusqu'à 22h dim ; ; S L, N/Q/R, 4/5/6 jusqu'à Union Sq).** Mi-galerie, mi-ferme rustique, cet établissement adepte du développement durable est le cousin culinaire d'ABC Carpet & Home, grand magasin d'articles de maison chics. Le bio atteint des sommets avec des plats comme les saint-jacques crues ultra-fraîches, pêchées à la main, avec raisins du marché et verveine citronnelle, ou le cochon de lait rôti avec navets braisés et marmelade au bacon fumé. Pour un plat moins élaboré, nous conseillons les succulentes pizzas au blé complet.

**Pure Food & Wine** Végétarien **$$$**

**Plan p. 150 (212-477-1010 ; www.oneluckyduck.com/purefoodandwine ; 54 Irving Pl, entre 17th St et 18th St ; plats 19-26 $ ; 12h-16h et 17h30-23h ; ; S L, N/Q/R, 4/5/6 jusqu'à 14th St-Union Sq).** Astucieux et sophistiqué, le Pure réussit l'impossible : faire passer des produits exclusivement bio et crus au

## Curry Hill

Murray Hill, une petite zone composée de quatre rues au nord d'Union Square et Gramercy, est parfois surnommée Curry Hill en raison des nombreux restaurants, boutiques et épiceries indiens qui s'y trouvent. En partant d'East 28th St et en remontant Lexington Ave vers le nord à peu près jusqu'à East 33rd St, vous trouverez certains des meilleurs restaurants indiens de la ville, dont la plupart affichent des prix avantageux. Le préféré des habitants du quartier ? **Curry in a Hurry** (Plan p. 170 ; 212-683-0900 ; www.curryinahurrynyc.com ; 119 Lexington Ave à la hauteur d'East 28th St ; 11h-22h ; S 6 jusqu'à 28th St). Une adresse sans prétention, mais où Bono, le chanteur de U2, a été vu.

mixeur, au dessiccateur et entre les mains habiles de son personnel, pour préparer des créations qui n'ont pas leur pareil : des plats séduisants et tonifiants, comme les lasagnes tomates-courgettes (sans fromage ni pâte), les croquettes noix du Brésil-algues, et un splendide carré au citron à la croûte noix de coco-amandes avec crème anglaise relevée au citron.

## Où prendre un verre et faire la fête

**Toby's Estate** Café

Plan p. 150 (www.tobysestate.com ; 160 5th Ave, entre 20th St et 21st St ; 7h-21h lun-ven, 9h-21h sam, 10h-19h dim ; S N/R, F/M, 6 jusqu'à 23rd St). Originaire de Sydney et torréfiant à Williamsburg, le Toby's Estate est équipé d'une machine à expresso sur mesure, et est niché dans le magasin Club Monaco.

**71 Irving Place** Café $

Plan p. 150 (Irving Farm Coffee Company ; www.irvingfarm.com ; 71 Irving Pl entre 18th St et 19th St ; 7h-22h lun-ven, 8h-22h sam-dim ; S 4/5/6, N/Q/R jusqu'à 14th St-Union Sq). Les grains cueillis à la main sont torréfiés avec amour dans une ferme de la vallée de l'Hudson (à environ 145 km de New York), et les amateurs vous le diront : on y boit l'un des meilleurs cafés de Manhattan.

**Birreria** Bar à bières

Plan p. 150 (www.eataly.com/birreria ; 200 5th Ave, à la hauteur de 23rd St ; plats 17-26 $ ; 11h30-minuit dim-mer, 11h30-1h jeu-sam ; S N/R, F/M, 6 jusqu'à 23rd St). Le joyau de la grande épicerie italienne, **Eataly** (p. 155), est son *beer garden* sur le toit, tapi entre les tours de bureaux du Flatiron District.

Eataly (p. 155) à l'heure du déjeuner

ALBERTO GUGLIELMI/GETTY IMAGES ©

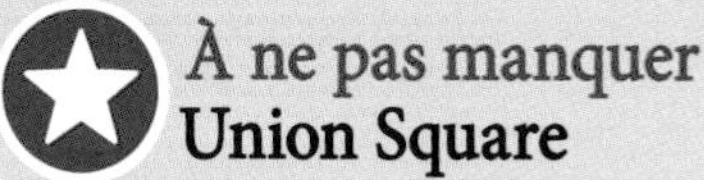

## À ne pas manquer
## Union Square

Union Square est en quelque sorte l'arche de Noé de New York, abritant au moins deux spécimens de chaque espèce sauvés des mers de béton. Il est en effet difficile de trouver un échantillon de population plus éclectique rassemblé dans un seul endroit.

En vous promenant sur Union Square, vous remarquerez une suite de sculptures temporaires fantaisistes. Parmi les monuments permanents : une imposante statue équestre de George Washington (une des premières œuvres d'art publiques de la ville de New York) et une statue de Gandhi.

### INFOS PRATIQUES

**Plan p. 150 ; www.unionsquarenyc.org ; 17th St entre Broadway et Park Ave South ; S L, N/Q/R, 4/5/6 jusqu'à 14th St-Union Sq**

Une carte des bières aux proportions astronomiques affiche des mousses parmi les meilleures du globe. Si vous avez faim, l'épaule de porc maison accompagnera à merveille votre fraîche cervoise. L'ascenseur pour y accéder se trouve près des caisses du magasin, côté 23rd St.

**Flatiron Lounge** Bar à cocktails

**Plan p. 150 (www.flatironlounge.com ; 37 W 19th St, entre 5th Ave et 6th Ave ; 16h-2h lun-mer, 16h-3h jeu, 16h-4h ven, 17h-4h sam, 17h-2h dim ; S F/M, N/R, 6 jusqu'à 23rd St).** Tant que les machines à remonter le temps ne seront pas commercialisées, ce repaire à cocktails animé se chargera de le faire. Une fois passé le spectaculaire porche voûté, on entre dans cette merveille sombre de style Art déco aux box couleur rouge à lèvres et aux airs de jazz sensuels, où de fougueux adultes avalent des boissons qui varient selon les saisons.

**Raines Law Room** Bar à cocktails

**Plan p. 150 (www.raineslawroom.com ; 48 W 17th St entre 5th Ave et 6th Ave ; 🕒17h-2h lun-jeu, 17h-3h ven-sam, 20h-1h dim ; Ⓢ F/M jusqu'à 14th St, L jusqu'à 6th Ave, 1 jusqu'à 18th St).** Rideaux en velours, banquettes en cuir rembourrées, plafonds moulés en étain, briques nues et cocktails réalisés d'une main experte à partir de spiritueux idéalement vieillis : rien n'est laissé au hasard dans ce bar.

**Beauty Bar** Bar à thème

**Plan p. 150 (☎212-539-1389 ; http://thebeautybar.com/home-new-york ; 531 E 14th St entre 2nd Ave et 3rd Ave ; 🕒17h-4h lun-ven, 14h-4h sam-dim ; Ⓢ L jusqu'à 3rd Ave).** Un bar kitsch, très prisé depuis le milieu des années 1990, qui rend hommage aux salons de beauté d'autrefois. Une clientèle décontractée y vient pour la musique entraînante, l'ambiance nostalgique et les manucures à 10 $ (agrémentées d'une margarita Blue Rinse gratuite), de 18h à 23h en semaine et de 15h à 23h le week-end.

**Old Town Bar & Restaurant** Bar

**Plan p. 150 (☎212-529-6732 ; www.oldtownbar.com ; 45 E 18th St entre Broadway et Park Ave S ; 🕒11h30-23h30 lun-ven, 10h-23h30 sam, 11h-23h30 dim ; Ⓢ L, N/Q/R, 4/5/6 jusqu'à 14th St-Union Sq).** Plafond et carrelage d'origine : on se croirait encore en 1892. L'Old Town est un classique. Bien qu'on y serve des cocktails, la plupart des clients viennent surtout y prendre une bière et un hamburger (à partir de 11,50 $).

**Pete's Tavern** Bar

**Plan p. 150 (☎212-473-7676 ; www.petestavern.com ; 129 E 18th St à la hauteur d'Irving Pl ; 🕒11h-2h ; Ⓢ L, N/Q/R, 4/5/6 jusqu'à 14th St-Union Sq).** Un classique new-yorkais au décor sombre et évocateur, où dominent les boiseries et l'étain, le tout dans une ambiance très littéraire. On sert là d'honnêtes burgers et 17 sortes de bières pression.

Pete's Tavern

## Où sortir

### Peoples Improv Theater — Spectacles comiques

**Plan p. 150 (PIT ; 212-563-7488 ; www.thepit-nyc.com ; 123 E 24th St, entre Lexington Ave et Park Ave ; ; S 6, N/R, F/M jusqu'à 23rd St).** Rutilant de néons rouges, ce café-théâtre bouillonnant vend du rire de haut vol à des prix dérisoires (de 0 à 20 petits dollars). Des one-man-show à la comédie musicale, les spectacles sont programmés tous les soirs, aussi bien dans le théâtre principal que dans le bar au sous-sol.

## Shopping

### Eataly — Grande épicerie italienne

**Plan p. 150 (www.eatalyny.com ; 200 Fifth Ave, à la hauteur de 23rd St ; 8h-23h ; S F/M, N/R, 6 jusqu'à 23rd St).** Cette immense épicerie abrite un fabuleux assortiment de produits alimentaires italiens – fromages, huiles d'olive, chocolats, viennoiseries, glaces et vins (juste au coin de la rue, dans 23rd St) – sans oublier les livres de recettes. Pour se restaurer, on a le choix entre des stands à en-cas et des restaurants, l'occasion de se régaler de pizzas à pâte fine, de *bronzino* (bar) grillé, de langue de veau aux poireaux, d'huîtres, d'*antipasti* et de mille autres choses. On y trouve aussi un restaurant sur le toit et un *beer garden*, le **Birreria** (p. 152).

Par ailleurs, Eataly organise des cours de cuisine et des dégustations. Consultez le site Internet pour plus de détails.

### ABC Carpet & Home — Articles de maison, cadeaux

**Plan p. 150 (212-473-3000 ; www.abchome.com ; 888 Broadway, à la hauteur de 19th St ; 10h-19h lun-mer, ven-sam, 10h-20h jeu, 12h-18h dim ; S L, N/Q/R/, 4/5/6 jusqu'à 14th St-Union Sq).** Sur 6 étages débordants d'articles de toutes sortes, ce magasin est un eldorado pour les architectes d'intérieur et décorateurs. Vous pourrez y acheter des bibelots faciles à transporter, des bijoux de créateurs, des lampes chics et des tapis anciens. Durant la période de Noël, le magasin est un plaisir pour les yeux.

### Bedford Cheese Shop — Alimentation

**Plan p. 150 (www.bedfordcheeseshop.com ; 67 Irving Pl, entre 18th St et 19th St ; 8h-21h lun-sam, 8h-20h dim ; S L, N/Q/R, 4/5/6 jusqu'à 14th St-Union Sq).** Vous êtes à la recherche d'un fromage local au lait de vache cru trempé dans l'absinthe ? Ou bien d'un chèvre australien infusé à l'ail ? Vous avez des chances de le trouver parmi les 200 variétés que compte cette annexe de la plus célèbre fromagerie de Brooklyn. A cela s'ajoute de la charcuterie artisanale, des friandises, des sandwichs (9 $), et un éventail de mets *made in Brooklyn*.

### Idlewild Books — Livres

**Plan p. 150 (212-414-8888 ; www.idlewildbooks.com ; 12 W 19th St, entre 5th Ave et 6th Ave ; 12h-19h30 lun-jeu, 12h-18h ven-sam, 12h-17h dim ; S L, N/Q/R, 4/5/6 jusqu'à 14th St-Union Sq).** Cette librairie de voyage indépendante donne sérieusement la bougeotte. Classés par régions, les ouvrages vont des guides de voyage, romans et carnets de bord aux livres d'histoire, de cuisine et autres lectures stimulantes pour explorer les différents recoins du monde.

### Books of Wonder — Livres

**Plan p. 150 (212-989-3270 ; www.booksofwonder.com ; 18 W 18th St, entre 5th Ave et 6th Ave ; 11h-19h lun-sam, 11h-18h dim ; ; S F/M, L jusqu'à 6th Ave-14th St).** Dédiée aux titres pour enfants et ados, une très bonne adresse où emmener ses enfants s'ils sont anglophones, notamment lorsqu'un auteur fait une lecture ou qu'un conteur est de passage.

### Whole Foods — Supermarché

**Plan p. 150 (212-673-5388 ; www.wholefoodsmarket.com ; 4 Union Sq S ; 7h30-23h ; ; S L, N/Q/R, 4/5/6 jusqu'à 14th St-Union Sq).** L'une des adresses de la chaîne de produits alimentaires qui envahit la ville, parfaite pour préparer un pique-nique.

THURSDAYS
project RUNWAY
LG
2012
TDK
SONY
Disney
MARQUIS
LIEUTENANT COLONEL
FRANCIS P. DUFFY
CATHOLIC PRIEST
CHAPLAIN

# Midtown

## C'est à bien des égards le cœur de Manhattan.

Le New York des films, celui qui fait rêver les étrangers. Bref, c'est le New York le plus classique, berceau de Broadway, des panneaux publicitaires géants, des foules affairées et des gratte-ciel célèbres – un lieu bouillonnant d'une énergie inimitable.

Midtown West désigne la partie de Midtown (entre 34th St et 59th St) se trouvant à l'ouest de Fifth Ave. La zone regroupe plusieurs quartiers dont les confins occidentaux, très tendance, de Hell's Kitchen, Sixth Ave et sa cohue d'employés de bureau en costume-cravate, et enfin, Times Square.

Entre les boutiques sophistiquées de Fifth Ave et ses quelques sites emblématiques, Midtown East incarne la partie plus calme de Manhattan. C'est là que se trouvent le Chrysler Building, les Nations unies, la St Patrick's Cathedral et Grand Central, la gare de style beaux-arts, sans oublier des enseignes emblématiques comme Tiffany & Co et Saks Fifth Avenue.

Times Square
MITCHELL FUNK/GETTY IMAGES ©

# Midtown
# À ne pas manquer

## Rockefeller Center (p. 183)

Enclave chic regroupant moult entreprises de médias et bars à vins, le Rockefeller Center est aussi une place dédiée à l'art public : *Prométhée* surplombe la fameuse patinoire ; *Atlas* porte la Terre dans Fifth Ave ; et l'installation *News*, d'Isamu Noguchi, se tient non loin des studios de NBC. Un simple trajet en ascenseur conduit à Top of the Rock (p. 183), plate-forme d'observation à la vue époustouflante. Prométhée

1

2

## Gratte-ciel (p. 166 et p. 169)

Où que l'on soit dans la ville, la silhouette de l'Empire State Building (p. 166) reste le point de repère absolu. Juste à l'est de Grand Central, le Chrysler Building (p. 169), chef-d'œuvre Art déco, est splendide vu de loin. Pour le reste, la skyline de Midtown compte ce qu'il faut de merveilles modernistes et postmodernes pour satisfaire les amateurs de gratte-ciel les plus exigeants. Flèche du Chrysler Building

## Grand Central (p. 174)

Le plus époustouflant édifice Beaux-Arts de New York est bien davantage qu'une simple gare, c'est une machine enchantée à remonter le temps. Son tourbillon de lustres, de marbre, de bars et restaurants historiques, est une fenêtre sur une époque où voyages en train et romantisme allaient de pair. Les lignes électriques souterraines ne servent qu'aux trains qui se rendent en banlieue nord et dans le Connecticut, pour autant, Grand Central reste une étape incontournable.

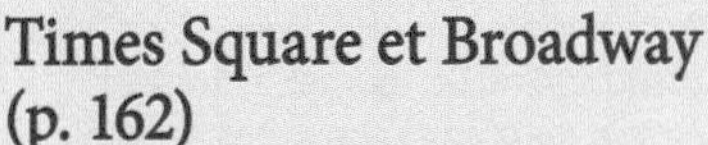

## Times Square et Broadway (p. 162)

Frénétique épicentre de New York, Times Square est un vrai festival de néons, de panneaux d'affichage scintillants, de visiteurs ébahis et de cowboys sculpturaux. Quittez la place par où vous voulez et pénétrez dans le quartier des théâtres, là où romance, trahison, meurtre et triomphe s'accompagnent de costumes éblouissants et de bandes sonores émouvantes.

## Museum of Modern Art (p. 164)

Véritable temple de l'art moderne, cette institution consacrée abrite l'une des plus époustouflantes collections picturales des XXe et XXIe siècles. Venez y admirer les œuvres de grands maîtres comme Cézanne, Picasso, Rousseau ou Warhol. Puis, reprenez votre souffle dans le jardin des sculptures, avant de vous accorder une petite faiblesse culinaire au Modern.

# Promenade dans Midtown

*D'abord Bryant Park, puis le Diamond District, un monde évoquant le Chemin de Traverse des aventures d'Harry Potter. Repérez les sites emblématiques depuis Top of the Rock, et terminez en compagnie de Warhol et Rothko au MoMA.*

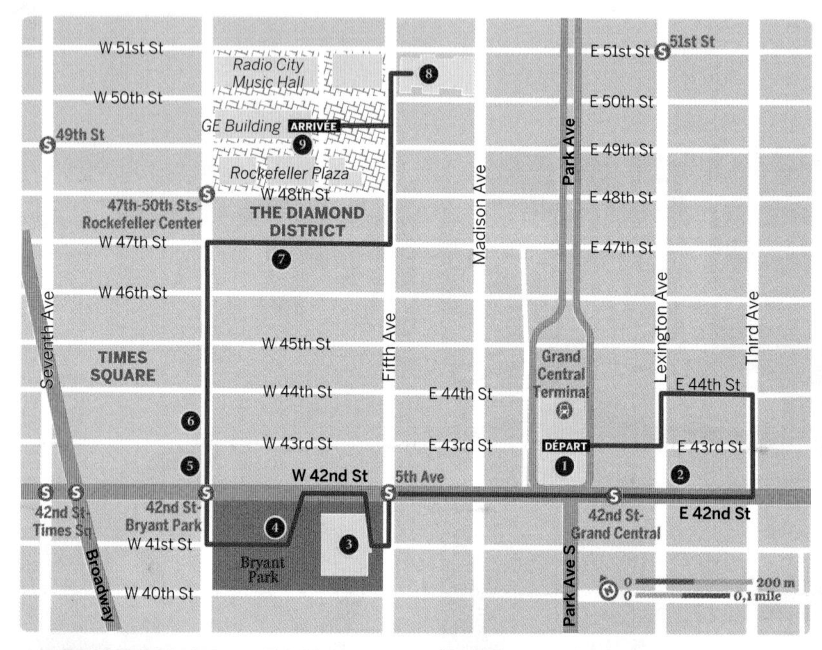


**ITINÉRAIRE**

- **Départ** Grand Central Terminal
- **Arrivée** Rockefeller Center
- **Distance** 2,9 km
- **Durée** 3 heures 30

### ❶ Grand Central

Débutez votre balade par Grand Central (p. 174), merveilleux édifice de style beaux-arts. Admirez le plafond du hall principal, susurrez des mots doux dans la galerie des murmures, puis faites provision de mets délicats au Grand Central Market.

### ❷ Chrysler Building

Sortez dans Lexington Ave et remontez 44th St jusqu'à Third Ave pour admirer le Chrysler Building (p. 169), chef-d'œuvre réalisé en 1930 par William Van Alen. Descendez Third Ave jusqu'à 42nd St, tournez à droite et pénétrez dans le somptueux hall Art déco de l'édifice, assorti de bois exotique, de marbre et d'une fresque au plafond (soi-disant la plus grande au monde).

### ❸ New York Public Library

À l'angle de 42nd St et Fifth Ave trône la majestueuse New York Public Library (p. 168). Jetez un coup d'œil à sa belle salle de lecture et profitez des expositions (gratuites) au rez-de-chaussée.

### ④ Bryant Park

Derrière la fameuse bibliothèque s'étend Bryant Park (p. 168), une oasis de verdure en plein Midtown qui invite à la flânerie. Installez-vous à l'une des tables du café et observez le tourbillon des passants – à défaut, accordez-vous un tour de manège (ou de patinoire l'hiver venu).

### ⑤ Bank of America Tower

À l'angle nord-ouest de 42nd St et de Sixth Ave se dresse la Bank of America Tower, le troisième gratte-ciel de New York en termes de hauteur et l'un des plus respectueux de l'environnement.

### ⑥ International Center of Photography

Remontez Sixth Ave jusqu'à l'International Center of Photography (p. 175), à la hauteur de 43rd St. Explorez ses deux vastes niveaux garnis de clichés de haut vol. Ne manquez pas l'excellente boutique de la galerie, idéale pour acheter appareils photos ou livres.

### ⑦ Diamond District

Poursuivez Sixth Ave vers le nord jusqu'à 47th St. Vous y trouverez le Diamond District, entre Sixth Ave et Fifth Ave, véritable mine de diamants, d'or, de perles et de pierres précieuses.

### ⑧ St Patrick's Cathedral

Continuez jusqu'à Fifth Ave puis tournez à gauche. Dans 50th St se dresse St Patrick's Cathedral (p. 169), un splendide édifice néogothique qu'on dirait planté là depuis toujours. Ne manquez pas ses sublimes plafonds et son impressionnante rosace.

### ⑨ Rockefeller Center et Top of the Rock

Dernière étape, le Rockefeller Center (p. 183) est un magnifique ensemble de gratte-ciel et de sculptures Art déco. Accédez à la place principale entre 49th St et 50th St, admirez le *Prométhée* doré, puis gagnez le 70e étage pour une vue inoubliable depuis le Top of the Rock (p. 183).

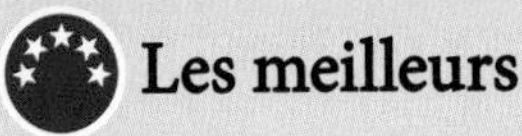

## Les meilleurs

### RESTAURANTS

**NoMad** Une nouvelle cuisine américaine pleine d'imagination, dans un cadre élégant. (p. 180)

**Danji** Des "tapas coréennes" follement originales, préparées avec brio. (p. 177)

**Smith** Une adresse séduisante pour se restaurer ou prendre un verre à Midtown East. (p. 175)

### BARS

**Rum House** Des cocktails vintage accompagnés au piano presque tous les soirs. (p. 182)

**Terroir** Le troisième bar à vins de cette enseigne encensée rehausse la crédibilité nocturne de Murray Hill. (p. 182)

### POINTS DE VUE

**Top of the Rock** Une plateforme d'observation époustouflante, qui embrasse tout New York. (p. 183)

**Empire State Building** Un point de vue incomparable sur la ville. (p. 166)

**Top of the Strand** Un bar sur le toit avec vue sur l'emblématique Empire State Building. (p. 182)

**Robert** Les immenses baies vitrées de ce restaurant, au 9e étage du Museum of Arts & Design, donnent sur Central Park. (p. 175)

Top of the Rock
MAREMAGNUM/GETTY IMAGES ©

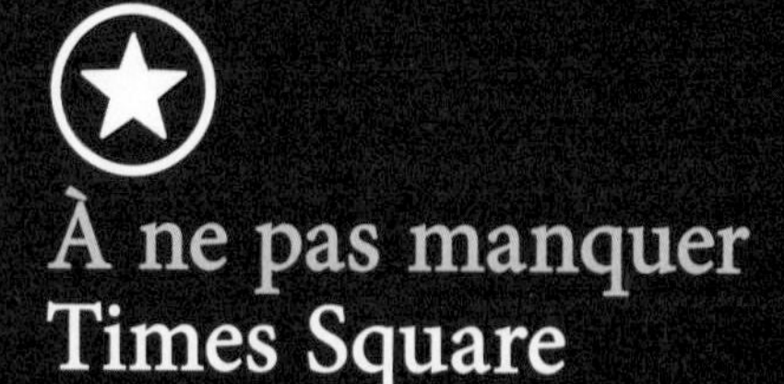

# À ne pas manquer Times Square

Times Square constitue le cœur hyperactif de New York. Il n'est ni branché, ni à la mode et s'en fiche éperdument, trop occupé à produire un New York emblématique, en commercialisant en masse taxis jaunes, arches dorées, gratte-ciel et enseignes clinquantes de Broadway. C'est le New York des fantasmes collectifs – le lieu où Al Jolson rencontre le succès dans *Le Chanteur de jazz* (1927), où le photojournaliste Alfred Eisenstaedt a immortalisé le baiser entre un marin et une infirmière le jour de la capitulation du Japon en 1945, et où Alicia Keys et Jay-Z évoquent avec lyrisme cette "jungle de béton où les rêves se construisent".

Plan p. 178

www.timessquare.com

Broadway à la hauteur de Seventh Ave

S N/Q/R, S, 1/2/3, 7 jusqu'à Times Sq-42nd St

## Le “nettoyage” de Times Square

Pendant plusieurs décennies, le rêve ici était plutôt un cauchemar. Le bouleversement économique du début des années 1970 entraîna un exode massif des entreprises installées à Times Square. Les panneaux d'affichage s'éteignirent, les magasins fermèrent et les grands hôtels furent convertis en immeubles d'habitations peu recommandables, qu'investirent les plus démunis. Ce qui avait été jadis un quartier inondé de lumière et du faste du show-biz devint un repaire sordide de dealers. Bien que le Theater District voisin ait survécu, ses respectables théâtres voisinaient avec des cinémas pornos et des boîtes de strip-tease. Tout cela changea avec l'arrivée du maire Rudolph Giuliani, qui, dans les années 1990, chassa les films X, accrut les effectifs policiers et fit venir des magasins, des restaurants et des attractions "convenables". À l'aube du nouveau millénaire, Times Square était redevenu tout public. Chaque année, près de 40 millions de visiteurs y viennent et ses 17 000 chambres d'hôtel rapportent plus de 1,8 milliard de dollars.

## Les classiques de Broadway

Le Broadway des années 1920 était connu pour ses comédies musicales enlevées réunissant variétés et traditions du music-hall, à l'origine d'airs classiques tels que *Rhapsody in Blue* de George Gershwin et *Let's Misbehave de* Cole Porter. À la même époque, le Theater District devint une plate-forme pour les nouveaux dramaturges américains. L'un des plus grands était Eugene O'Neill. Né à Times Square, dans l'ancien hôtel Barrett (1500 Broadway), en 1888, il choisit ce lieu pour la première de nombre de ses œuvres, notamment *Beyond the Horizon* et *Anna Christie* (lauréates du prix Pulitzer). Son succès à Broadway ouvrit la voie à d'autres grands auteurs américains comme Tennessee Williams ou Arthur Miller – une vague de talents qui conduisit à la création des Tony Awards, la réponse de Broadway aux Oscars hollywoodiens, en 1947.

**Ma sélection**

## À ne pas manquer

PAR TIM TOMPKINS, RESPONSABLE DE LA COMMUNICATION À TIMES SQUARE ALLIANCE.

### 1 MARCHES ROUGES DE DUFFY SQUARE

Cette spectaculaire structure en fibre de verre, qui accueille le fameux kiosque TKTS, est équipée d'un système géothermique et de LED qui illuminent l'escalier aux airs d'amphithéâtre. Les badauds peuvent s'y asseoir pour admirer les lumières et les panneaux de Times Square, tout en observant les gens en route pour le restaurant ou le théâtre.

### 2 MIDNIGHT MOMENT

Chaque soir, entre 23h57 et minuit, un artiste s'empare de Times Square et le transforme en galerie d'art virtuelle – un spectacle saisissant pour les touristes et les New-Yorkais rentrant à l'hôtel ou chez eux.

### 3 BROADWAY (LES SPECTACLES ET LA RUE)

Décrochez un billet pour l'un des shows programmés par les quelque 40 théâtres de Broadway, puis flânez pour profiter de l'autre spectacle de Broadway – celui de Times Square.

### 4 CHURCH OF ST MARY THE VIRGIN

Oubliez le tapage de Times Square dans cette oasis de quiétude, ouverte tous les jours au public. St Mary the Virgin (Broadway, entre 40th St et 53rd St), un exemple saisissant de gothique à la française, est considérée comme la première église américaine dotée d'une structure en acier.

### 5 CAFE EDISON

Depuis plus de 30 ans, l'ancienne salle de bal de l'Edison Hotel (228 W 47th St) sert des œufs miroir et du bacon croustillant à la pelle. Avec ses tables en formica et ses box en similicuir vieillissants, c'est l'un des derniers vrais *diners* de New York. Parfait pour un petit-déjeuner ou un déjeuner léger, le Cafe Edison incarne une cuisine new-yorkaise de qualité, servie avec une bonne dose de style local.

# À ne pas manquer Museum of Modern Art

Superstar de la scène artistique moderne, le Museum of Modern Art (MoMA) possède une collection à en faire pâlir d'envie beaucoup d'autres. Elle comprend de nombreuses œuvres de grands maîtres, notamment Van Gogh, Matisse, Picasso, Warhol, Lichtenstein, Rothko, Pollock et Bourgeois. Depuis sa création en 1929, ce musée a rassemblé plus de 150 000 œuvres témoignant de l'émergence des idées et mouvements créatifs de la fin du XIXe siècle jusqu'à nos jours. Pour les amateurs d'art, c'est un véritable paradis, et pour les non-initiés, un passionnant et intensif cours d'art.

MoMA

Plan p. 178

www.moma.org

11 W 53rd St entre 5th Ave et 6th Ave

adulte/enfant 25 $/gratuit, 16h-20h ven gratuit

10h30-17h30 sam-jeu, 10h30-20h ven, 10h30-20h jeu juil-août

S E/M jusqu'à 5th Ave-53rd St

## Les temps forts de la collection

On peut facilement se perdre dans la vaste collection du MoMA, alors organisez-vous. Téléchargez, par exemple, l'application pour Smartphone, disponible gratuitement sur le site Internet du musée. La collection permanente s'étend sur quatre niveaux : gravures, livres illustrés et les galeries contemporaines au 1er niveau ; architecture, design, dessins et photographie au 2e niveau ; peinture et sculpture aux 3e et 4e niveaux. Ces deux derniers niveaux rassemblant beaucoup de grands noms, mieux vaut visiter le musée de haut en bas avant d'être trop fatigué. Parmi les œuvres à ne pas manquer figurent *La Nuit étoilée* de Van Gogh, *Le Baigneur* de Cézanne, *Les Demoiselles d'Avignon* de Picasso *et La Bohémienne endormie* de Rousseau, sans oublier des œuvres américaines emblématiques telles que *les 32 boîtes de soupes Campbell* et *Marilyn Monroe dorée* de Warhol, *Girl With Ball* de Lichtenstein et *House by the Railroad* de Hopper.

## L'expressionnisme abstrait

L'un des points forts de la collection du MoMA est l'expressionnisme abstrait, un mouvement radical né à New York dans les années 1940 qui connut son apogée une décennie plus tard. Définie par son penchant pour l'individualisme irrévérencieux et les œuvres monumentales, cette école de New York a contribué à faire de la métropole l'épicentre de l'art contemporain occidental. Parmi les œuvres qui l'incarnent figurent *Magenta, Black, Green on Orange* de Rothko, *One : Number 31, 1950* de Pollock et *Painting* de De Kooning.

## Manger moderne

Les restaurants du MoMA ont excellente réputation. Pour manger aux tables communes dans une ambiance décontractée, préférez les paninis, pâtes, salades, la charcuterie et les fromages italiens du **Cafe 2** (plan p. 178 ; 11h-17h sam-lun, mer et jeu, 11h-19h30 ven ; S E, M jusqu'à Fifth Ave-53rd St). Pour un service à table, un choix à la carte et un design danois, préférez **Terrace Five** (plan p. 178 ; Museum of Modern Art, 11 W 53rd St, entre Fifth Ave et Sixth Ave ; plats 11-18 $ ; 11h-17h sam-lun, mer et jeu, 11h-19h30 ven ; S E, M jusqu'à Fifth Ave-53rd St), doté d'une terrasse donnant sur le jardin de sculptures. Enfin, pour quelque chose de plus luxueux, réservez une table au **Modern** (plan p. 178 ; 212-333-1220 ; www.themodernnyc.com ; 9 W 53rd St, entre Fifth Ave et Sixth Ave ; déj 3 ou 4 plats 32/76 $, dîner 4 plats 108 $ ; restaurant 12h-14h lun-ven, 17h-22h30 sam, bar 11h30-22h30 lun-sam, 11h30-19h30 dim ; S E, M jusqu'à Fifth Ave-53rd St). Ce restaurant étoilé au guide Michelin propose des créations franco-américaines telles les "pralines" de terrine de foie gras à la purée de mangue et au vinaigre balsamique. Les plus petits budgets opteront pour une cuisine d'inspiration alsacienne plus simple dans le bar adjacent. The Modern a sa propre entrée W 53rd St.

### Gallery Conversations

Le MoMA propose des "Gallery Conversations," au cours desquelles des conférenciers, des étudiants de troisième cycle et, parfois, des conservateurs présentent une analyse experte de certaines œuvres et expositions du musée. Ces discussions ont lieu chaque jour à 11h30 et 13h30 (sauf le mardi). Pour connaître les sujets à venir, consultez le site Internet, rubrique "Learn" .

### Projections de films

Le MoMA projette une sélection bien pensée de joyaux en celluloïd issus de sa collection de plus de 22 000 films, comprenant aussi bien les œuvres des frères Maysles que chacune des animations Pixar. L'entrée est incluse dans le billet du musée.

# À ne pas manquer
# Empire State Building

Le Chrysler Building est certes plus joli et le One World Trade Center est peut-être plus haut, mais la star des gratte-ciel de New York reste l'Empire State Building. C'est la plus grande vedette de cinéma new-yorkaise, figurant de prestige dans une centaine de films, de King Kong à Independence Day. Aucun autre édifice n'évoque autant New York.

Plan p. 170

www.esbnyc.com

350 5th Ave à la hauteur de 34th St

Plate-forme du 86e ét. adulte/ enfant 27/21 $, avec plate-forme du 102e ét. 44/38 $

8h-2h, dernier ascenseur 1h15

S B/D/F/M, N/Q/R jusqu'à 34th St-Herald Sq

## Le gratte-ciel en chiffres

Les chiffres sont ahurissants : 10 millions de briques, 60 000 tonnes d'acier, 6 400 fenêtres et 30 472 m² de marbre. Sa construction, sur le site d'origine du Waldorf-Astoria, fut achevée en un temps record de 410 jours, nécessita sept millions d'heures de main-d'œuvre et coûta pas moins de 41 millions de dollars. Cela peut sembler beaucoup, mais c'était bien en deçà de son budget de 50 millions (une chance puisqu'il fut construit après la crise économique de 1929). Ce colosse en pierre calcaire de 102 étages et près de 449 m de hauteur (antenne comprise) fut inauguré le 1er mai 1931. Des générations après, la réplique de Deborah Kerr à Cary Grant dans *Elle et Lui* sonne toujours vrai : l'Empire State Building est "au plus près du paradis".

## Plates-formes d'observation

À moins que vous ne soyez Ann Darrow (la malheureuse blonde enlevée par King Kong), monter au sommet de l'Empire State Building devrait vous donner le sourire. Il y a deux plates-formes d'observation : celle du 86e étage, en plein air et dotée de télescopes à pièces permettant d'apercevoir l'activité de la métropole en gros plan, et celle du 102e étage, fermée, la deuxième plus haute de New York – après celle du One World Trade Center. Inutile de dire que la vue sur les cinq *boroughs* (et les cinq États limitrophes si le temps le permet) est absolument magique. Elle est particulièrement spectaculaire au coucher du soleil, quand la ville revêt sa cape de nuit dans les dernières lueurs du crépuscule. Pour une ambiance magique, rejoignez le 86e étage entre 22h et 1h du jeudi au samedi : la vue sur l'océan de lumières scintillantes est alors accompagnée d'un concert de saxophones (oui, vous pouvez demander votre morceau préféré). Hélas ! pour arriver au paradis, il faut d'abord traverser le purgatoire : la tristement célèbre file d'attente. Une visite de bonne heure ou tard le soir vous évitera de perdre du temps. De même, acheter votre billet à l'avance sur Internet, pour 2 $ supplémentaires, vous épargnera bien des tracas.

## Un rêve ambitieux

Une porte verrouillée dépourvue d'inscription sur la plate-forme d'observation du 102e étage conduit à une étroite terrasse initialement conçue pour amarrer des dirigeables. Ce rêve, l'un des plus utopiques de New York, était porté par Alfred E. Smith, candidat malheureux de l'élection présidentielle de 1928 qui fut nommé à la tête du projet de l'Empire State Building. Lorsque l'architecte William Van Alen révéla la flèche secrète de son rival, le Chrysler Building, Smith lui dama le pion en déclarant que le sommet de l'Empire State Building arborerait un mât d'amarrage encore plus haut pour les aéronefs transatlantiques. Le projet semblait viable sur le papier, mais comportait deux oublis, et non des moindres : les dirigeables doivent être amarrés aux deux extrémités (pas seulement à l'avant comme le prévoyait le plan) et les passagers du zeppelin ne peuvent pas sortir de l'appareil par le ballon géant rempli d'hélium. Cela ne dissuada pas ses auteurs pour autant. En septembre 1931, le *New York Evening Journal* défia la raison en parvenant à amarrer un zeppelin et à distribuer une pile de journaux fraîchement imprimés dans Lower Manhattan. Mais quelques années après, une catastrophe mit un terme au projet : en 1945, par une journée de brouillard, un bombardier B25 s'écrasa accidentellement contre le 79e étage, tuant 14 personnes.

### Code couleur

Depuis 1976, les 30 étages supérieurs de la tour sont illuminés en fonction du calendrier : en rouge et rose pour la Saint-Valentin, en vert, blanc et orange pour la Saint-Patrick, en rouge et vert pour Noël, ou encore aux couleurs de l'arc-en-ciel pour la Gay Pride en juin. Consultez le site Internet pour connaître les dates et la signification des différentes couleurs.

Top of the Rock

# Découvrir Midtown

## Depuis/vers Midtown

**Métro** Times Sq-42nd St, Grand Central-42nd St et 34th St-Herald Sq sont les principales stations d'interconnexion de Midtown. Les lignes A/C/E et 1/2/3 traversent Midtown West, et les 4/5/6 Midtown East, du nord au sud. Les lignes centrales B/D/F/M remontent 6th Ave, tandis que les N/Q/R suivent Broadway. Enfin, les lignes 7, E et M permettent de traverser la ville.

**Bus** Les lignes concernées sont la M11 (vers le nord sur 10th Ave et vers le sud sur 9th Ave), les M101, M102 et M103 (vers le nord sur 3rd Ave et vers le sud sur Lexington Ave) et la M15 (vers le nord sur 1st Ave et vers le sud sur 2nd Ave). Des lignes très commodes parcourent 34th St et 42nd St.

Flèche du Chrysler Building
MITCHELL FUNK/GETTY IMAGES ©

## À voir

### Fifth Avenue

**Empire State Building (p. 166)**

**New York Public Library** Bibliothèque, Édifice d'intérêt
**Plan p. 170 (Stephen A Schwarzman Building ; 917-275-6975 ; www.nypl.org ; 5th Ave à la hauteur de 42nd St ; 10h-18h lun et jeu-sam, 10h-20h mar-mer, 13h-17h dim, visites guidées 11h et 14h lun-sam, 14h dim ; S B/D/F/M jusqu'à 42nd St-Bryant Park ; 7 jusqu'à 5th Ave). GRATUIT**
Fidèlement gardée par Patience et Fortitude (les célèbres lions en marbre surveillant Fifth Ave), ce somptueux édifice de style Beaux-Arts est l'un des meilleurs sites gratuits de New York. Lors de son ouverture en 1911, la bibliothèque phare de la ville était le plus grand bâtiment en marbre jamais érigé aux États-Unis. Sa salle de lecture principale avec son immense plafond à caissons est à couper le souffle.

**Bryant Park** Parc
**Plan p. 170 (www.bryantpark.org ; 42nd St, entre 5th Ave et 6th Ave ; 7h-minuit lun-ven, 7h-23h sam-dim juin-sept, horaires réduits le reste de l'année ; S B/D/F/M jusqu'à 42nd St-Bryant Park, 7 jusqu'à 5th Ave).**
Kiosques-cafés à l'européenne, jeux d'échecs en plein air, projections de films en été et patinage sur glace en hiver... Difficile de croire que cette oasis de verdure était surnommée "Needle Park" (le parc des seringues) dans les années 1980. Niché derrière la New York Public Library, c'est un endroit original pour oublier un temps la frénésie de Midtown.

## Midtown

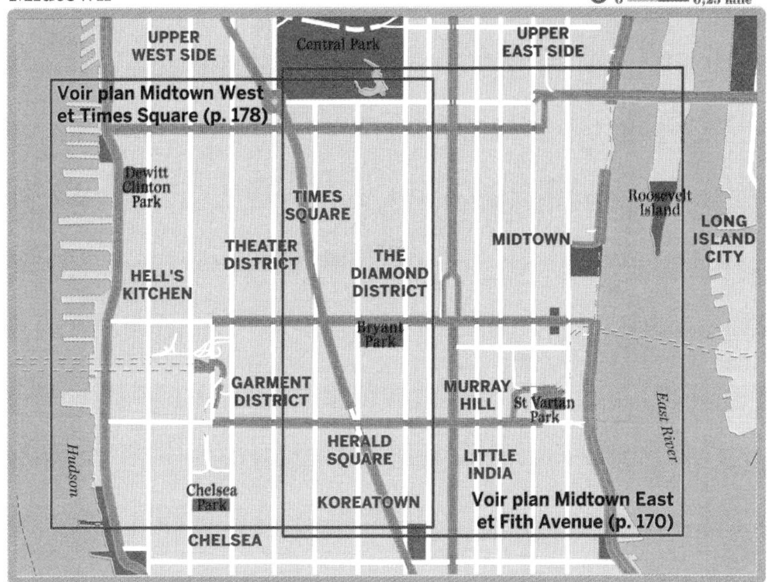


**St Patrick's Cathedral** Cathédrale
**Plan p. 170 (www.saintpatrickscathedral.org ; 5th Ave entre 50th St et 51st St ; ⌚6h30-20h45 ; Ⓢ B/D/F/M jusqu'à 47th St-50th St-Rockefeller Center).** Dès que son lifting sera achevé fin 2015, la plus grande cathédrale des États-Unis honorera de nouveau Fifth Ave de toute sa splendeur néogothique. Elle fut construite pendant la guerre de Sécession pour environ 2 millions de dollars de l'époque. Les deux flèches frontales furent ajoutées en 1888. Parmi ses principales merveilles figurent l'autel dessiné par Louis Tiffany et la magnifique rosace de Charles Connick, qui brille au-dessus d'un orgue de 7 000 tuyaux.

**Paley Center for Media** Édifice culturel
**Plan p. 170 (www.paleycenter.org ; 25 W 52nd St entre 5th Ave et 6th Ave ; adulte/enfant 10/5 $ ; ⌚12h-18h mer et ven-dim, 12h-20h jeu ; Ⓢ E/M jusqu'à 5th Ave-53rd St).** Paradis des amateurs de la culture pop, le Paley Center propose plus de 150 000 émissions de télévision et de radio du monde entier dans son catalogue informatique. Revivre ses émissions télévisées favorites sur l'une des consoles du musée par une journée pluvieuse est un véritable régal, mais la salle d'écoute radiophonique réserve aussi de plaisantes surprises, tout comme les excellents festivals, projections, conférences et spectacles organisés régulièrement.

## Midtown East

**Morgan Library & Museum** Musée
**Plan p. 170 (www.morganlibrary.org ; 29 E 36th St à la hauteur de Madison Ave, Midtown East ; adulte/enfant 18/12 $ ; ⌚10h30-17h mar-jeu, 10h30-21h ven, 10h-18h sam, 11h-18h dim ; Ⓢ 6 jusqu'à 33rd St).** La Pierpont Morgan Library fait partie d'une demeure de 45 pièces qui appartenait au magnat de l'acier et collectionneur J. P. Morgan. Elle abrite un ensemble phénoménal de manuscrits, de tapisseries, de livres (dont trois bibles de Gutenberg). Le bureau est orné d'œuvres d'art de la Renaissance italienne, il y a une rotonde en marbre.

**Chrysler Building** Édifice d'intérêt
**Plan p. 170 (Lexington Ave à la hauteur de 42nd St, Midtown East ; ⌚hall 8h-18h lun-ven ; Ⓢ S, 4/5/6, 7 jusqu'à Grand Central-42nd St).** Haut

## Midtown East et Fifth Avenue

0 500 m
0 0,25 mile

UPPER EAST SIDE
Central Park
The Pond
Center Dr
East Dr
Central Park South
5th Ave-59th St
57th St-7th Ave
57th St
W 57th St
E 57th St
E 61st St
E 59th St
59th St
Lexington Ave-59th St
Station du téléphérique de Roosevelt Island
Ed Koch Queensboro Bridge
Téléphérique de Roosevelt Island
Main St
York Ave
Roosevelt Island
West Rd
East Rd
Franklin D Roosevelt Four Freedoms Park
Franklin D Roosevelt Dr
Sutton Pl
Beekman Pl
Mitchell Pl
Broadway
Seventh Ave
Sixth Ave (Avenue of the Americas)
Fifth Ave
Madison Ave
Park Ave
Vanderbilt Ave
Lexington Ave
Third Ave
Second Ave
First Ave
AT & T Building
W 55th St
E 55th St
W 53rd St
7th Ave
Fifth Ave-53rd St
Lexington Ave-53rd St
E 53rd St
W 51st St
E 51st St
51st St
50th St
Radio City Music Hall
International Building
Rockefeller Center
GE Building
Rockefeller Plaza
W 49th St
49th St
E 49th St
47th-50th Sts-Rockefeller Center
W 47th St
E 47th St
W 46th St
W 45th St
E 45th St
W 44th St

3 6 7 11 12 13 14 18 19 20 22 23 26 27 28 29 30 31 32

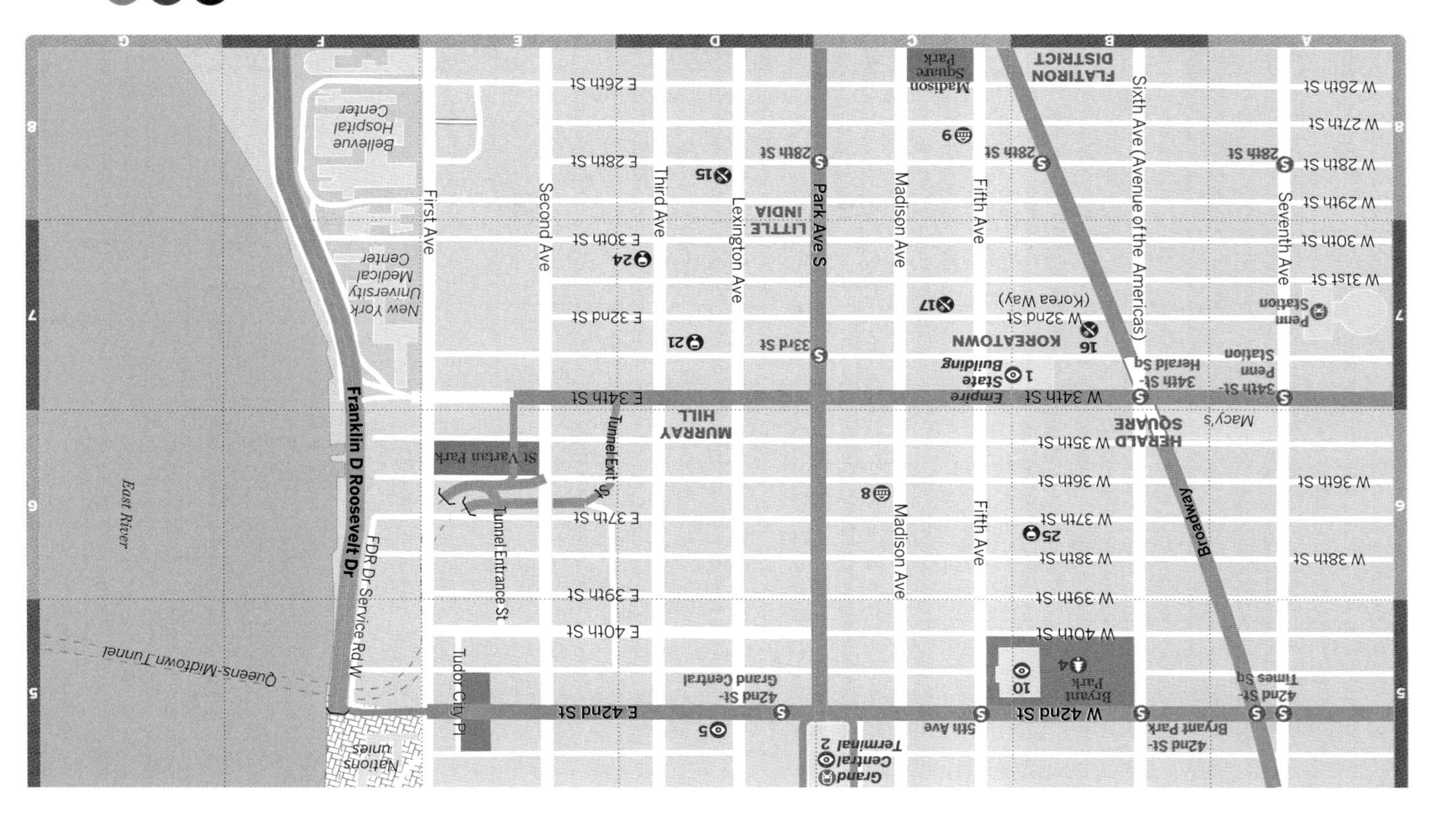
East River
Queens-Midtown Tunnel
Franklin D Roosevelt Dr
FDR Dr Service Rd W
Nations Unies
New York University Medical Center
Bellevue Hospital Center
First Ave
Second Ave
Third Ave
Lexington Ave
Park Ave S
Madison Ave
Fifth Ave
5th Ave
Sixth Ave (Avenue of the Americas)
Seventh Ave
Broadway
Tudor City Pl
Tunnel Entrance St
Tunnel Exit St
St Vartan Park
E 42nd St
E 40th St
E 39th St
E 37th St
E 34th St
E 32nd St
E 30th St
E 28th St
E 26th St
W 42nd St
W 40th St
W 39th St
W 38th St
W 37th St
W 36th St
W 35th St
W 34th St
W 32nd St (Korea Way)
W 31st St
W 30th St
W 29th St
W 28th St
W 27th St
W 26th St
MURRAY HILL
LITTLE INDIA
KOREATOWN
HERALD SQUARE
FLATIRON DISTRICT
Grand Central Terminal 2
42nd St-Grand Central
42nd St-Bryant Park
42nd St-Times Sq
Bryant Park
34th St-Herald Sq
34th St-Penn Station
Penn Station
Macy's
Empire State Building
33rd St
28th St
Madison Square Park
1
2
4
5
8
9
10
15
16
17
21
24
25
A
B
C
D
E
F
G

## Midtown East et Fifth Avenue

**Les incontournables**
1 Empire State Building ... B7
2 Grand Central Terminal ... C5
3 Rockefeller Center ... B3

**À voir**
4 Bryant Park ... B5
5 Chrysler Building ... D5
6 Franklin D Roosevelt Four Freedoms Park ... G4
7 Japan Society ... E4
8 Morgan Library & Museum ... C6
9 Museum of Sex ... C8
10 New York Public Library ... B5
11 Paley Center for Media ... B3
12 St Patrick's Cathedral ... C3
13 Top of the Rock ... B3
14 Nations unies ... F4

**Où se restaurer**
15 Curry in a Hurry ... D8
16 Gahm Mi Oak ... B7
17 Hangawi ... C7
18 Rouge Tomate ... C1
19 Smith ... E3
20 Sparks ... D4

**Où prendre un verre et faire la fête**
21 Middle Branch ... D7
22 PJ Clarke's ... D2
23 Subway Inn ... D1
24 Terroir ... D7
25 Top of the Strand ... B6

**Shopping**
26 Barneys ... C1
27 Bergdorf Goodman ... C1
28 Bloomingdale's ... D1
29 Dylan's Candy Bar ... D1
30 FAO Schwarz ... C1
31 Tiffany & Co. ... C2
32 Uniqlo ... C3

de 77 étages, le Chrysler Building éclipse la plupart des autres gratte-ciel. Dessiné par William Van Alen en 1930, c'est un mélange spectaculaire d'esthétique Art déco et gothique, orné d'aigles en acier et surmonté d'une flèche impressionnante. Plus de 80 ans après, son ambitieux projet de 15 millions de dollars reste l'un des plus émouvants symboles de New York.

### Siège des Nations Unies — Édifice d'intérêt

**Plan p. 170 (212-963-4475 ; http://visit.un.org/wcm/content ; 1st Ave à la hauteur de 47th St, Midtown East ; visite guidée adulte/enfant à partir de 5 ans 20/11 $, accès aux jardins sam-dim gratuit ; visite 9h15-16h15 lun-ven, centre des visiteurs également ouvert 10h-17h sam-dim ; S S, 4/5/6, 7 jusqu'à Grand Central-42nd St).** Bienvenue au quartier général des Nations unies, l'instance chargée de veiller au respect du droit, de la sécurité et des droits humains à l'échelle mondiale. Pour les visites en semaine, réservez obligatoirement en ligne (au moins 48 heures à l'avance). L'accès au seul centre des visiteurs est gratuit le week-end (entrée par 43rd St).

### Japan Society — Centre culturel

**Plan p. 170 (www.japansociety.org ; 333 E 47th St entre 1st Ave et 2nd Ave, Midtown East ; adulte/enfant 12 $/gratuit, entrée libre 18h-21h ven ; 11h-18h mar-jeu, 11h-21h ven, 11h-17h sam-dim ; S S, 4/5/6, 7 jusqu'à Grand Central-42nd St).** Les expositions temporaires d'œuvres d'art, de textiles et de design japonais sont le principal attrait de ce centre culturel. Des projections cinématographiques et des représentations chorégraphiques, musicales et théâtrales ont lieu dans sa salle de spectacle. Si vous souhaitez approfondir votre visite, vous pouvez consulter le fonds de la bibliothèque de recherche, riche de 14 000 volumes, ou assister à l'une des nombreuses conférences.

### Museum of Sex — Musée

**Plan p. 170 (www.museumofsex.com ; 233 5th Ave, à la hauteur de 27th St ; adulte 17,50 $ ; 10h-20h dim-jeu, 10h-21h ven-sam ; S N/R jusqu'à 23rd St).** Des pratiques fétichistes en ligne à la nécrophilie homosexuelle chez le colvert, ce petit musée élégant est une ode à tout ce qui touche au sexe. Les expositions temporaires (explorations autour du cybersexe, rétrospectives d'artistes controversés, etc.) sont régulièrement renouvelées, tandis que la collection permanente présente des lithographies érotiques et d'étranges appareils contre l'onanisme, notamment.

# Midtown West et Times Square

## Times Square (p. 162)

## Museum of Modern Art (p. 164)

## Radio City Music Hall — Édifice d'intérêt

**Plan p. 178 (www.radiocity.com ; 1260 6th Ave à la hauteur de 51st St ; visites guidées adulte/enfant 20/15 $ ; visites guidées 11h-15h ; S B/D/F/M jusqu'à 47th St-50th St-Rockefeller Center).** Ce superbe cinéma Art déco d'une capacité de 5 901 places est né d'une idée du producteur de music-hall Samuel Lionel "Roxy" Rothafel. Peu enclin à la discrétion, ce dernier lança sa nouvelle salle le 23 décembre 1932 avec un spectacle outrancier qui comportait une Symphony of the Curtains ("Symphonie des Rideaux"), et la chorégraphie kitsch de jeté de jambes des Roxyettes (troupe de danseuses rebaptisée ensuite les Rockettes).

Attention, depuis que le théâtre est géré par le Madison Square Garden, l'ambiance n'a plus rien à voir avec le décor. Pourtant, les artistes qui se produisent ici sont souvent fabuleux : Rufus Wainwright, Aretha Franklin, Dolly Parton, etc. Et même si la plupart des New-Yorkais lèvent les yeux au ciel en entendant le mot "Rockettes", les amateurs de kitsch et de paillettes seront sûrement emballés par le spectacle de Noël joué tous les ans par la troupe.

## Museum of Arts & Design — Musée

**Plan p. 178 (MAD ; www.madmuseum.org ; 2 Columbus Circle, entre 8th Ave et Broadway ; adulte/enfant 16 $/gratuit ; 10h-18h mar, mer, sam et dim, 10h-21h jeu et ven ; S A/C, B/D, 1 jusqu'à 59th St-Columbus Circle).** Le Museum of Arts & Design (MAD) expose sa magnifique collection de design et d'artisanat (verre soufflé, bois sculpté, bijoux en métal) sur quatre niveaux. Ses expositions temporaires, telle celle consacrée récemment à l'art du parfum, sont remarquables et innovantes. Le premier dimanche du mois, des artistes professionnels assurent une visite des galeries, suivie d'ateliers interactifs en lien avec les expositions en cours. Dans la boutique du musée, vous trouverez de fabuleux bijoux contemporains, tandis que le

Radio City Music Hall

BARRY WINIKER/GETTY IMAGES ©

TETRA IMAGES/GETTY IMAGES ©

# À ne pas manquer
## Grand Central Terminal

Son Grand Central Depot menacé par sa rivale Penn Station (dans sa majestueuse première version), le magnat de la construction maritime et des chemins de fer Cornelius Vanderbilt se mit à travailler à sa transformation en un bijou du XXe siècle. Grand Central Terminal est effectivement le plus époustouflant édifice d'inspiration Beaux-Arts à New York. Plus qu'une gare, c'est une machine à remonter le temps. Son tourbillon de lustres, de marbre et de bars et restaurants historiques est une fenêtre sur une époque où voyages en train et romantisme allaient de pair.

Son plafond voûté est d'une beauté céleste, avec sa peinture murale turquoise et dorée représentant huit constellations… à l'envers. Une erreur ? Non ; son créateur français, le peintre Paul César Helleu, souhaitait décrire les étoiles du point de vue de Dieu – depuis l'extérieur, en regardant à l'intérieur.

Le palier voûté juste sous le pont reliant le hall principal et le hall Vanderbilt comporte l'un des éléments les plus originaux de Grand Central : la galerie des Murmures (Whispering Gallery). Si vous êtes deux, placez-vous l'un en face de l'autre en diagonale en vous tournant vers les murs et chuchotez quelque chose. Si votre partenaire vous demande en mariage (ce qui arrive beaucoup ici !), vous trouverez du champagne bien frais juste de l'autre côté de la porte du Grand Central Oyster Bar & Restaurant. À côté, un ascenseur conduit à un autre joyau historique : le bar délicieusement snob Campbell Apartment.

### INFOS PRATIQUES

Plan p. 170 ; www.grandcentralterminal.com ; 42nd St à la hauteur de Park Ave, Midtown East ; 5h30-2h ; S S, 4/5/6, 7 jusqu'à Grand Central-42nd St

restaurant-bar **Robert** (**www.robertnyc.com ; 2 Columbus Circle entre 8th Ave et Broadway ; 11h30-22h lun, 11h30-minuit mar-ven, 11h-minuit sam, 11h-22h dim**), au 9e niveau, se prête parfaitement à un cocktail panoramique.

### International Center of Photography — Musée

**Plan p. 178 (ICP ; www.icp.org ; 1133 6th Ave à la hauteur de 43rd St ; adulte/enfant 14 $/gratuit, don libre ven 17h-20h ; 10h-18h mar-jeu, sam et dim, 10h-20h ven ; S B/D/F/M jusqu'à 42nd St-Bryant Park).** Ce musée met l'accent sur le photojournalisme, et ses expositions temporaires, dans son espace de deux étages, abordent divers thèmes. Celles organisées par le passé ont notamment présenté des œuvres d'Henri Cartier-Bresson, de Man Ray et de Robert Capa. L'école, gérée par le musée, propose des cours de photographie et des cycles de conférences.

### Herald Square — Place

**Plan p. 178 (intersection Broadway, 6th Ave et 34th St ; S B/D/F/M, N/Q/R jusqu'à 34th St-Herald Sq).** Situé à l'angle de Broadway, de 6th Ave et de 34th St, ce quartier animé est surtout connu pour abriter le célèbre grand magasin Macy's (p. 187) dont les vieux ascenseurs en bois ont été préservés. Grâce au récent projet sans voitures de Times Square, vous pouvez vous détendre sur une chaise longue juste à la sortie de Macy's, au milieu de Broadway.

### Intrepid Sea, Air & Space Museum — Musée

**Plan p. 178 (www.intrepidmuseum.org ; Pier 86, 12th Ave à la hauteur de 46th St, Midtown West ; adulte/enfant l'Intrepid et le sous-marin Growler 24/12 $, Space Shuttle Pavilion inclus 31/17 $ ; 10h-17h lun-ven, 10h-18h sam-dim avr-oct, 10h-17h lun-dim nov-mars ; S A/C/E jusqu'à 42nd St-Port Authority Bus Terminal, M42 vers l'ouest).** Ce musée militaire interactif est installé sur l'*Intrepid*, un imposant porte-avions de l'US Navy qui a servi pendant la Seconde Guerre mondiale et la guerre du Vietnam, et qui a survécu aux bombes et aux attaques kamikazes. Vous pourrez aussi y voir des chasseurs et des hélicoptères militaires et expérimenter les simulateurs de vol du musée.

### Koreatown — Quartier

**Plan p. 178 (de 31st St à 36th St et Broadway jusqu'à 5th Ave ; S B/D/F/M, N/Q/R jusqu'à 34th St-Herald Sq).** En matière de *kimchi* et de karaoké, difficile de battre Koreatown (Little Korea). Ses nombreux restaurants, magasins, salons et spas coréens se concentrent dans 32nd St, en débordant au nord et au sud dans les rues avoisinantes.

# Où se restaurer

## Midtown East et Fifth Avenue

### Hangawi — Coréen $$

**Plan p. 170 (212-213-0077 ; www.hangawirestaurant.com ; 12 E 32nd St entre 5th Ave et Madison Ave ; plats déj 10-16 $, dîner 16-26 $ ; 12h-14h45 et 17h-22h15 lun-jeu, 17h-22h30 ven, 13h-22h30 sam, 17h-21h30 dim ; ; S B/D/F/M, N/Q/R jusqu'à 34th St-Herald Sq).**
Ce restaurant sert de délicieuses spécialités coréennes végétariennes. Laissez vos chaussures à l'entrée et glissez-vous dans un espace apaisant pour déguster des plats aux saveurs complexes en écoutant de la musique méditative assis sur des coussins. Parmi les mets les plus réussis figurent des crêpes aux poireaux et une marmite de tofu à la sauce au gingembre d'une onctuosité exquise.

### Smith — Américain $$

**Plan p. 170 (212-644-2700 ; www.thesmithnyc.com ; 956 2nd Ave, à la hauteur de 51st St, Midtown East ; plats 17-33 $ ; 7h30-minuit lun-mer, 7h30-1h jeu-ven, 10h-1h sam, 10h-minuit dim ; ; S 6 jusqu'à 51st St).** Avec son décor industriel chic, son bar animé et sa cuisine de qualité, cette brasserie décontractée et branchée a relevé le niveau culinaire de l'extrême est de Midtown. Une grande partie des mets sont préparés sur place, avec des menus

de saison mêlant les saveurs d'inspiration américaine et italienne.

**Rouge Tomate** Américain moderne **$$$**

**Plan p. 170 (646-237-8977 ; www.rougetomatenyc.com ; 10 E 60th St, entre 5th Ave et Madison Ave ; dîner plats 29-42 $ ; 12h-15h et 17h30-22h30 lun-sam ; ; S N/Q/R jusqu'à 5th Ave-59th St, 4/5/6 jusqu'à 59th St).** Soucieux de la santé de ses clients, ce restaurant étoilé au Michelin sait rendre le durable affriolant. Afin de conserver une valeur nutritive maximale, les ingrédients, d'origine locale et de saison pour la plupart, ne sont jamais frits ou grillés. Cette contrainte apparente n'empêche pas la création de merveilles sophistiquées, tel ce dodu tartare d'aubergine accompagné d'ail confit.

**John Dory Oyster Bar** Poisson et fruits de mer **$$$**

**Plan p. 178 (www.thejohndory.com ; 1196 Broadway, à la hauteur de 29th St ; petites assiettes 9-28 $ ; 12h-minuit ; S N/R jusqu'à 28th St).** Logé dans le hall de l'**Ace Hotel** (p. 278), cet établissement bruyant et branché est une bonne adresse pour boire un verre de vin pétillant et se repaître de fruits de mer. La cuisine crue est à l'honneur à travers des plats tel le maquereau à l'espagnole, avec piment, coriandre et petits bouts de calamar frit, tandis que les "petites assiettes" de style tapas sont aussi inventives (calamar fourré au chorizo avec sauce aux tomates fumées).

**Sparks** Steakhouse **$$$**

**Plan p. 170 (www.sparkssteakhouse.com ; 210 E 46th St entre 2nd Ave et 3rd Ave, Midtown East ; plats dîner 36-53 $ ; 11h30-23h lun-jeu, 11h30-23h30 ven, 17h-23h30 sam ; ; déj et dîner lun-ven, dîner sam ; S S, 4/5/6, 7 jusqu'à Grand Central-42nd St).** Pour savoir ce qu'est un vrai *steakhouse* à New York, c'est ici qu'il faut venir. Cet ancien repaire de la Mafia, ouvert il y a presque 50 ans, affiche toujours complet.

**À gauche :** Herald Square (p. 175) ; **Ci-dessous :** Macy's (p. 187)
(LEFT) PATTI MCCONVILLE/GETTY IMAGES ©; (BELOW) RICHARD CUMMINGS/GETTY IMAGES ©

## Midtown West et Times Square

**Totto Ramen** Japonais **$**

**Plan p. 178 (www.tottoramen.com ; 366 W 52nd St, entre 8th Ave et 9th Ave, Midtown West ; ramen à partir de 10 $ ; 12h-minuit lun-ven, 12h-23h sam, 17h-23h dim ; S C/E jusqu'à 50th St).** Dans ce minuscule restaurant, on écrit son nom et le nombre de convives sur le tableau à l'entrée, puis on attend son tour. Les *ramen* (nouilles en bouillon) au poulet n'ont rien d'exceptionnel, mais celles au porc avec bouillon au miso (pâte de soja fermenté, œuf, échalote, germes de soja, oignon et pâte au piment maison) sont excellentes.

**Burger Joint** Hamburgers **$**

**Plan p. 178 (www.burgerjointny.com ; Le Parker Meridien, 119 W 56th St, entre 6th Ave et 7th Ave, Midtown West ; burgers à partir de 8 $ ; 11h-23h30 dim-jeu, 11h-minuit ven-sam ; S F jusqu'à 57th St).** Avec pour seul indice un petit néon en forme de hamburger, ce restaurant aux allures de bar clandestin se cache derrière le rideau du hall de l'hôtel Le Parker Meridien. S'il n'est pas aussi "tendance" et "secret" qu'autrefois, il propose toujours la même formule gagnante : murs tapissés de graffitis, box rétro et personnel branché servant des burgers sublimes.

**El Margon** Cubain **$**

**Plan p. 178 (136 W 46th St entre 6th Ave et 7th Ave, Midtown West ; sandwichs à partir de 4 $, plats 9-15 $ ; 7h-17h ; S B/D/F/M jusqu'à 47th St-50th St-Rockefeller Center).** On se croirait dans les années 1970 dans ce restaurant cubain toujours bondé où la couleur orange et la cuisine bien grasse ne se sont jamais démodées.

**Danji** Coréen **$$**

**Plan p. 178 (www.danjinyc.com ; 346 W 52nd St, entre 8th Ave et 9th Ave, Midtown West ; plats 6-20 $ ; 12h-14h30 et 17h15-23h lun-jeu, 12h-14h30 et 17h15-minuit ven, 17h15-minuit sam ; S C/E jusqu'à 50th St).** Le jeune chef vedette

## Midtown West et Times Square

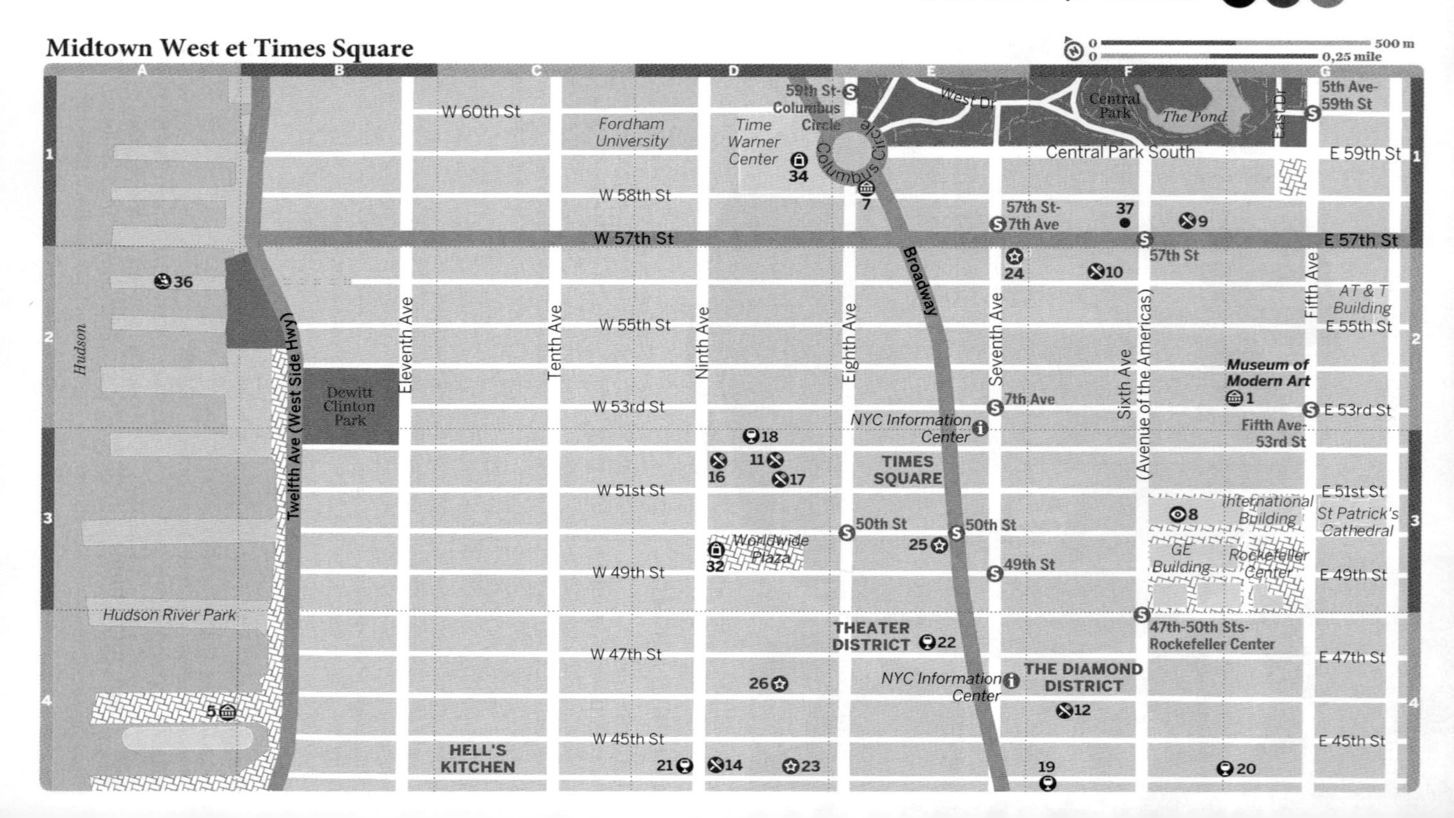

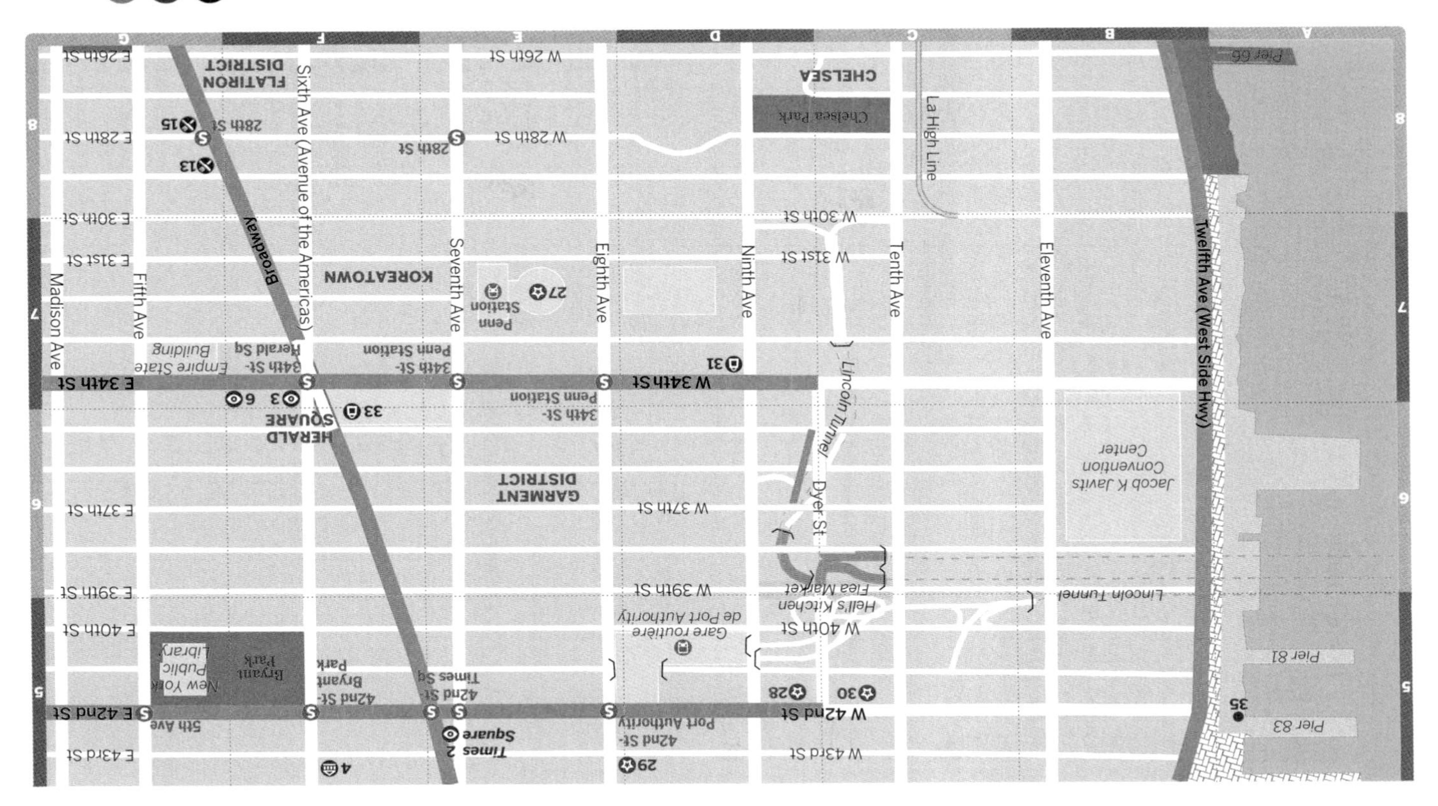
W 43rd St
W 42nd St
W 40th St
W 39th St
W 37th St
W 34th St
W 31st St
W 30th St
W 28th St
W 26th St
E 43rd St
E 42nd St
E 40th St
E 39th St
E 37th St
E 34th St
E 31st St
E 30th St
E 28th St
E 26th St
5th Ave
Madison Ave
Fifth Ave
Sixth Ave (Avenue of the Americas)
Seventh Ave
Eighth Ave
Ninth Ave
Tenth Ave
Eleventh Ave
Twelfth Ave (West Side Hwy)
Broadway
Dyer St
Lincoln Tunnel
La High Line
Times Square
42nd St-Times Sq
42nd St-Bryant Park
42nd St-Port Authority
34th St-Penn Station
34th St-Herald Sq
28th St
Bryant Park
New York Public Library
Empire State Building
Gare routière de Port Authority
Hell's Kitchen Flea Market
Penn Station
Jacob K Javits Convention Center
Chelsea Park
HERALD SQUARE
GARMENT DISTRICT
KOREATOWN
FLATIRON DISTRICT
CHELSEA
Pier 83
Pier 81
Pier 66
2
3
4
6
13
15
27
28
29
30
31
33
35

## Midtown West et Times Square

**Les incontournables**
1 Museum of Modern Art ........ G2
2 Times Square ........ E5

**À voir**
3 Herald Square ........ F7
4 International Center of Photography ........ F5
5 Intrepid Sea, Air & Space Museum ........ A4
6 Koreatown ........ F7
7 Museum of Arts & Design ........ E1
8 Radio City Music Hall ........ F3

**Où se restaurer**
9 Betony ........ F1
10 Burger Joint ........ F2
Cafe 2 ........ (voir 1)
11 Danji ........ D3
12 El Margon ........ F4
13 John Dory Oyster Bar ........ G8
14 Marseille ........ D4
Modern ........ (voir 1)
15 NoMad ........ G8
Terrace Five ........ (voir 1)
16 Totto Ramen ........ D3
17 ViceVersa ........ D3

**Où prendre un verre et faire la fête**
18 Industry ........ D3
19 Jimmy's Corner ........ F4
20 Lantern's Keep ........ G4
Robert ........ (voir 7)
21 Rudy's ........ D4
22 Rum House ........ E4

**Où sortir**
23 Birdland ........ D4
24 Carnegie Hall ........ E2
25 Caroline's on Broadway ........ E3
26 Don't Tell Mama ........ D4
Jazz at Lincoln Center ........ (voir 34)
27 Madison Square Garden ........ E7
28 Playwrights Horizons ........ D5
29 Second Stage Theatre ........ D5
30 Signature Theatre ........ C5

**Shopping**
31 B&H Photo Video ........ D7
32 Housing Works ........ D3
33 Macy's ........ F6
MoMA Design & Book Store ........ (voir 1)
34 Time Warner Center ........ D1

**Sports et activités**
35 Circle Line Boat Tours ........ A5
36 Downtown Boathouse (Midtown) ........ A2
37 Municipal Art Society ........ F1

Hooni Kim, étoilé au Michelin, sait faire frémir les papilles avec ses "tapas" coréennes. Servies dans un espace cosy et contemporain, ses petites merveilles sont réparties en deux catégories : traditionnelle et moderne.

### ViceVersa — Italien $$

**Plan p. 178 (☎212-399-9291 ; www.viceversanyc.com ; 325 W 51st St, entre 8th Ave et 9th Ave, Midtown West ; pâtes 10-22 $, plats 23-30 $ ; 🕐12h-14h30 et 17h-23h lun-ven, 17h-23h sam, 11h30-15h et 17h-22h dim ; S C/E jusqu'à 50th St).** La quintessence de l'Italie : suave, sophistiquée, affable et succulente. Parcourez le menu au fil de plats raffinés mêlant les influences régionales – *arancini* (boulettes de riz) accompagnées de truffe et de *fontina* (fromage fondu), ou cochon de lait rôti à feu doux assorti de pollen de fenouil et d'endives grillées.

### Gahm Mi Oak — Coréen $$

**Plan p. 170 (43 W 32nd St entre Broadway et 5th Ave ; plats 10-22 $ ; 🕐24h/24 ; S N/Q/R, B/D/F/M jusqu'à 34th St-Herald Sq).** C'est le lieu idéal pour un *yook hwe* (bœuf cru aux allumettes de *nashi*, la poire chinoise) à 3 h du matin. Son authenticité transparaît dans des plats tels que le *sul long tang* (un bouillon laiteux d'os de bœuf mijoté pendant 12 heures et agrémenté de poitrine de bœuf et d'échalotes), spécialité de la maison, qui viendrait à bout de toutes les gueules de bois.

### Betony — Américain moderne $$$

**Plan p. 178 (☎212-465-2400 ; www.betony-nyc.com ; 41 W 57th St, entre 5th Ave et 6th Ave ; plats 27-38 $ ; 🕐17h-22h lun-jeu, 17h-22h30 ven-sam ; S F jusqu'à 57th St).** Menus excitants, service impeccable et atmosphère très "downtown" : bienvenue dans le dernier bijou de Midtown. Avec ses vitres de style industriel, sa brique nue et son bar interminable, l'espace du devant est idéal pour un cocktail apéritif. En revanche, pour savourer les plats sophistiqués et malicieux du chef Bryce Shuman, demandez une table dans l'arrière-salle intime et baroque.

### NoMad — Nouvelle cuisine américaine $$$

**Plan p. 178 (☎347-472-5660 ; www.thenomadhotel.com/#!/dining ; NoMad Hotel, 1170 Broadway,**

**à la hauteur de 28th St ; plats 20-37 $ ; 🕒12h-14h et 17h30-22h30 lun-jeu, 12h-14h et 17h30-23h ven, 11h-14h et 17h30-23h sam, 11h-15h et 17h30-22h dim ; S N/R, 6 jusqu'à 28th St, F/M jusqu'à 23rd St).** Le NoMad, qui partage le même nom que le brillant hôtel qui l'abrite, s'est affirmé comme l'un des hauts lieux gastronomiques de Manhattan. Divisé en une série d'espaces distincts – dont un atrium où il est bon de se faire voir, un salon victorien et une bibliothèque où l'on sert uniquement des en-cas – ce restaurant est le cousin plus branché et (légèrement) plus décontracté de l'Eleven Madison Park, étoilé au Michelin. Les menus sont éclectiques, europhiles et – conformément à la réputation du chef Daniel Humm – un tantinet malicieux.

**Marseille** Français, Méditerranéen **$$$**
**Plan p. 178 (www.marseillenyc.com ; 630 9th Ave, à la hauteur de 44th St ; plats 20-29 $ ; 🕒11h30-23h dim-mar, 11h30-minuit mer-sam ; S A/C/E jusqu'à 42nd St-Port Authority).** Hésitant entre le hall de cinéma à l'ancienne et la brasserie Art déco, cette adresse incontournable de Hell's Kitchen est un endroit fabuleux pour siroter un "pamplemousse" (vodka Absolut Ruby Red, Campari, fleur de sureau et agrumes) et déguster une cuisine franco-méditerranéenne riche en saveurs, à l'exemple de la tarte provençale au chèvre ou du poulet à la toscane au jus de truffe.

# Où prendre un verre et faire la fête

## Midtown East et Fifth Avenue

**PJ Clarke's** Bar
**Plan p. 170 (www.pjclarkes.com ; 915 3rd Ave à la hauteur de 55th St, Midtown East ; 🕒11h30-4h ; S E/M jusqu'à Lexington Ave-53rd St).** Bastion du vieux New York, ce bar à l'ancienne décoré de bois patiné existe depuis 1884 ; Buddy Holly y a demandé sa fiancée en mariage et Frank Sinatra était presque propriétaire de la table 20. Choisissez une chanson sur le juke-box, commandez un fabuleux hamburger et rejoignez la foule bigarrée d'employés en costume-cravate, d'étudiants et de citadins nostalgiques.

**Middle Branch** Bar à cocktails
**Plan p. 170 (154 E 33rd St, entre Lexington Ave et 3rd Ave, Midtown East ; 🕒17h-2h ; S 6 jusqu'à 33rd St).** Création originale de l'empereur du cocktail Sasha Petraske, cet établissement sur deux niveaux apporte un plus bienvenu à un quartier de Murray Hill centré sur la bière et la margarita. Les beaux barmen concoctent certains des meilleurs breuvages de Midtown, entre classiques et réinterprétations espiègles comme l'Enzoni (une variante du Negroni avec citron et raisin). Espèces uniquement.

PJ Clarke's
PETER HORREE/ALAMY ©

**Subway Inn** Bar de quartier
**Plan p. 170 (143 E 60th St entre Lexington Ave et 3rd Ave, Midtown East ; 11h-4h lun-sam, à partir de 12h dim ; S 4/5/6 jusqu'à 59th St, N/Q/R jusqu'à Lexington Ave-59th St).** Ce repaire d'une autre génération est un classique des bars à prix doux. Malgré son rock classique et ses alcôves rouges usées, l'endroit se souvient des jours où Marilyn Monroe y venait.

**Terroir** Bar à vins
**Plan p. 170 (439 3rd Ave, entre 30th St et 31st St, Midtown East ; 17h-1h lun-jeu, 17h-2h ven-sam, 17h-23h dim ; S 6 jusqu'à 28th St).** La carte des vins, bien pensée et abordable, propose un choix impressionnant de crus au verre.

## Midtown West et Times Square

**Top of the Strand** Bar à cocktails
**Plan p. 170 (www.topofthestrand.com ; Strand Hotel, 33 W 37th St entre 5th Ave et 6th Ave ; 17h-minuit lun et dim, 17h-1h mar-sam ; S B/D/F/M jusqu'à 34th St).** Pour vivre un moment très new-yorkais, allez au bar situé sur la terrasse de l'hôtel **Strand** (**212-448-1024 ; www.thestrandnyc.com ; ch 255-630 $ ;** ) et commandez un cocktail. Doté de *cabanas* et d'un toit ouvrant en verre, il offre une vue inoubliable sur l'Empire State Building.

**Rum House** Bar à cocktails
**Plan p. 178 (www.edisonrumhouse.com ; 228 W 47th St entre Broadway et 8th Ave, Midtown West ; 13h-4h ; S N/Q/R jusqu'à 49th St).** Il n'y a pas si longtemps, cet établissement était le piano-bar vieillot de l'hôtel Edison. Puis est arrivée l'équipe du Ward III, bar de Tribeca, qui a arraché la moquette crasseuse, astiqué le comptoir en cuivre et redonné vie à cette tranche de vieux New York. Un pianiste joue encore du mercredi au lundi, mais il y a maintenant des boissons soignées et un choix expert de whiskies et de rhums.

**Lantern's Keep** Bar à cocktails
**Plan p. 178 (212-453-4287 ; www.thelanternskeep.com ; Iroquois Hotel, 49 W 44th St, entre 5th Ave et 6th Ave ; 17h-minuit lun-ven, 18h-1h sam ; S B/D/F/M jusqu'à 42nd St-Bryant Park).** Pouvez-vous garder un secret ? Si oui, traversez le hall

Bryant Park (p. 168)

LUIS DAVILLA/GETTY IMAGES ©

# À ne pas manquer
## Rockefeller Center

Les quelque 9 ha de cette "ville dans la ville", dont la construction dura 9 ans, furent inaugurés au plus fort de la crise économique de 1929. C'était le premier complexe du pays à associer commerces de détail, espaces de loisirs et bureaux – une étendue moderniste composée de 19 immeubles (dont 14 sont des bâtiments originaux Art déco), de places extérieures et de grandes enseignes. Son coût (pas moins de 100 millions de dollars) a dû donner des sueurs froides au promoteur immobilier John D. Rockefeller Jr. L'ensemble fut déclaré monument historique en 1987.

Il y a des panoramas, et puis il y a *le* panorama depuis la plate-forme de **Top of the Rock** (plan p. 170 ; www.topoftherocknyc.com ; 30 Rockefeller Plaza, à la hauteur de 49th St, entrée dans W 50th St, entre 5th Ave et 6th Ave ; adulte/enfant 27/17 $, lever/coucher du soleil 40/22 $ ; 8h-minuit, dernier ascenseur à 23h ; S B/D/F/M jusqu'à 47th-50th Sts-Rockefeller Center). Au sommet du GE Building, 70 étages au-dessus de Midtown, elle offre une vue époustouflante sur une icône : l'Empire State Building.

La série télévisée *30 Rock* tient son nom du GE Building, lequel abrite le siège de la chaîne de télévision NBC. La visite des studios de la chaîne, qui devrait reprendre début 2015, part de la boutique NBC Experience Store et permet d'entrapercevoir le Studio 8H, décor de l'émission culte *Saturday Night Live*. La réservation par téléphone est recommandée. De l'autre côté de 49th St, face à la place, se trouve le studio tout en verre de l'émission *Today*, diffusée chaque jour en direct de 7h à 11h.

Quand vient la période des fêtes, le plus célèbre arbre de Noël de New York est installé sur Rockefeller Plaza. Il domine la patinoire du Rockefeller Center, autre symbole de la ville.

### INFOS PRATIQUES

Plan p. 170 ; www.rockefeller-center.com ; de 5th Ave à 6th Ave et de 48th St à 51st St ; 24h/24, horaires variables pour chaque enseigne ; S B/D/F/M jusqu'à 47th St-50th St-Rockefeller Center

de l'**Iroquois Hotel** (☎800-332-7220, 212-840-3080 ; www.iroquoisny.com ; ch 289-559 $ ; Wi-Fi) et entrez dans ce bar sombre et intime spécialisé dans les cocktails d'autrefois, préparés par des mixologistes passionnés et distingués. Réservation recommandée.

**Jimmy's Corner** Bar de quartier

**Plan p. 178 (140 W 44th St entre 6th Ave et 7th Ave, Midtown West ; 11h30-4h lun-sam, à partir de 15h dim ; S N/Q/R, 1/2/3, 7 jusqu'à 42nd St-Times Sq ; B/D/F/M jusqu'à 42nd St-Bryant Park).** Ce bar accueillant et sans prétention proche de Times Sq est tenu par un vieil entraîneur de boxe, comme les photos de pugilistes – célèbres ou non – accrochées au mur le laissent deviner.

Le juke-box, qui joue aussi bien de la soul que du Miles Davis, reste suffisamment discret pour que l'on puisse venir ici bavarder entre amis.

**Industry** Bar gay

**Plan p. 178 (www.industry-bar.com ; 355 W 52nd St entre 8th Ave et 9th Ave, Midtown West ; 16h-4h ; S C/E, 1 jusqu'à 50th St).** Ce qui était autrefois un garage est devenu un bar gay avec une salle élégante de 172 m² dotée de beaux salons, d'un billard et d'une scène pour les excellentes drag-queens.

**Rudy's** Bar de quartier

**Plan p. 178 (www.rudysbarnyc.com ; 627 9th Ave à la hauteur de 44th St, Midtown West ; 8h-4h lun-sam, 12h-4h dim ; S A/C/E jusqu'à 42nd St-Port Authority Bus Terminal).** Un cochon portant une veste rouge marque l'entrée. Vous aurez le choix entre deux sortes de pichets de bière bon marché, à déguster dans une alcôve semi-circulaire. Les hot-dogs sont gratuits. La clientèle, variée, vient flirter ou regarder des matchs des Knicks sans le son en écoutant du rock classique.

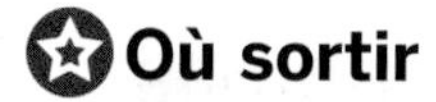

# Où sortir

## Midtown West et Times Square

**Jazz at Lincoln Center** Jazz

**Plan p. 178 (☎billets pour le Dizzy's Club Coca-Cola 212-258-9595, billets pour le Rose Theater et l'Allen Room 212-721-6500 ; www.jazzatlincolncenter.org ; Time Warner Center, Broadway à la hauteur de 60th St ; S A/C, B/D, 1 jusqu'à 59th St-Columbus Circle).** Tout en haut du Time Warner Center, le Jazz at Lincoln Center est composé de trois salles dernier cri : le Rose Theater, de taille moyenne ; l'Allen Room, panoramique et vitrée ; et le Dizzy's Club Coca-Cola, intime et évocateur, qui organise régulièrement des spectacles nocturnes.

Allen Room, Jazz at Lincoln Center

### Carnegie Hall Concerts

**Plan p. 178 (☎212-247-7800 ; www.carnegiehall.org ;W 57th St, à la hauteur de 7th Ave, Midtown West ; visite adulte/enfant 15/5 $ ; ⏲visite 11h30, 22h30, 14h et 15h lun-ven, 11h30 et 12h30 sam, 12h30 dim oct-mai ; Ⓢ N/Q/R jusqu'à 57th St-7th Ave).** Si cette salle de concerts mythique n'est ni la plus grande ni la plus majestueuse du monde, c'est indéniablement l'une des meilleures du point de vue de l'acoustique. L'auditorium Isaac Stern voit se produire de grands interprètes d'opéra, de jazz et de folk, tandis que le très populaire Zankel Hall accueille des concerts plus avant-gardistes de jazz, de pop, de musique classique et de musiques du monde.

### Signature Theatre Théâtre

**Plan p. 178 (☎billets 212-244-7529 ; www.signaturetheatre.org ; 480 W 42nd St, entre 9th Ave et 10th Ave, Midtown West ; Ⓢ A/C/E jusqu'à 42nd St-Port Authority Bus Terminal).** Dans ses locaux conçus par Frank Gehry – comprenant trois théâtres, une librairie et un café – le Signature Theatre consacre des saisons entières à l'œuvre de ses dramaturges en résidence (d'hier ou d'aujourd'hui). Faites en sorte de réserver un mois à l'avance.

### Playwrights Horizons Théâtre

**Plan p. 178 (☎billetterie 212-279-4200 ; www.playwrightshorizons.org ; 416 W 42nd St entre 9th Ave et 10th Ave, Midtown West ; Ⓢ A/C/E jusqu'à 42nd St-Port Authority Bus Terminal).** Un endroit idéal pour découvrir avant tout le monde les pièces qui pourraient devenir de grands succès. On y a vu *le Clybourne Park* de Bruce Norris, récompensé par un Tony Award, ainsi que *I Am My Own Wife* et *Grey Gardens*, qui furent ensuite montées à Broadway.

### Birdland Jazz, cabaret

**Plan p. 178 (☎212-581-3080 ; www.birdlandjazz.com ; 315 W 44th St entre 8th Ave et 9th Ave, Midtown West ; entrée 20-50 $ ; ⏲17h-1h ; 📶 ; Ⓢ A/C/E jusqu'à 42nd St-Port Authority Bus Terminal).** Cette salle de légende aux allures chics doit son nom à Charlie Parker, surnommé "Bird", qui tenait la vedette dans l'ancienne salle dans 52nd St, avec Miles Davis et Thelonious Monk entre autres. Leurs portraits sont accrochés aux murs.

### Caroline's on Broadway Spectacles comiques

**Plan p. 178 (☎212-757-4100 ; www.carolines.com ; 1626 Broadway à la hauteur de 50th St ; Ⓢ N/Q/R jusqu'à 49th St ; 1 jusqu'à 50th St).** Cette belle et spacieuse salle est apparue dans de nombreux films et de grands noms s'y produisent. C'est un lieu privilégié pour voir des pointures de l'humour américain et des vedettes de sitcom.

### Second Stage Theatre Théâtre

**Plan p. 178 (Tony Kiser Theatre ; ☎212-246-4422 ; www.2st.com ; 305 W 43rd St à la hauteur de 8th Ave, Midtown West ; Ⓢ A/C/E jusqu'à 42nd St-Port Authority Bus Terminal).** Cette salle est réputée pour accueillir de talentueux auteurs émergents, ainsi que des noms plus connus.

### Don't Tell Mama Cabaret

**Plan p. 178 (☎212-757-0788 ; www.donttellmamanyc.com ; 343 W 46th St, entre 8th Ave et 9th Ave, Midtown West ; ⏲16h-3h lun-jeu, 16h-4h ven-dim ; Ⓢ N/Q/R, S, 1/2/3, 7 jusqu'à Times Sq-42nd St).** Piano-bar et cabaret hors du commun, le Don't Tell Mama est une petite salle sans prétention qui existe depuis 25 ans et ne manque pas de talent. Les artistes qu'elle accueille ne sont pas de grands noms, mais de vrais amoureux de la scène qui donnent tout à chaque représentation.

### Madison Square Garden Stade

**Plan p. 178 (www.thegarden.com ; 7th Ave entre 31st St et 33rd St, Midtown West ; Ⓢ 1/2/3 jusqu'à 34th St-Penn Station).** Cette salle, la plus grande de la ville, fait partie d'un complexe abritant aussi Penn Station et le WaMu Theater. C'est là que vous pourrez voir de grands noms, de Kanye West à Madonna. C'est aussi une salle de sport où l'on peut assister à des matchs de basket-ball, de hockey, mais aussi de boxe, sans parler du concours canin annuel du Westminster Kennel Club.

# Shopping

## Midtown East et Fifth Avenue

### MoMA Design & Book Store

Livres, cadeaux

**Plan p. 178 (www.momastore.org ; 11 W 53rd St entre 5th Ave et 6th Ave ; 9h30-18h30 sam-jeu, 9h30-21h ven ; S E/M jusqu'à 5th Ave-53rd St).** Le magasin du Museum of Modern Art est à la fois une librairie et une boutique de souvenirs design. Outre d'excellents livres, vous trouverez des reproductions d'œuvres d'art et des affiches, des articles originaux pour la maison, des bijoux, des sacs et des bibelots uniques. Le MoMA Design Store, de l'autre côté de la rue, vend des meubles, des luminaires et des articles de la marque Muji.

### Barneys

Grand magasin

**Plan p. 170 (www.barneys.com ; 660 Madison Ave, à la hauteur de 61st St, Midtown East ; 10h-20h lun-ven, 10h-19h sam, 11h-18h dim ; S N/Q/R jusqu'à 5th Ave-59th St).** Les authentiques fashionistas font leurs achats chez Barneys, réputé pour les collections expertes de marques pointues telles Holmes & Yang, Kitsuné ou Derek Lam. Pour des articles (légèrement) moins coûteux destinés à une clientèle plus jeune, voyez le 8ᵉ étage et ses griffes conjuguant chic et streetwear.

### Bergdorf Goodman

Grand magasin

**Plan p. 170 (www.bergdorfgoodman.com ; 754 5th Ave, entre 57th St et 58th St ; 10h-20h lun-ven, 10h-19h sam, 12h-18h dim ; S N/Q/R jusqu'à 5th Ave-59th St, F jusqu'à 57th St).** Le "BG" n'est pas uniquement apprécié pour ses vitrines de Noël (les plus belles de la ville), il est aussi à la pointe en matière de marques – sa directrice de la mode Linda Fargo est considérée comme une sorte d'Anna Wintour. Parmi ses atouts, les collections exclusives de vêtements Tom Ford et de chaussures Chanel, un vaste rayon consacré aux souliers pour femmes, et la plus importante collection de vêtements pour hommes et femmes signés Thom Browne.

Le magasin pour hommes est en face de celui consacré aux femmes.

Time Warner Center

### Tiffany & Co — Bijoux et décoration

**Plan p. 170 (www.tiffany.com ; 727 5th Ave ; ⌚10h-19h lun-sam, 12h-18h dim ; S F jusqu'à 57th St, N/Q/R jusqu'à 5th Ave-59th St).** Ce célèbre joaillier, dont l'enseigne représente Atlas soutenant une pendule, a conquis bien des cœurs avec ses bagues en diamants, ses montres et ses colliers en argent Elsa Peretti. Des liftiers à l'ancienne se chargent des beaux ascenseurs.

### FAO Schwarz — Jouets

**Plan p. 170 (www.fao.com ; 767 5th Ave ; ⌚10h-20h dim-jeu, 10h-21h ven-sam ; S 4/5/6 jusqu'à 59th St ; N/Q/R jusqu'à 5th Ave-59th St).** Le géant du jouet, où Tom Hanks jouait du piano dans le film *Big*, est numéro un sur la liste de la plupart des enfants de passage à New York.

### Uniqlo — Vêtements

**Plan p. 170 (www.uniqlo.com ; 666 5th Ave à la hauteur de 53rd St ; ⌚10h-21h lun-sam, 11h-20h dim ; S E/M jusqu'à 5th Ave-53rd St).** Uniqlo a installé ici son sensationnel navire amiral de 8 268 m². Vous trouverez des basiques branchés de qualité à prix abordables : T-shirts, sous-vêtements, jeans, pulls en cachemire, parkas sophistiquées, etc.

### Dylan's Candy Bar — Alimentation

**Plan p. 170 (www.dylanscandybar.com ; 1011 Third Ave à la hauteur de 60th St, Midtown East ; ⌚10h-21h lun-jeu, 10h-23h ven-sam, 11h-21h dim ; S N/Q/R jusqu'à Lexington Ave-59th St).** Un palais des gourmands qui s'étend sur trois niveaux avec sucettes géantes, barres chocolatées croustillantes, bocaux remplis de bonbons gélifiés, *cupcakes* de la taille d'une balle de base-ball ou escalier luminescent serti de bonbons inaccessibles. Évitez le week-end, quand le magasin est envahi d'enfants surexcités. Il y a un café à l'étage.

## Midtown West et Times Square

### Macy's — Grand magasin

**Plan p. 178 (www.macys.com ; 151 W 34th St, à la hauteur de Broadway ; ⌚9h-21h30 lun-ven, 10h-21h30 sam, 11h-20h30 dim ; S B/D/F/M, N/Q/R jusqu'à 34th St-Herald Sq).** Fraîchement remis d'un lifting bienvenu, le plus grand magasin du monde propose un éventail complet – mode, mobilier, ustensiles de cuisine, draps, cafés, salons de coiffure, et même une antenne de la boutique de cadeaux du Metropolitan Museum of Art. Prix de catégorie moyenne, marques grand public et fameuses marques de cosmétiques.

### Housing Works — Vêtements d'occasion

**Plan p. 178 (www.housingworks.org ; 730-732 9th Ave ; ⌚11h-20h lun-sam, 11h-18h dim ; S C/E jusqu'à 50th St).** Bienvenue dans la boutique de la fameuse friperie caritative, où les chemises Burberry se vendent à 25 $ et les pantalons en daim Joseph à 40 $.

### B&H Photo-Video — Matériel électronique

**Plan p. 178 (www.bhphotovideo.com ; 420 9th Ave entre 33rd St et 34th St, Midtown West ; ⌚9h-19h lun-jeu, 9h-13h ven, 10h-18h dim ; S A/C/E jusqu'à 34th St-Penn Station).** Visiter ce magasin est une expérience en soi. Immense et bondé, il est sillonné de vendeurs juifs hassidiques, venus du fin fond de Brooklyn. Lorsque vous avez fait votre choix, l'article est déposé dans un seau et hissé à travers le plafond jusqu'aux caisses (où vous devez faire à nouveau la queue).

### Time Warner Center — Centre commercial

**Plan p. 178 (www.theshopsatcolumbuscircle.com ; Time Warner Center, 10 Columbus Circle ; S A/C, B/D, 1 jusqu'à 59th St-Columbus Circle).** Le tape-à-l'œil Time Warner Center abrite de nombreuses boutiques principalement haut de gamme, dont Coach, Stuart Weitzman, Williams-Sonoma, True Religion, Sephora et J Crew. Pour préparer un pique-nique à Central Park, visitez le gigantesque **Whole Foods** **(www.wholefoodsmarket.com ; Time Warner Center, 10 Columbus Circle ; ⌚7h30-23h ; S A/C, B/D, 1 jusqu'à 59th St-Columbus Circle)**, au sous-sol.

# Upper East Side

**L'Upper East Side abrite la plus grande concentration de lieux culturels.** Un long tronçon de Fifth Ave, au nord de 79th St, a même été officiellement désigné le "Museum Mile". Il comprend notamment le musée entre tous : le Metropolitan Museum of Art.

Toutefois, le quartier ne se résume pas à des musées de premier plan : il compte aussi quantité de boutiques haut de gamme, de même que nombre des hôtels et résidences les plus sélects de la ville (sans parler de ses célébrités, de Woody Allen à Shirley MacLaine). Quant à ses habitants, ils mènent une petite guerre cordiale avec leurs éternels rivaux de l'Upper West Side, juste de l'autre côté du parc.

Les petites rues allant de Fifth Ave à Third Ave, entre 57th St et 86th St, sont jalonnées de superbes hôtels particuliers et de *brownstones*. Une balade dans ce secteur le soir permet de voir comment vivent les résidents les plus aisés.

# Upper East Side
# À ne pas manquer

## Frick Collection (p. 205)

Le riche et habile Henry Clay Frick, magnat de l'acier de Pittsburgh, créa un trust afin de faire de sa collection d'art privée un musée. Y sont exposés des tableaux de Titien et Vermeer, ainsi que des portraits de Gilbert Stuart, du Greco, de Goya et de John Constable. Le lieu n'est jamais bondé, ce qui change agréablement des foules des plus grands musées.

## Shopping (p. 209)

L'Upper East Side n'est pas pour les bourses maigrichonnes. Madison Ave (de 60th St à 72nd St) comporte l'une des zones commerçantes les plus fastueuses de la planète, avec les magasins de certains des plus grands créateurs du monde, notamment Cartier, Prada et Gucci. Le quartier est également idéal pour dénicher des pièces de luxe à prix réduits dans les dépôts-ventes.

Cartier, 5th Avenue
JON ARNOLD/GETTY IMAGES ©

BEN HIDER/GETTY IMAGES ©

## Neue Galerie (p. 198)

3

Cette vitrine de l'art allemand et autrichien (Gustav Klimt, Paul Klee, Egon Schiele) est un petit bijou parmi les grands musées de Fifth Ave. Elle occupe une ancienne demeure des Rockefeller dotée d'escaliers à révolution et de balustrades en fer forgé. Le musée compte un ravissant restaurant en rez-de-chaussée, le Café Sabarsky (p. 206). Installé en angle, il donne sur Central Park.

SYLVAIN SONNET/GETTY IMAGES ©

4

## Guggenheim Museum (p. 196)

Derrière la façade de l'édifice imaginé par Frank Lloyd Wright, le musée Guggenheim accueille quelques-unes des meilleures expositions de New York. Son architecture unique et ses allées hélicoïdales jalonnées d'œuvres d'art lui confèrent une dimension assez inhabituelle. Hormis ses expositions d'avant-garde, l'endroit abrite une belle collection d'œuvres modernes, dont plusieurs toiles emblématiques de Van Gogh, Magritte et Pollock.

5

## Metropolitan Museum of Art (p. 194)

Dépositaire de l'une des plus vastes collections d'art de la planète, le "Met" défie tout bonnement l'imagination. Couvrant plusieurs siècles, cette véritable mine aux trésors se distingue notamment par ses sarcophages égyptiens (et son temple grandeur nature), ses œuvres de la Grèce antique, ses trésors médiévaux, ses toiles de maîtres européens et ses peintures de l'école américaine. Le plus difficile ? Décider par quoi commencer.

# Balade cinématographique dans l'Upper East Side

*Si l'Upper East Side constitue l'épicentre du luxe new-yorkais, s'y balader permet aussi de découvrir les lieux de tournage les plus mythiques de Manhattan.*

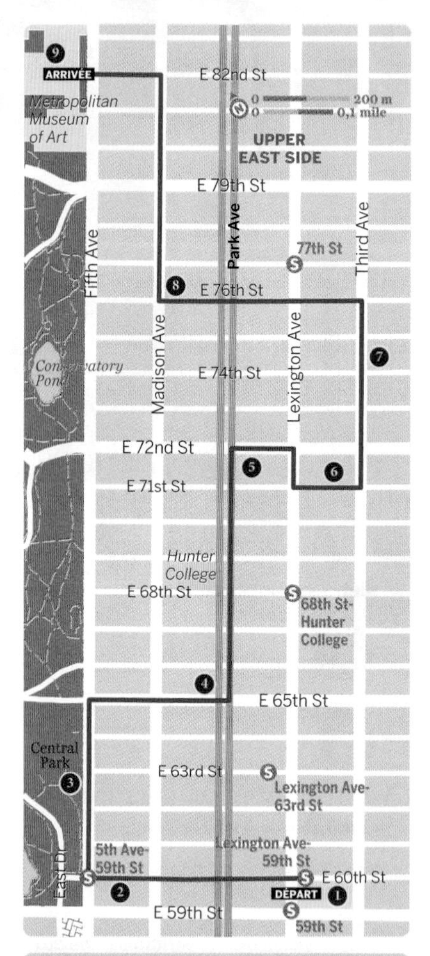


## ITINÉRAIRE

- **Départ** Bloomingdale's
- **Arrivée** Metropolitan Museum of Art
- **Distance** 2,4 km
- **Durée** 2 heures

### ❶ Bloomingdale's

Commencez par le fameux grand magasin Bloomingdale's (p. 208), où Daryl Hannah et Tom Hanks fracassent des téléviseurs dans *Splash* (1984) et où Dustin Hoffman hèle un taxi dans *Tootsie* (1982). À l'intérieur, c'est un festival de vêtements et de chaussures de grands créateurs du monde entier.

### ❷ Copacabana

Plus à l'ouest, au 10 60th St, se trouve l'emplacement de l'ancien Copacabana, une boîte de nuit qui accueillit Ray Liotta et Lorraine Bracco dans *Les Affranchis* (1990) et un avocat cocaïnomane incarné par Sean Penn dans *L'Impasse* (1993).

### ❸ Central Park

Continuez à descendre 60th St jusqu'à Central Park (p. 216). Le parc apparaît dans *La Famille Tenenbaum* (2001), *S.O.S. Fantômes* (1983), *Les Muppets à Manhattan* (1984), *Pieds nus dans le parc* (1967) et le film culte *Les Guerriers de la nuit* (1979).

### ❹ Appartement de John Malkovich

Remontez Fifth Ave puis tournez à droite dans E 65th St et continuez jusqu'à Park Ave. Au 620 Park Ave à l'angle de 65th St, vous verrez l'immeuble qui abrite l'appartement de John Malkovich dans le fameux *Dans la peau de John Malkovich* de Charlie Kaufman (1999).

### ❺ Tour

Plus au nord, au 114 72nd St se trouve la **tour** où Sylvia Miles attire Jon Voight dans *Macadam Cowboy* (1969).

**6 Appartement de Holly Golightly**

Une rue plus loin à l'est puis au sud, au 171 E 71st St se trouve un hôtel particulier qui apparaît dans l'un des plus célèbres films dont New York est la vedette : celui de l'appartement de Holly Golightly dans *Diamants sur canapé* (1961).

**7 JG Melon**

En continuant vers l'est jusqu'à Third Ave, vous tomberez sur JG Melon à l'angle de 74th St, idéal pour un hamburger et une bière, lieu d'une entrevue entre Dustin Hoffman et Meryl Streep dans *Kramer contre Kramer* (1979).

**8 Carlyle**

Retournez à l'ouest jusqu'à Madison Ave pour rejoindre le très chic hôtel Carlyle, au 35 76th St, où Woody Allen et Dianne Wiest ont un rendez-vous qui tourne au désastre dans *Hannah et ses sœurs* (1986). Dans la vraie vie, John et Jacqueline Kennedy, ainsi que la princesse Diana, ont figuré parmi les hôtes de marque de l'hôtel.

**9 Metropolitan Museum of Art**

Du Carlyle, un court trajet direction nord et ouest conduit au Met (p. 194), à l'angle de 82nd St et Fifth Ave, où Angie Dickinson fait une rencontre fatale dans *Pulsions* (1980) et Billy Crystal baratine Meg Ryan dans *Quand Harry rencontre Sally* (1989). Terminez la balade en vous perdant parmi les collections inestimables du musée.

## Les meilleurs

### RESTAURANTS

**James Wood Foundry** Gastropub d'inspiration anglaise. (p. 206)

**Café Sabarsky** Les délicieuses spécialités autrichiennes méritent l'attente. (p. 206)

**ABV** Un espace animé pour déguster de savoureuses petites assiettes et bières artisanales. (p. 206)

**Tanoshi** Un restaurant d'apparence modeste et de formidables sushis (p. 207)

**Café Boulud** Un excellent choix en matière de cuisine étoilée. (p. 207)

### BARS

**Metropolitan Museum Roof Garden Café & Martini Bar** Pour siroter un verre avec vue sur Central Park. (p. 208)

**Vinus and Marc** Cocktails gagnants dans ce lieu au look rétro. (p. 207)

**Bemelmans Bar** Un faste digne de la haute société. (p. 208)

### DEMEURES ANCIENNES

**Frick Collection** La flamboyante maison-musée de Henry Clay Frick. (p. 205)

**Neue Galerie** Une ancienne résidence des Rockefeller proche du Met. (p. 198)

**Cooper-Hewitt National Design Museum** La maison de 64 pièces du milliardaire Andrew Carnegie. (p. 201)

Central Park et l'Upper East Side

# À ne pas manquer Metropolitan Museum of Art

Cet immense musée encyclopédique, fondé en 1870, abrite l'une des plus vastes collections d'art du monde. Sa collection permanente réunit plus de deux millions de pièces, des temples égyptiens aux tableaux américains. Le "Met" attire près de six millions de visiteurs par an dans ses 68 800 m² de galeries, qui en font le plus grand site touristique de New York. Prévoyez donc d'y passer beaucoup de temps.

212-535-7710

www.metmuseum.org

1000 Fifth Ave au niveau de 82nd St

Don suggéré adulte/enfant 25 $/gratuit

10h-17h30 dim-jeu, 10h-21h ven-sam

S 4/5/6 jusqu'à 86th St

## Art égyptien

Le musée possède une collection incomparable d'œuvres égyptiennes antiques, dont certaines datent du paléolithique. Situées au nord du grand hall, les 39 galeries égyptiennes s'ouvrent de manière spectaculaire sur l'un des joyaux du Met : le mastaba de Perneb (prince et prêtre ayant vécu env. 2 300 av. J.-C.), un tombeau en roche calcaire de l'Ancien Empire. Il est entouré d'un réseau de salles exposant stèles funéraires, reliefs sculptés et fragments de pyramides (ne manquez pas l'irrésistible sculpture en quartzite représentant un lionceau dans la galerie 103). Le temple de Dendour dédié à la déesse Isis (galerie 131), en grès, est exposé dans un atrium lumineux – un incontournable si vous venez pour la première fois.

## Peintures européennes

Au 2e niveau, les galeries de peintures européennes abritent une collection remarquable de chefs-d'œuvre parmi lesquels plus de 1 700 toiles couvrant une période d'environ 500 ans depuis le XIIIe siècle. On y rencontre tous les artistes de renom, de Duccio à Rembrandt. À l'extrémité nord, dans la galerie 615, se trouve la délicate *Jeune fille assoupie* de Vermeer (XVIIe siècle). La galerie 608, à l'ouest, contient le lumineux retable Colonna du XVIe siècle réalisé par Raphaël. Dans la galerie 618, des œuvres de Zurbarán et de Murillo voisinent avec toute une série de peintures de Velázquez, dont la plus extraordinaire représente le fringant Juan de Pareja, l'esclave-assistant mulâtre du peintre.

## Art des pays arabes

Cet espace récemment rénové du 2e niveau et nommé "nouvelles galeries d'art des pays arabes, de Turquie, d'Iran, d'Asie centrale et d'Asie du Sud" comporte 15 salles incroyables qui exposent la vaste collection d'art du Moyen-Orient, ainsi que d'Asie centrale et du Sud. Outre des vêtements, des objets décoratifs profanes et des manuscrits, on y trouve des trésors tels qu'un jeu d'échecs en céramique du XIIe siècle originaire d'Iran (galerie 453) résolument moderniste par sa simplicité. Parmi les pièces remarquables figurent également de superbes textiles ottomans (galerie 459), une cour médiévale marocaine (galerie 456) et une salle du XVIIIe siècle provenant de Damas (galerie 461).

## Aile américaine

À l'angle nord-ouest, les galeries américaines récemment restaurées présentent une grande variété d'objets d'arts décoratifs et d'art couvrant toute l'histoire des États-Unis, allant des portraits de l'époque coloniale aux chefs-d'œuvre de l'Hudson River School en passant par la scandaleuse *Madame X* de John Singer Sargent (galerie 771), sans oublier l'imposant *Washington Crossing the Delaware* d'Emanuel Leutze (galerie 760). Les galeries entourent un jardin de sculptures qui jouxte un agréable café.

## Jardin sur le toit

L'un des meilleurs endroits du musée est son jardin sur le toit. Des installations d'artistes contemporains et du XXe siècle y sont exposées en alternance (Sol LeWitt, Jeff Koons et Andy Goldsworthy ont tous exposé ici), mais son principal atout est la vue sur la ville et Central Park. On peut aussi y prendre un verre au **Roof Garden Café & Martini Bar** (p. 207) – idéal au coucher du soleil. Le jardin est ouvert d'avril à octobre.

### Visiter le musée

Dans le grand hall, un bureau loue des audioguides en plusieurs langues (7 $), tandis que des guides proposent gratuitement des visites. Si vous ne supportez pas la cohue, évitez les week-ends.

# À ne pas manquer Guggenheim Museum

Véritable sculpture en lui-même, le bâtiment en spirale conçu par l'architecte Frank Lloyd Wright éclipse presque la collection d'art du XXe siècle qu'il contient. Achevé en 1959, il fut tourné en ridicule par certains critiques mais acclamé par d'autres, qui l'accueillirent comme une icône architecturale. Depuis son ouverture, il est apparu dans d'innombrables cartes postales, émissions télévisées et films.

☎ 212-423-3500

www.guggenheim.org

1071 Fifth Ave au niveau de 89th St

Adulte/enfant 22 $/gratuit, don libre 17h45-19h45 sam

🕘 10h-17h45 dim-mer et ven, 10h-19h45 sam

👪

S 4/5/6 jusqu'à 86th St

## Des origines abstraites

Le Guggenheim est né de la collection de Solomon R. Guggenheim, un magnat new-yorkais de l'industrie minière qui commença à acquérir des œuvres d'art abstrait lorsqu'il atteignit la soixantaine, incité par sa conseillère artistique, une baronne allemande excentrique nommée Hilla Rebay. En 1939, Guggenheim ouvrit un musée temporaire dirigé par cette dernière dans 54th St, baptisé musée de la Peinture non figurative. Une odeur d'encens flottait dans ses salles aux murs en velours gris où résonnait de la musique classique. Quatre ans plus tard, les deux partenaires chargèrent Wright de construire un lieu permanent pour accueillir la collection.

## Un Guggenheim en couleur

Wright fit des centaines de croquis et réfléchit à divers matériaux pour la construction du musée. À un moment donné, il envisagea d'utiliser du marbre rouge pour la façade – on le voit sur un dessin de 1945 – mais ce projet fut rejeté.

## Des années de réalisation

Comme tout projet d'aménagement à New York, celui-ci mit très longtemps à se concrétiser. La construction fut retardée de presque 13 ans à cause des contraintes budgétaires, de la guerre et des voisins indignés qui n'étaient pas ravis de voir un ovni architectural atterrir près de chez eux. Elle s'acheva en 1959, après la mort de Wright et de Guggenheim.

## Une pluie de critiques

Lorsque le Guggenheim ouvrit ses portes en octobre 1959, le prix d'entrée était de 50 ¢ et les œuvres exposées étaient signées Kandinsky, Alexander Calder et des expressionnistes abstraits Franz Kline et Willem De Kooning.

L'édifice fut violemment attaqué par le *New York Times*, qui le qualifia de "guerre entre l'architecture et la peinture dont toutes deux sortent gravement mutilées". Cependant, d'autres ne tardèrent pas à en faire l'éloge en le désignant "plus beau bâtiment de l'Amérique".

## Le musée aujourd'hui

La vaste collection du Guggenheim se compose notamment d'œuvres de Kandinsky, Picasso, Chagall et Pollock. En 1976, Justin Thannhauser fit don d'un trésor de tableaux impressionnistes et contemporains parmi lesquels des Monet, des Van Gogh et des Degas. Trois ans plus tard, Peggy, la nièce de Guggenheim, offrit au musée des toiles surréalistes majeures, dont des œuvres de René Magritte et Yves Tanguy. En 1992, la Robert Mapplethorpe Foundation lui légua 200 photos, faisant du Guggenheim le plus important dépositaire public de l'œuvre du photographe.

### Visiter le musée

La rampe hélicoïdale est occupée par des expositions temporaires d'art moderne et contemporain. Wright souhaitait que les visiteurs montent au sommet de l'édifice, puis redescendent en parcourant les rampes, mais l'ascenseur exigu ne le permet pas. Les expositions sont donc installées de bas en haut.

Sur place, deux bonnes adresses pour se restaurer : le **Wright** (☎212-427-5690 ; www.thewrightrestaurant.com ; musée Guggenheim, 1071 5th Ave, à la hauteur de 89th St ; plats 23-28 $ ; ⏲11h30-15h30 ven et dim-mer, 11h30-18h sam ; S 4/5/6 jusqu'à 86th St), au rez-de-chaussée, un restaurant futuriste servant un risotto bien chaud et des cocktails classiques, et le **Cafe 3** (www.guggenheim.org ; Guggenheim Museum, 1071 5th Ave, à la hauteur de 89th St ; sandwichs 9-10 $ ; ⏲10h30-17h ven-mer ; S 4/5/6 jusqu'à 86th St), au 3e niveau, qui offre une belle vue sur Central Park et propose un excellent café et des en-cas.

La file d'attente du musée peut être longue : achetez vos billets en ligne bien à l'avance.

# Découvrir l'Upper East Side

## Depuis/vers l'Upper East Side

**Métro** Les seules lignes de métro qui desservent le quartier sont les n[os] 4, 5 et 6, qui longent Lexington Ave direction nord et sud. Un nouveau tronçon passant sous Second Ave devrait être achevé fin 2016.

**Bus** Les lignes M1, M2, M3 et M4 descendent l'impressionnante 5th Ave, le long de Central Park. La M15 est pratique pour circuler dans l'extrême est de la ville, car elle remonte 1st Ave et descend 2nd Ave. Dans 66th St, 72nd St, 79th St, 86th St et 96th St, des bus traversent le parc jusqu'à l'Upper West Side.

Charles Engelhard Court, Metropolitan Museum of Art
STEVEN GREAVES/GETTY IMAGES ©

## À voir

### Metropolitan Museum of Art (p. 194) Guggenheim Museum (p. 196)

### Whitney Museum of American Art — Musée

**Plan p. 200 (☎212-570-3600 ; www.whitney.org ; 945 Madison Ave à la hauteur de 75th St ; adulte/enfant 20 $/gratuit, don libre 18h-21h ven ; ⏲11h-18h mer, jeu, sam et dim, 13h-21h ven ; S 6 jusqu'à 77th St).** Le Whitney affiche clairement sa vocation provocatrice avec son imposante structure brutaliste, qui abrite des œuvres de maîtres du XXe siècle parmi lesquels Edward Hopper, Jasper Johns, Georgia O'Keeffe et Mark Rothko. Outre les expositions temporaires, une biennale est organisée les années paires. Cette exploration ambitieuse de l'art contemporain manque rarement de susciter la controverse.

Après avoir occupé différents lieux en centre-ville, le Whitney s'installa en 1966 dans un bâtiment dessiné par Marcel Breuer. Une nouvelle structure, conçue par Renzo Piano, était en voie d'achèvement au moment de l'impression de ce guide. Situé dans le Meatpacking District, juste à côté de la High Line (à l'angle de Washington St et Gansevoort St), cet espace de 60 000 m² ouvrira ses portes courant 2015.

### Neue Galerie — Musée

**Plan p. 200 (☎212-628-6200 ; www.neuegalerie.org ; 1048 5th Ave à l'angle de 86th St ; entrée 20 $, entrée libre 18h-20h 1er ven du mois, moins de 12 ans non admis ; ⏲11h-18h jeu-lun ; S 4/5/6**

jusqu'à 86th St). Cet hôtel particulier restauré, construit en 1914 par Carrère et Hastings, met à l'honneur l'art allemand et autrichien ; il renferme des œuvres de Paul Klee, d'Ernst Ludwig Kirchner et d'Egon Schiele. À la place d'honneur, au 2e niveau, se trouve le portrait doré d'Adele Bloch-Bauer (1907) réalisé par Gustav Klimt, qui fut acquis pour le musée par le magnat des cosmétiques Ronald Lauder pour 135 millions de dollars.

L'endroit est petit, mais magnifique, doté d'un escalier à révolution et de balustrades en fer forgé. Au rez-de-chaussée se trouve le charmant **Café Sabarsky** (p.204). Évitez les week-ends si vous ne voulez pas affronter la foule.

### Jewish Museum Musée

**Plan p. 200 (☎212-423-3200 ; www.jewishmuseum.org ; 1109 5th Ave à la hauteur de 92nd St ; adulte/enfant 15 $/gratuit, entrée libre sam, don libre 17h-20h jeu ; 🕒11h-18h ven-mar, 11h-20h jeu ; 👪 ; Ⓢ6 jusqu'à 96th St).** Ce joyau new-yorkais, situé dans un splendide hôtel particulier néogothique de 1908, renferme 30 000 objets relatifs au judaïsme, ainsi que des sculptures, des peintures et des objets d'arts décoratifs. Il organise d'excellentes expositions temporaires, parmi lesquelles des rétrospectives consacrées à des figures importantes tel Art Spiegelman, ainsi que des manifestations d'ampleur internationale centrées sur des sommités comme Marc Chagall, Édouard Vuillard ou Man Ray.

### National Academy Museum

Galerie d'art

**Plan p. 200 (☎212-369-4880; www.nationalacademy.org ; 1083 5th Ave à la hauteur de 89th St ; adulte/enfant 15 $/gratuit ; 🕒11h-18h mer-dim ; Ⓢ4/5/6 jusqu'à 86th St).** Cofondé par le peintre et inventeur Samuel Morse en 1825, le musée de la National Academy Museum comporte une riche collection permanente de peintures d'artistes de renom tels que Will Barnet, Thomas Hart Benton et George Bellows. Il est installé dans une superbe demeure de style Beaux-Arts, conçue par Ogden Codman Jr, dotée d'un vestibule en marbre et d'un escalier en spirale.

### Temple Emanu-El Synagogue

**Plan p. 200 (☎212-744-1400 ; www.emanuelnyc.org ; 1 E 65th St, angle 5th Ave ; 🕒10h-16h30 dim-jeu ; Ⓢ6 jusqu'à 68th St-Hunter College).** Fondée en 1845, la première synagogue réformée de New York fut achevée en 1929. Plus grand lieu de culte israélite au monde, cet imposant édifice de style roman de plus de 53 m de long et 30 m de haut est doté d'un plafond éclatant peint à la main et orné de décorations en or.

### Museum of the City of New York Musée

**Plan p. 200 (☎212-534-1672 ; www.mcny.org ; 1220 5th Ave entre 103rd St et 104th St ;**

Asia Society & Museum (p. 201)
BARRY WINIKER/GETTY IMAGES ©

# Upper East Side

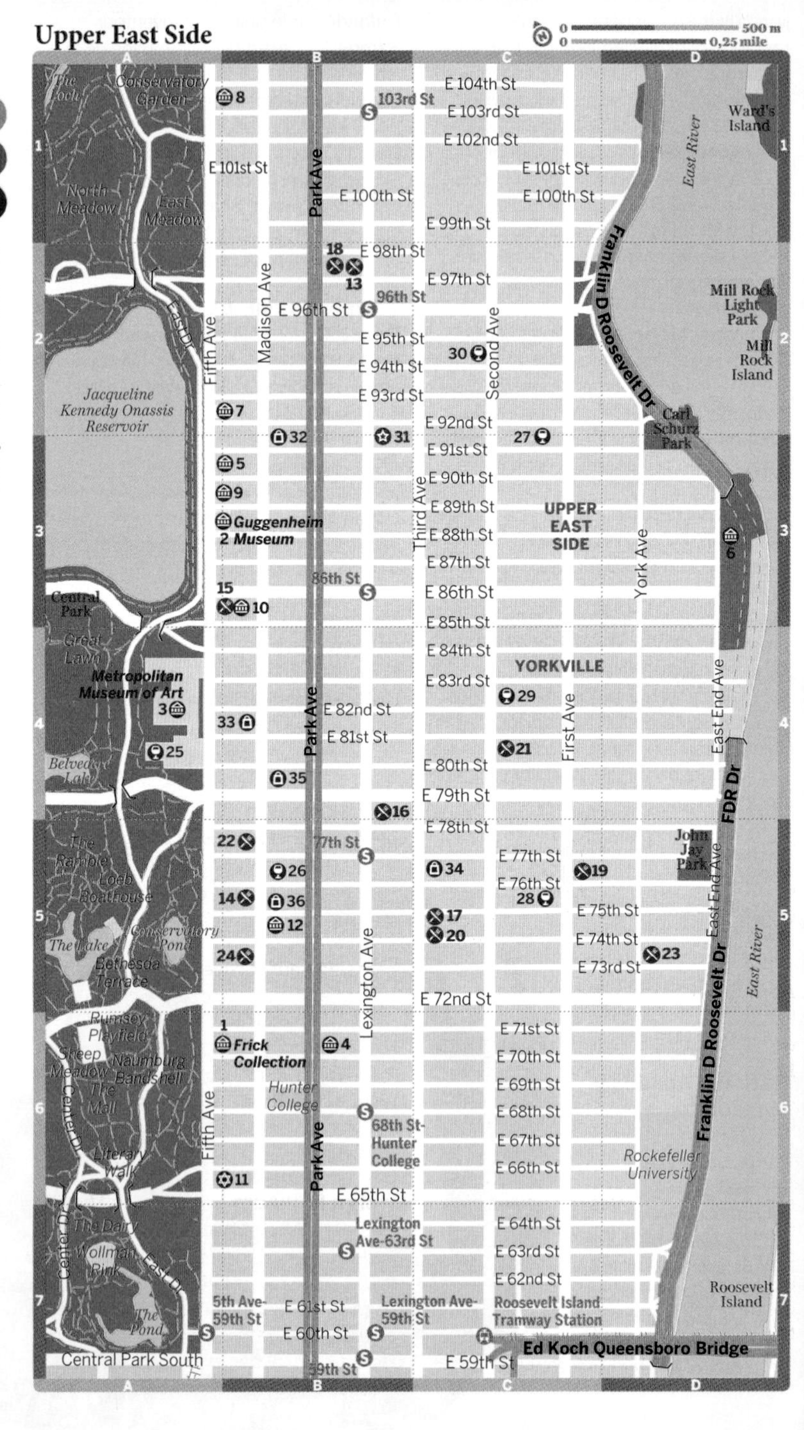

## Upper East Side

**Les incontournables**
- 1 Frick Collection ... B6
- 2 Guggenheim Museum ... B3
- 3 Metropolitan Museum of Art ... A4

**À voir**
- 4 Asia Society & Museum ... B6
- 5 Cooper-Hewitt National Design Museum ... B3
- 6 Gracie Mansion ... D3
- 7 Jewish Museum ... B2
- 8 Museum of the City of New York ... B1
- 9 National Academy Museum ... B3
- 10 Neue Galerie ... B3
- 11 Temple Emanu-El ... B6
- 12 Whitney Museum of American Art ... B5

**Où se restaurer**
- 13 ABV ... B2
- Cafe 3 ... (voir 2)
- 14 Café Boulud ... B5
- 15 Café Sabarsky ... B3
- 16 Candle 79 ... B4
- 17 Candle Cafe ... C5
- 18 Earl's Beer & Cheese ... B2
- 19 James Wood Foundry ... C5
- 20 JG Melon ... C5
- 21 Sandro's ... C4
- 22 Sant Ambroeus ... B5
- 23 Tanoshi ... D5
- 24 Via Quadronno ... B5
- Wright ... (voir 2)

**Où prendre un verre et faire la fête**
- 25 Metropolitan Museum Roof Garden Café & Martini Bar ... A4
- 26 Bemelmans Bar ... B5
- 27 Drunken Munkey ... C3
- 28 JBird ... C5
- 29 Penrose ... C4
- 30 Vinus and Marc ... C2

**Où sortir**
- 31 92nd St Y ... B3
- Frick Collection ... (voir 1)

**Shopping**
- 32 Blue Tree ... B3
- 33 Crawford Doyle Booksellers ... B4
- 34 Housing Works Thrift Shop ... C5
- 35 Michael's ... B4
- 36 Zitomer ... B5



**don suggéré adulte/enfant 10 $/gratuit ; 10h-18h ; S 6 jusqu'à 103rd St).** Installé dans une demeure coloniale d'architecture géorgienne, ce musée s'intéresse au passé, au présent et au futur de New York. Ne manquez pas la projection de *Timescapes* (au 2e niveau), un film de 22 minutes qui retrace le développement de la cité, du minuscule comptoir colonial des premiers temps à la métropole florissante.

### Asia Society & Museum — Musée

**Plan p. 200 (212-288-6400 ; www.asiasociety.org ; 725 Park Ave, à la hauteur de E 70th St ; 12 $, 18h-21h ven mi-sept à juin gratuit ; 11h-18h mar-dim, 11h-21h ven mi-sept à juin ; S 6 jusqu'à 68th St-Hunter College).** Fondé en 1956 par John D. Rockefeller (collectionneur d'art asiatique), ce centre culturel accueille des expositions fascinantes (art iranien pré-révolutionaire, rétrospectives d'artistes chinois majeurs, xylographies du Japon d'Edo), ainsi que des sculptures jaïnes d'Inde et des peintures bouddhiques du Népal. Visites guidées (comprises dans le prix d'entrée) à 14h le mardi toute l'année et à 18h30 le vendredi (sauf durant l'été).

### Gracie Mansion — Édifice historique

**Plan p. 200 (réservation de visites guidées 311 ou 212-639-9675 ; www.nyc.gov/gracie ; East End Ave à la hauteur de E 88th St ; 7 $ ; visites guidées 10h, 11h, 13h et 14h mer ; S 4/5/6 jusqu'à 86th St).** Construit en 1799, cet édifice de style fédéral bordé par l'agréable Carl Schurz Park, au bord de l'East River, fut la résidence secondaire du négociant Archibald Gracie. Depuis 1942, tous les maires de New York y ont résidé, sauf Michael Bloomberg qui préféra sa fastueuse demeure de l'Upper East Side. La maison a été agrandie et rénovée au fil des ans. Pour jeter un coup d'œil à l'intérieur et participer à la visite (45 minutes), vous devrez téléphoner à l'avance. Réservation obligatoire.

### Cooper-Hewitt National Design Museum — Musée

**Plan p. 200 (212-849-8400 ; www.cooperhewitt.org ; 2 E 91st St à la hauteur de 5th Ave ; S 4/5/6 jusqu'à 86th St).** Filiale de la Smithsonian Institution de Washington, ce musée est le seul du pays consacré à la fois au design ancien et contemporain. Il occupe la résidence de 64 pièces

# Metropolitan Museum of Art

## PLAN D'ATTAQUE

Passée l'entrée principale et une fois dans le Grand Hall (qui porte bien son nom), cap sur les galeries égyptiennes et le spectaculaire ❶ **temple de Dendour**.

Après une déambulation dans la Charles Engelhard Court, haut atrium ensoleillé rempli de sculptures américaines, faites une visite aux galeries des Armes et armures pour admirer le minutieux travail apporté à ❷ **l'armure d'Henri II de France** (XVIe siècle). On trouve dans la pièce adjacente (galerie 371) 4 cavaliers en selle cuirassés de pied en cap.

De retour dans l'aile américaine, direction le 2e niveau pour jeter un coup d'œil à la toile ❸ **Washington traversant le Delaware**. On y trouve aussi une époustouflante collection de chefs-d'œuvre européens ; ceux de Caravage dans la galerie 621 sont incontournables, notamment ❹ **Le Reniement de saint Pierre**.

Toujours au 2e niveau, frayez-vous un chemin vers les galeries de l'Art islamique, où vous trouverez un ❺ **mirhab** : minutieusement travaillée, cette niche à prières est tout près d'une cour marocaine de style médiéval avec une fontaine gargouillante (galerie 456).

À proximité se trouvent les œuvres de Monet, Renoir, Van Gogh et Gauguin, mais aussi plusieurs chefs-d'œuvre de Picasso, dont ❻ **le Repas de l'aveugle**.

Une fois descendu d'un niveau, venez admirer l'art ethnique coloré de Nouvelle-Guinée et d'au-delà dans les salles d'exposition d'Océanie : vous y verrez des costumes ethniques, dont un ❼ **masque funéraire Asmat**, sous un plafond tapissé de boucliers.

Le Met recèle de précieuses œuvres grecques et romaines antiques. La plus grande galerie abrite le ❽ **Triomphe de Dionysos et des Saisons**, un sarcophage en marbre aux motifs complexes.

**Le Reniement de saint Pierre Galerie 621**
Peinte par Caravage durant les derniers mois de sa courte vie mouvementée, cette œuvre magnifique est un chef-d'œuvre narratif.

**Le Repas de l'aveugle Galerie 830**
Ce tableau de Picasso d'un aveugle à une table évoque la souffrance humaine en général. Le pain et le vin possèdent un fond de symbolique chrétienne.

**Mihrab (niche à prières) Galerie 455**
Composée d'éclats de carreaux vernissés, cette mosaïque richement décorée du VIIIe siècle, provenant d'Iran, est un des ornements architecturaux religieux les plus raffinés au monde.

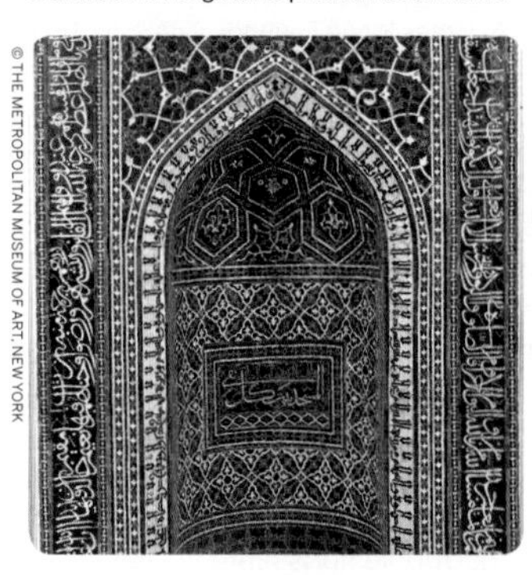



**Masque funéraire Asmat Galerie 354**
Porté lors des danses rituelles du peuple Asmat, ce type de costume de Nouvelle-Guinée représentait l'esprit d'une personne morte depuis peu.

**Le Triomphe de Dionysos et des Saisons Galerie 162**
Sur ce sarcophage en marbre, le dieu Dionysos, assis sur une panthère, est entouré de 4 sculptures représentant – de gauche à droite – l'hiver, le printemps, l'été et l'automne.

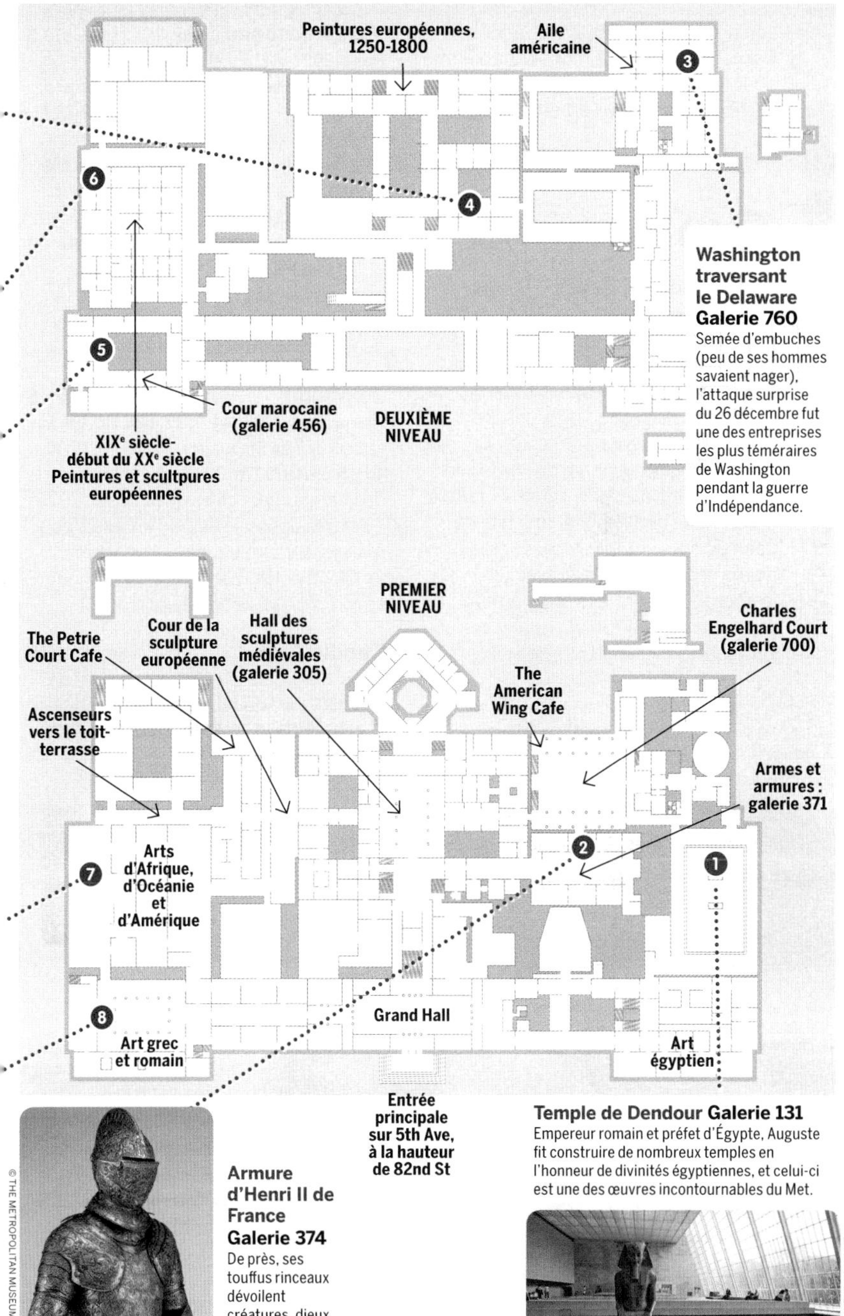


**Washington traversant le Delaware Galerie 760**
Semée d'embuches (peu de ses hommes savaient nager), l'attaque surprise du 26 décembre fut une des entreprises les plus téméraires de Washington pendant la guerre d'Indépendance.

**Armure d'Henri II de France Galerie 374**
De près, ses touffus rinceaux dévoilent créatures, dieux et guerriers, dont Apollon enlevant la nymphe Daphnée sur ses épaules.

**Temple de Dendour Galerie 131**
Empereur romain et préfet d'Égypte, Auguste fit construire de nombreux temples en l'honneur de divinités égyptiennes, et celui-ci est une des œuvres incontournables du Met.

construite par le milliardaire Andrew Carnegie en 1901. Le musée, qui a fermé pour d'importants travaux de rénovation et d'extension, a rouvert ses portes fin 2014.

## Où se restaurer

### Earl's Beer & Cheese — Américain $

**Plan p. 200 (www.earlsny.com ; 1259 Park Ave entre 97th St et 98th St ; grilled cheese 6-8 $ ; 16h-minuit lun-mar, 11h-minuit mer-jeu et dim, 11h-2h ven-sam ; S 6 jusqu'à 96th St).** Ce minuscule bastion de la cuisine roborative, dirigé par le chef Corey Cova, dégage une atmosphère de chasse en mode hipster, avec une peinture murale arborant un cerf géant et une tête de daim au mur. Le *grilled cheese* (sandwich au fromage fondu), servi avec de la poitrine de porc, des œufs au plat et du *kimchi*, est révolutionnaire. Excellentes bières artisanales.

Strudel aux pommes, Café Sabarsky

FRANCES M. ROBERTS/ALAMY ©

### Via Quadronno — Café $

**Plan p. 200 (212-650-9880 ; www.viaquadronno.com ;25 E 73rd St entre Madison Ave et 5th Ave ; sandwichs 8-15 $, plats 23-38 $ ; 8h-23h lun-ven, 9h-23h sam, 10h-21h dim ; ; S 6 jusqu'à 77th St).** Petit bout d'Italie transporté à New York, ce café-bistrot cosy prépare un excellent café, ainsi qu'un choix impressionnant de sandwichs – dont un au *prosciutto* de sanglier et au camembert. Également au menu, des soupes, des pâtes et les lasagnes du jour qui remportent un franc succès.

### JG Melon — Pub $

**Plan p. 200 (212-744-0585 ; 1291 3rd Ave, à la hauteur de 74th St ; burgers 10,50 $ ; 11h30-4h ; S 6 jusqu'à 77th St).** Ce pub animé sert des hamburgers classiques depuis 1972. Il est très apprécié des New-Yorkais pour manger comme pour boire un verre (le Bloody Mary est excellent) et se remplit à la sortie des bureaux.

### Candle Cafe — Végétalien $$

**Plan p. 200 (212-472-0970 ; www.candlecafe.com ; 1307 3rd Ave entre 74th St et 75th St ; plats 15-21 $ ; 11h30-22h30 lun-sam, 11h30-21h30 dim ; ; S 6 jusqu'à 77th St).** Les nantis amateurs de yoga se retrouvent dans ce séduisant café végétalien proposant une longue liste de sandwichs, salades, mets réconfortants et plats du jour cuisinés en fonction du marché. La spécialité est le *seitan* maison. Un bar à jus et un menu sans gluten sont également proposés. Une autre adresse plus haut de gamme, le **Candle 79** (**plan p. 448 ; 212-537-7179 ; www.candle79.com ; 154 E 79th St à la hauteur de Lexington Ave ; plats 19-24 $ ; déj et dîner ; ; S 6 jusqu'à 77th St**) se trouve deux rues plus loin.

PATTI MCCONVILLE / ALAMY ©

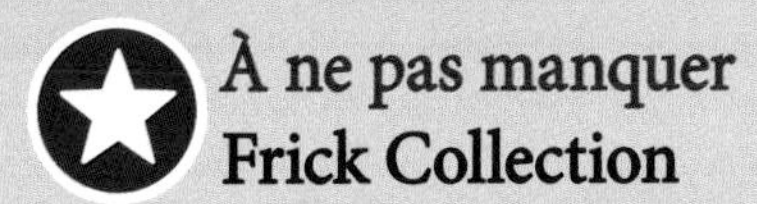

## À ne pas manquer
## Frick Collection

Cette spectaculaire collection d'art est installée dans l'une des nombreuses résidences de Millionaires' Row (l'allée des Millionnaires), construite par l'ombrageux magnat de l'acier Henry Clay Frick. Elle compte une dizaine de salles splendides abritant des chefs-d'œuvre de Titien, Vermeer, Gilbert Stuart, du Greco et de Goya.

Ce musée est un régal à plusieurs égards. Premièrement, il occupe un vaste et ravissant édifice Beaux-Arts construit entre 1913 et 1914 par les architectes John Carrère et Thomas Hastings. Ensuite, il est peu fréquenté (sauf lors des grandes expositions, comme celle de Vermeer et Rembrandt en 2013). Enfin, il offre une intimité rafraîchissante, avec sa cour intérieure dotée d'une fontaine et de jardins que l'on peut visiter aux beaux jours.

Concerts de piano et de violon fréquemment organisés le dimanche.

### INFOS PRATIQUES

**Plan p. 200 ; ☎ 212-288-0700 ; www.frick.org ; 1 E 70th St, à la hauteur de 5th Ave ; entrée 20 $, don libre 11h-13h dim, moins de 10 ans non admis ; ⏲ 10h-18h mar-sam, 11h-17h dim ; S 6 jusqu'à 68th St-Hunter College**

**Sandro's** Italien **$$**

**Plan p. 200 (☎ 212-288-7374 ; www.sandrosnyc.com ;306 E 81st St, près de 2nd Ave ; plats 20-40 $ ; ⏲ 16h30-23h lun-sam, 16h30-22h dim ; S 6 jusqu'à 77th St).** Cette trattoria de quartier sert des plats romains fraîchement préparés et des pâtes maison réalisés par le chef Sandro Fioriti. Parmi ses spécialités figurent les artichauts frits et les raviolis aux oursins. De 16h30 à 18h30 en semaine, les prix des plats de pâtes sont fixés en fonction de l'indice Dow Jones (s'il clôture à 11 000 points, vos pâtes seront à 11 $).

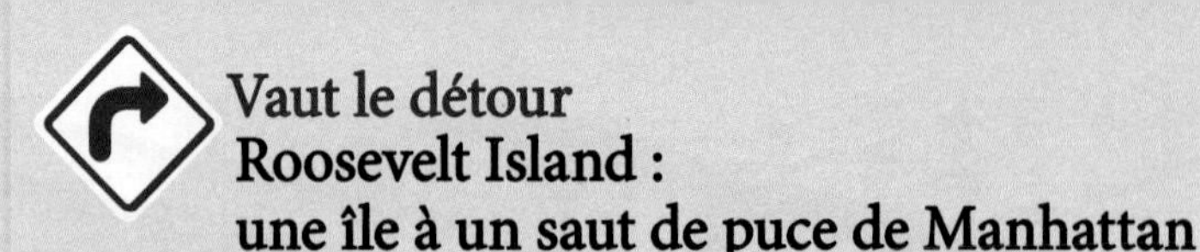

# Vaut le détour Roosevelt Island : une île à un saut de puce de Manhattan

Il n'y a jamais eu grand-chose à voir sur Roosevelt Island, minuscule bande de terre au milieu de l'East River. Pendant la majeure partie du XIXe siècle, elle comptait plusieurs hôpitaux, dont un asile psychiatrique et un pavillon pour les patients atteints de variole, ce qui lui valut son surnom de Welfare Island ("l'île de la santé"). Dans les années 1970, une série d'immeubles identiques fut construite le long de l'unique route de l'île. Longtemps, les seuls atouts de Roosevelt Island furent donc sa vue sur Manhattan et les ruines pittoresques de l'ancien pavillon des varioleux (lequel est en restauration et devrait finir par ouvrir au public).

L'île a rejoint la scène architecturale en 2012 lorsqu'un **mémorial** (plan p. 170 ; www.fdrfourfreedomspark.org ; 9h-17h mer-lun) GRATUIT de 2 ha dédié au président Franklin D. Roosevelt a été inauguré à son extrémité sud. Dessiné par l'architecte Louis Kahn dans les années 1960, le parc a été construit conformément à la vision originale de ce dernier, hormis quelques ajustements mineurs. Une pelouse taillée en V et jalonnée de tilleuls conduit jusqu'à l'extrémité sud de l'île. Au bout de la pointe, les visiteurs parviennent à une petite plate-forme d'observation, ancrée au moyen d'énormes blocs de granit de Caroline du Nord. Cet espace surplombant le fleuve, surnommé "the room" (la pièce), offre une vue sur Manhattan à travers ses minces ouvertures. Parmi les édifices les plus visibles figure le bâtiment des Nations unies, référence à l'une des grandes réussites du président. C'est un monument sobre, aux nombreux détails subtilement dissimulés.

Le meilleur moyen de rejoindre Roosevelt Island est de traverser l'East River en 4 minutes grâce au téléphérique, le Roosevelt Island Tram, qui part de la **station Roosevelt Island** (212-832-4543 ; www.rioc.com/transportation.htm ; 60th St à la hauteur de 2nd Ave ; aller simple 2,25 $ ; toutes les 15 min 6h-2h dim-jeu, 6h-3h ven-sam). Vous pouvez aussi prendre le métro F jusqu'à Roosevelt Island.

**Café Sabarsky** Autrichien **$$**
Plan p. 200 (212-288-0665 ; www.kg-ny.com/wallse ; 1048 5th Ave, à la hauteur de E 86th St ; plats 15-30 $ ; 9h-18h lun et mer, 9h-21h jeu-dim ; ; S 4/5/6 jusqu'à 86th St). Il faut faire la queue pour entrer dans ce café qui évoque la Vienne opulente du début du XXe siècle, mais les délicieuses spécialités autrichiennes en valent la peine. Au menu : crêpes garnies de truite fumée, goulash et *spätzle* (pâtes) à la crème, ainsi qu'une longue liste de douceurs, dont une divine *Sachertorte*.

**ABV** Américain moderne **$$**
Plan p. 200 (212-722-8959 ; 1504 Lexington Ave, à la hauteur de 97th St ; plats 10-24 $ ; 17h-minuit lun-jeu, 16h-1h ven, 11h-1h sam-dim ; ; S 6 jusqu'à 96th St). Situé à la lisière d'East Harlem, cet établissement attire une clientèle jeune et décontractée autour d'assiettes éclectiques (tacos de poisson, mousse de foie gras, pétoncles, ris de veau), de verres de vin (9-12 $) et de bières artisanales. Les plafonds hauts et les murs en brique invitent à la flânerie, de même que les concerts du lundi soir (à partir de 21h), sauf pendant la saison de football US.

**James Wood Foundry** Britannique **$$**
Plan p. 200 (212-249-2700 ; 401 E 76th St, entre 1st Ave et York Ave ; plats déj 10-24 $, dîner 18-32 $ ; 11h-2h ; ; S 6 jusqu'à 77th St).

Logé à l'intérieur d'un étroit bâtiment en brique (qui abritait autrefois une usine sidérurgique), ce gastropub britannique inspiré sert des mets tentants : excellents *fish and chips* panés à la bière, saucisse-purée ou encore tourte à l'agneau et au romarin. Les jours de grande chaleur, demandez une table dans la cour fermée.

**Tanoshi** Sushis **$$$**

**Plan p. 200 (☎646-727-9056 ; 1372 York Ave, entre 73rd St et 74th St ; 12 pièces de sushis 50 $ ; 🕓18h-22h mar-sam ; S 6 jusqu'à 77th St).** Il est difficile de décrocher l'un des 10 tabourets de ce petit restaurant de sushis très prisé. Si le cadre est modeste, les saveurs sont tout simplement fabuleuses : aloses, pétoncles d'Hokkaido, filets de saumon grillé ou *uni* (oursins). Parmi les formules, le 100% sushi et le 100% omakase – une sélection des meilleurs mets du jour par le chef. Bière, saké et autres breuvages alcoolisés à prévoir. Réservez largement à l'avance.

**Sant Ambroeus** Café, Italien **$$$**

**Plan p. 200 (☎212-570-2211 ; www.santambroeus.com ; 1000 Madison Ave, entre 77th St et 78th St ; paninis 12-18 $, plats 23-64 $ ; 🕓7h-23h ; ✎ ; S 6 jusqu'à 77th St).** Derrière une façade banale se cache ce bistrot-café milanais chic au charme suranné. À l'avant, un long comptoir en granit dispense de voluptueux cappuccinos, pâtisseries et paninis (toastés et fourrés au jambon de parme ou au fromage), tandis que l'élégante salle de restauration du fond sert des spécialités de l'Italie du Nord, comme l'escalope de veau panée ou le risotto au safran. Ne manquez pas le fameux *gelato* en dessert.

**Café Boulud** Français **$$$**

**Plan p. 200 (☎212-772-2600 ; www.danielnyc.com/cafebouludny.html ; 20 E 76th St, entre 5th Ave et Madison Ave ; plats 24-48 $ ; 🕓petit-déj, déj et dîner ; ✎ ; S 6 jusqu'à 77th St).** Aujourd'hui dirigé par Gavin Kaysen, ce bistrot étoilé au Michelin fait partie de l'empire gastronomique du chef lyonnais Daniel Boulud. Sa cuisine française aux influences internationales attire une clientèle guindé. Au menu de saison figurent des classiques tel le coq au vin ou des plats plus inventifs comme le tartare de saint-jacques au miso blanc. Les gourmets disposant d'un petit budget apprécieront la formule déjeuner à 43 $ comprenant trois plats.

## Où prendre un verre et faire la fête

**Metropolitan Museum Roof Garden Café & Martini Bar** Bar à cocktails

**Plan p. 200 (www.metmuseum.org ; 1000 5th Ave à la hauteur de 82nd St ; 🕓10h-16h30 dim-jeu, 10h-20h ven-sam, Martini Bar 17h30-20h ven-sam mai-oct ; S 4/5/6 jusqu'à 86th St).** Situé à l'intérieur du Met, ce bar aérien surplombe les cimes de Central Park, offrant une vue splendide sur le parc et les toits alentour.

**JBird** Bar

**Plan p. 200 (☎212-288-8033 ; 339 E 75th St, entre 1st Ave et 2nd Ave ; 🕓17h30-2h lun-jeu, 17h30-4h ven-sam ; S 6 jusqu'à 77th St).** Dans un cadre sans écrans TV qui évoque plus le sud que le nord de Manhattan, cet établissement rare sert des cocktails maison et une cuisine de pub de saison. Prenez place au comptoir en marbre ou lovez-vous dans une banquette en cuir noir (à condition d'arriver tôt).

### Bon plan

L'Upper East Side est le royaume du luxe, surtout dans le périmètre qui va de 60th St à 86th St, entre Park Ave et 5th Ave. Si vous cherchez des adresses plus abordables pour manger ou prendre un verre, essayez l'est de Lexington Ave. 1st Ave, 2nd Ave et 3rd Ave sont bordées d'enseignes de quartier moins chères.

**Penrose** Bar

**Plan p. 200 (212-203-2751 ; 1590 2nd Ave, entre 82nd St et 83rd St ; 15h-4h lun-jeu, 12h-4h ven, 10h30-4h sam-dim ; S 4/5/6 jusqu'à 86th St).** Inauguré en 2012, le Penrose apporte une dose de branchitude bienvenue dans l'Upper East Side : bières artisanales, murs en brique nue, miroirs rétro, papier peint à fleurs et objets de récupération en bois. Quant aux barmen chaleureux, ils préparent le terrain pour une belle soirée entre amis.

**Vinus and Marc** Bar lounge

**Plan p. 200 (646-692-9015 ; 1825 2nd Ave, entre 95th St et 94th St ; 15h-1h dim-mar, 15h-2h mer-jeu, 15h-3h ven-sam ; S 6 jusqu'à 96th St).** Murs rouges, miroirs à encadrement doré, détails rétro et long comptoir en bois : voilà qui donne le ton de ce séduisant bar lounge, fraîchement installé à Yorkville. On y sert aussi une bonne cuisine de bistrot (moules, crevettes et gruau de maïs, sandwichs au filet de bœuf Angus, etc.).

**Drunken Munkey** Bar lounge

**Plan p. 200 (338 E 92nd St, entre 1st Ave et 2 nd Ave ; 11h-2h lun-jeu, 11h-3h ven-dim ; S 6 jusqu'à 96th St).** Ce nouvel établissement jovial respire le Bombay de l'époque coloniale avec son papier peint à fleurs, ses poignées de porte en forme de balle de cricket et son personnel en tenue pimpante.

**Bemelmans Bar** Bar lounge

**Plan p. 200 (212-744-1600 ; www.thecarlyle.com/dining/bemelmans_bar ; Carlyle Hotel, 35 E 76th St à la hauteur de Madison Ave ; 12h-2h lun-sam, 12h-0h30 dim ; S 6 jusqu'à 77th St).** Installez-vous sur une banquette en cuir chocolat et appréciez l'élégance années 1940 de ce bar légendaire où les serveurs portent des gilets blancs, le piano demi-queue joue en permanence et le plafond est doré à l'or fin 24 carats. Présentez-vous avant 21h si vous ne voulez pas payer un droit d'entrée (15-30 $/pers).

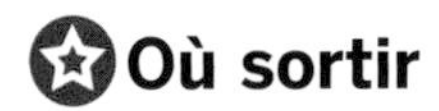

## Où sortir

**Frick Collection** Musique classique

**Plan p. 200 (www.frick.org ; 1 E 70th St à la hauteur de 5th Ave ; 35 $ ; S 6 jusqu'à 68th St-Hunter College).** Un dimanche par

Bloomingdale's

mois, cette opulente demeure-musée organise un concert d'artistes de renommée mondiale, tels le violoncelliste Yehuda Hanani ou le violoniste Thomas Zehetmair.

### 92nd St Y — Centre culturel

**Plan p. 200 (www.92y.org ; 1395 Lexington Ave à la hauteur de 92nd St ; ; S 6 jusqu'à 96th St).** Outre son large éventail de concerts, de spectacles de danse et de lectures, ce centre culturel à but non lucratif organise une excellente série de conférences et d'entretiens.

## Shopping

### Bloomingdale's — Grand magasin

**Plan p. 200 (www.bloomingdales.com; 1000 Third Ave, à la hauteur de E 59th St, Midtown East ; 10h-20h30 lun-sam, 11h-19h dim ; ; S 4/5/6 jusqu'à 59th St, N/Q/R jusqu'à Lexington Ave-59th St)** Le blockbuster 'Bloomie's' est un peu au shopping ce que le Metropolitan Museum of Art est à l'art : historique, tentaculaire, surdimensionné et surfréquenté, mais il serait dommage de passer à côté.

### Housing Works Thrift Shop — Vintage

**Plan p. 200 (202 E 77th St, entre 2nd Ave et 3rd Ave ; 11h-19h lun-ven, 10h-18h sam, 12h-17h dim ; S 6 jusqu'à 77th St).** Les bons jours, vous trouverez ici une veste de créateur, un jean parfaitement ajusté ou un sac à main haut de gamme. Vous trouverez également des livres, des CD et des articles de maison. Le week-end, l'endroit est pris d'assaut.

### Michael's — Vêtements

**Plan p. 200 (www.michaelsconsignment.com ; 2e niveau, 1041 Madison Ave entre 79th St et 80th St ; 9h30-18h lun-sam, 9h30-20h jeu ; S 6 jusqu'à 77th St).** Depuis les années 1950, cette boutique d'occasion réputée de l'Upper East Side met l'accent sur les marques de luxe telles que Chanel, Gucci et Prada. C'est cher, mais moins que dans les magasins de Madison Ave.

### Crawford Doyle Booksellers — Livres

**Plan p. 200 (1082 Madison Ave entre 81st St et 82nd St ; 10h-18h lun-sam, 12h-17h dim ; S 6 jusqu'à 77th St).** Cette librairie raffinée de l'Upper East Side invite à feuilleter des livres, dont des rayons entiers sont consacrés à l'art, à la littérature et à l'histoire de New York – sans parler des nombreuses éditions originales. Idéal pour occuper un après-midi pluvieux.

### Blue Tree — Mode, articles de maison

**Plan p. 200 (www.bluetreenyc.com ; 1283 Madison Ave entre 91st St et 92nd St ; 10h-18h lun-ven, 11h-18h sam-dim ; S 4/5/6 jusqu'à 86th St).** Cette charmante (mais onéreuse) petite boutique, propriété de l'actrice Phoebe Cates Kline), propose un délicat assortiment de vêtements pour femmes, d'écharpes en cachemire, d'objets en Plexiglas, d'accessoires fantasques et d'articles décalés pour la maison.

### Zitomer — Beauté

**Plan p. 200 (www.zitomer.com ; 969 Madison Ave entre 75th St et 76th St ; 9h-20h lun-ven, 9h-19h sam, 10h-18h dim ; S 6 jusqu'à 77th St).** Cette pharmacie rétro sur plusieurs niveaux abrite une mine de produits pour la peau haut de gamme et 100% naturels, et propose des marques telles que Kiehl's, Clarins, Kneipp, Mustela ou Ahava (à base de minéraux de la mer Morte).

# Upper West Side et Central Park

**Ce quartier unique se définit par son parc aussi vaste que célèbre et son concentré de culture.** Peuplé de seniors plutôt progressistes, de jeunes familles aisées, d'acteurs et de musiciens, l'Upper West Side s'étire le long du flanc ouest de Central Park jusqu'à Riverside Park, lequel longe l'Hudson. Les pâtés de maisons résidentielles pittoresques et les croisements animés de Broadway ont été envahis par des tours d'immeubles, des chaînes de drugstores et des banques. Toutefois, l'essentiel de la beauté architecturale a été préservé, des somptueux immeubles au Lincoln Center remodelé.

Conçu comme un espace de détente destiné à tous les New-Yorkais, le vaste et majestueux Central Park est une véritable oasis de calme. Ses pelouses, ses bois, ses jardins fleuris, ses plans d'eau et ses méandres de sentiers forestiers constituent le poumon vert dont ont tant besoin les habitants.

Bow Bridge, Central Park
JAY LAZARIN/GETTY IMAGES ©

# Upper West Side et Central Park À ne pas manquer

## American Museum of Natural History (p. 227)

Les enfants de tous âges trouveront de quoi s'émerveiller dans ce musée d'Histoire naturelle, qu'il s'agisse de l'ours brun taxidermisé, du saphir *Star of India* dans la salle des minéraux et pierres précieuses, du film IMAX sur la vie de la jungle, ou encore du crâne d'un pachycéphalosaure. Le Rose Center for Earth & Space, planétarium high-tech, retrace l'origine des planètes.

## Lincoln Center (p. 228)

En matière d'arts vivants, rares sont les lieux à pouvoir rivaliser avec le Lincoln Center. Cet espace, qui s'étend sur 6,5 ha, offre une programmation de haut vol associant opéra, ballet, théâtre et cinéma. Depuis sa rénovation, achevée en 2010, le complexe affiche une mine resplendissante. Ne manquez pas ses façades illuminées le soir et ses concerts en été.

MAREMAGNUM/GETTY IMAGES ©

## 3 New York Historical Society (p. 220)

Datant du début des années 1800, ce mastodonte culturel propose une immersion dans le patrimoine historique de la ville. La collection permanente mêle les œuvres d'art, les tissus et le mobilier.

## 4 Strawberry Fields (p. 217)

Après le tragique assassinat de John Lennon en 1980, la ville de New York a dédié ce paisible jardin à sa mémoire. Ne manquez pas la mosaïque "Imagine", devant laquelle les visiteurs viennent parfois déposer fleurs et offrandes en hommage au fervent défenseur de la paix. Située en plein cœur de Central Park, entre arbustes et ormes vertigineux, cette oasis de verdure offre une escapade contemplative après l'agitation de la grande métropole.

## 5 Loeb Boathouse (p. 233 et p. 234)

Perché sur les rives du lac au cœur de Central Park, l'historique Loeb Boathouse, qui apparaît souvent dans les films, offre un cadre idyllique pour un repas au calme, loin de l'agitation citadine. Et rien de mieux pour passer un moment des plus romantiques que de louer une barque, et d'explorer les recoins du lac jusqu'à trouver un petit endroit à soi.

# Promenade dans l'Upper West Side et Central Park

*Bien que les promoteurs immobiliers aient parsemé des portions entières de Broadway de chaînes dénuées de charme, l'Upper West Side reste une merveille sur le plan architectural.*

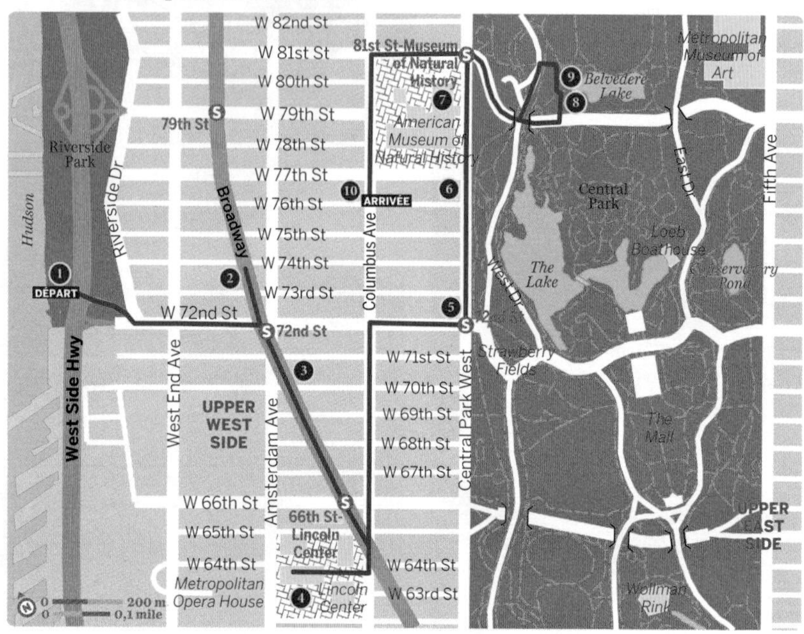


**ITINÉRAIRE**

- **Départ** Riverside Park
- **Arrivée** Columbus Ave
- **Distance** 3,7 km
- **Durée** 1 à 2 heures

### 1 Riverside Park

Commencez la balade à Riverside Park (p. 221), ravissante bande de verdure à la lisière ouest du quartier. Ici, un incontournable : la belle statue en bronze de la New-Yorkaise Eleanor Roosevelt, que l'on doit à la sculptrice Penelope Jencks, et qui a été érigée au niveau de 72nd St en grande pompe en 1996.

### 2 Ansonia

Dans 72nd St, allez vers l'est et tournez à gauche dans Broadway. Remontez vers le nord jusqu'à l'Ansonia, beau bâtiment sophistiqué entre 73rd St et 74th St.

### 3 Dorilton

Rebroussez chemin vers le sud dans Broadway jusqu'à 71st St pour admirer le Dorilton, building doté d'une gigantesque entrée et richement ornementé dans le style Beaux-Arts.

### 4 Lincoln Center

Continuez vers le sud dans Broadway jusqu'à 64th St, où se trouve l'entrée grandiose du

Lincoln Center (p. 228). Jetez un coup d'œil aux deux fresques de Chagall dans le hall du Metropolitan Opera House (p. 230).

### 5 Dakota

Remontez Columbus Ave jusqu'à 72nd St, tournez à droite, et poursuivez vers l'est jusqu'à Central Park West. À votre gauche se dresse le majestueux Dakota Building, qui apparaît dans le film *Rosemary's Baby.* C'est aussi ici que vécut John Lennon, et qu'il y fut assassiné en 1980. De l'autre côté de la rue, dans Central Park, le jardin Strawberry Fields (p. 217) rend hommage à la star.

### 6 New York Historical Society

Continuez le long de Central Park West jusqu'à 77th St, afin de découvrir une intéressante collection d'objets emblématiques de l'histoire de la ville (p. 220).

### 7 American Museum of Natural History

L'American Museum of Natural History (p. 227) et ses collections sur la vie sauvage, la géologie et l'astronomie sont à un pâté de maisons au nord. Admirez l'aérien Rose Center for Earth & Space, du côté de 79th St.

### 8 Belvedere Castle

Revenez dans le parc à hauteur de 81st St et traversez West Dr jusqu'à apercevoir le charmant Belvedere Castle (p. 218), édifice du XIXe siècle se dressant sur Vista Rock et offrant une vue splendide sur le parc.

### 9 Delacorte Theater

De l'autre côté de Turtle Pond, le Delacorte Theater (p. 218) accueille les pièces de Shakespeare lors des spectacles d'été de Central Park.

### 10 Columbus Ave

Rejoignez Columbus Ave et promenez-vous dans ce coin où se côtoient magasins, restaurants et cafés. Les chineurs mettront le cap sur le Greenflea (p. 232), l'un des premiers marchés en plein air de la ville.

## Les meilleurs

### RESTAURANTS

**Gastronomía Culinaria** Une cuisine italienne de premier plan, servie dans un restaurant séduisant. (p. 226)

**Dovetail** Menu dégustation pour les gourmets à petit budget. (p. 229)

**Barney Greengrass** Institution de l'Upper West Side réputée pour son saumon fumé, son hareng et son esturgeon. (p. 226)

**Jacob's Pickles** Bières artisanales et cuisine américaine à l'ancienne, en version haut de gamme. (p. 226)

### BARS

**Ding Dong Lounge** Apprécié des étudiants de Columbia pour son *boilermaker* (bière + shot de whisky). (p. 229)

**Barcibo Enoteca** Proche du Lincoln Center, une excellente adresse pour siroter un verre de vin italien avant le spectacle. (p. 229)

### SALLES DE SPECTACLE

**Metropolitan Opera House** Le gratin du chant lyrique, ainsi que des costumes et des décors éblouissants. (p. 230)

**Beacon Theatre** Semblable à un mini Radio City Music Hall, cette salle de concert rénovée fait la part belle au rock. (p. 231)

**Smoke** Un club douillet pour savourer un excellent jazz. (p. 232)

Belvedere Castle

# À ne pas manquer Central Park

Avec ses quelque 340 ha de pelouses, de petits lacs, de mares et de bois... Central Park semble être le fruit de la nature. C'est faux ! Ce "parc du peuple" dessiné par Frederick Law Olmsted et Calvert Vaux résulte du travail de milliers d'ouvriers qui ont charrié moult tombereaux de terre et de matériaux pour assécher les marécages et niveler les affleurements rocheux.

Plan p. 222

www.
centralparknyc.org

59th St et 110th St entre Central Park West et Fifth Ave

6h-1h

## Strawberry Fields

Ce **jardin** (plan p. 222 ; www.centralparknyc.org/visit/things-to-see/south-end/strawberry-fields.html ; 72nd St côté ouest ; 🚻 ; Ⓢ A/C, B jusqu'à 72nd St) mémorial dessine une larme de souvenir à John Lennon. Au cœur d'un bosquet d'ormes majestueux, une mosaïque de tesselles noir et blanc rappelle en son centre la chanson la plus emblématique écrite par Lennon, "Imagine". Vous le trouverez à hauteur de 72nd St sur le flanc ouest du parc.

## Bethesda Terrace et le Mall

Les galeries couvertes de **Bethesda Terrace** et la magnifique **fontaine Bethesda** (plan p. 222 ; à la hauteur de 72nd St) sont le point de rendez-vous des New-Yorkais de tous milieux depuis leur construction. Au sud, on remonte le fameux Mall (qui apparaît dans nombre de films), à l'ombre d'ormes respectables. Appelé **Literary Walk** (plan p. 222) dans sa partie sud, le Mall réunit plus d'une sommité de la littérature dont les statues jalonnent la promenade.

## Central Park Zoo

Le petit **zoo** (plan p. 222 ; ☎212-861-6030 ; www.centralparkzoo.com ; 64th St à la hauteur de 5th Ave ; adulte/enfant 12/7 $ ; ⏲10h-17h30 avr-nov, jusqu'à 16h30 nov-avril ; 🚻 ; Ⓢ N/Q/R jusqu'à 5th Ave-59th St) de Central Park (dont le nom officiel est Central Park Wildlife Center) héberge des *snow monkeys*, des léopards des neiges, et des pandas roux. L'ambiance bat son plein à l'heure des repas des otaries et des pingouins (horaires en ligne). Voisin, le **Tisch Children's Zoo** (plan p. 222 ; www.centralparkzoo.com/animals-and-exhibits/exhibits/tisch-childrens-zoo.aspx ; angle 65th St et 5th Ave) fait le bonheur des enfants.

## Conservatory Water et alentour

Au nord du zoo, à la hauteur de la 74th St, les modélistes lancent leurs bateaux miniatures sur l'eau de Conservatory Water, tandis que de jeunes grimpeurs escaladent la statue d'Alice au pays des merveilles trônant sur un champignon.

**Ma sélection**

## Central Park

RECOMMANDATIONS DE 'WILDMAN' STEVE BRILL, AUTEUR, NATURALISTE ET GUIDE TOURISTIQUE.

### 1 L'IMPORTANCE DU PARC

Ce fut le premier parc conçu pour imiter la nature plutôt que pour ressembler à un jardin paysager. Sa "pièce maîtresse" est la zone boisée que l'on appelle le Ramble. Bien sûr, depuis, il a été beaucoup imité. Les vallons et les escarpements dans certains coins du parc, qui empêchent le regard de porter très loin, ont été sciemment créés de façon à accentuer l'impression d'immensité.

### 2 ANIMAUX ET PLANTES

La vie animale et l'abondance de plantes très précieuses sont souvent négligées par les visiteurs. On recense environ 160 plantes comestibles, presque autant de plantes aux vertus médicinales, et une quarantaine d'espèces de champignons de choix, dont la poule des bois et le polypore soufré.

### 3 MES ARBRES PRÉFÉRÉS

Les arbres de Judée, l'une des premières espèces à fleurir au printemps et que l'on trouve dans tout le parc, sont particulièrement beaux, tout comme les robiniers faux-acacias dont les fleurs blanches sentent la vanille. Avant, il y avait un chicot févier au nord du hangar à bateaux, mais hélas, il a récemment été détruit lors d'une tempête. Ses fèves torréfiées avaient le goût du café. On pouvait aussi les mélanger à de la poudre de cacao, du chocolat noir, etc. pour confectionner de délicieuses truffes au chocolat.

### 4 JAZZ ET JEU D'ÉCHECS

J'adore les musiciens de jazz qui jouent près du Delacorte Theater le week-end. Je les rejoins à la pause-déjeuner et je joue de mon "brillophone" avec eux (c'est-à-dire que je mets mes mains en conque devant ma bouche et je souffle à l'intérieur). Les joueurs d'échecs s'installent au milieu du parc vers 64th St. Bien sûr, j'aime aussi le zoo, faire du bateau, ou tout simplement la sérénité du lieu. Il est désormais interdit de fumer et ça, j'adore aussi !

**Ci-dessous :** Central Park Lake et Belvedere Castle
**À droite :** La Great Lawn

MEDIOIMAGES/PHOTODISC/GETTY IMAGES ©

TETRA IMAGES/GETTY IMAGES ©

De juin à septembre, tous les samedis à 11h, c'est l'heure du conte au chevet de la statue d'Andersen.

## Great Lawn et Ramble

Immortalisée par le concert de Simon et Garfunkel en 1981, la **Great Lawn (plan p. 222 ; entre 79nd St et 86th St ; S B, C jusqu'à 86th St)** est un immense tapis émeraude au centre du parc bordée de terrains de base-ball et de platanes. Au sud-est se dressent le **Delacorte Theater (plan p. 222 ; entrez à W à 81st St)**, qui accueille chaque année le festival Shakespeare in the Park, et le point de vue du **Belvedere Castle (plan p. 222 ; 212-772-0210 ; Central Park à la hauteur de 79th St ; 10h-15h mar-dim ; S B, C, 1/2/3 jusqu'à 72nd St)** GRATUIT, idéal pour observer les oiseaux. Plus au sud, les chemins du **Ramble (plan p. 222 ; milieu du parc de 73rd St à 79th St)** sont le royaume des oiseaux (et un légendaire lieu de rencontre gay). À l'extrémité sud-est, la **Loeb Boathouse** (p. 224 et p. 233) abrite un restaurant au bord de l'eau où l'on peut louer barques et vélos.

## Réservoir Jacqueline Kennedy Onassis

Le **réservoir (plan p. 222 ; entre East et West Drive ; S B, C jusqu'à 86th St)** occupe presque toute la largeur du parc à la hauteur de la 90th St. Il reflète la silhouette des gratte-ciel alentour pour le plus grand plaisir des joggeurs qui ont fait de son circuit périphérique (2,5 km) leur terrain d'entraînement favori. Tout près, à la hauteur de 90th St sur Fifth Ave, la statue de Fred Lebow (fondateur du Marathon de New York) regarde sa montre.

## Le Conservatory Garden

Sans joggeurs ni cyclistes ni transistors, les 2,5 ha du Conservatory Garden, à la hauteur de 105th St près de Fifth Ave, constituent l'une des oasis de tranquillité officielles du parc. C'est un bel endroit, plein de pommiers, de buis et, dès le printemps, couvert de fleurs. Au petit matin, le calme règne à tous les coins de Central Park et les chants des oiseaux révèlent toute sa richesse ornithologique.

## Œuvres d'art public

Disséminées au milieu des nombreuses sculptures naturelles que sont les arbres, on trouve de superbes œuvres d'art fabriquées par l'homme. En entrant dans le parc à la **Merchants' Gate** (plan p. 222 ; Columbus Circle), on voit l'imposant Maine Monument, hommage aux marins tués dans la mystérieuse explosion du port de La Havane en 1898 qui déclencha la guerre hispano-américaine. Plus à l'est, en direction de l'entrée de Seventh Ave, se dressent des statues de grands héros de l'indépendance latino-américains, dont José Martí, "l'apôtre de l'Indépendance cubaine" (la proximité de sa statue avec le Maine Monument est pour le moins ironique). Encore plus à l'est, à la **Scholars' Gate** (plan p. 222 ; Fifth Ave à la hauteur de 60th St), une petite place est dédiée à Doris Chanin Freedman, fondatrice du Public Art Fund. On y voit une nouvelle sculpture environ tous les six mois.

Au **Conservatory Water** (plan p. 222), des maquettes de voiliers glissent paresseusement sur l'eau, et les enfants se hissent sur les champignons géants de la **statue d'Alice au pays des merveilles** (plan p. 222). Cette statue qui représente Alice, le Chapelier fou et l'espiègle chat du Cheshire, est un joyau de Central Park et une attraction appréciée des enfants de tous âges. Non loin se tient la statue de Hans Christian Andersen.

### Naissance d'un parc

Dans les années 1850, on trouvait ici des élevages de porcs, une décharge, un site d'équarrissage et un village afro-américain. Il fallut 20 ans et 20 000 ouvriers pour transformer ce terrain en parc. Aujourd'hui, Central Park compte plus de 24 000 arbres, 55 ha de bois, 21 aires de jeux et sept plans d'eau. Plus de 38 millions de visiteurs s'y pressent chaque année.

# Découvrir l'Upper West Side et Central Park

## Depuis/vers l'Upper West Side et Central Park

**Métro** Dans l'Upper West Side, les lignes 1, 2 et 3 desservent Broadway sur toute sa longueur et l'ouest, tandis que les trains B et C conviennent mieux pour accéder aux sites touristiques et à Central Park. Le parc possède des entrées de tous côtés, accessibles donc par les lignes de métro nord-sud traversant Manhattan. Les lignes A, B, C, D et 1 marquent toutes l'arrêt à Columbus Circle, à la lisière sud-ouest de Central Park, tandis que les N, R ou Q vous déposeront à l'angle sud-est. Les lignes 2 ou 3 vous mènent à l'entrée nord, à Harlem.

**Bus** Le bus M104 parcourt Broadway du nord au sud, tandis que la M10 offre une jolie balade le long de la bordure ouest du parc. Les lignes transversales des 66th, 72nd, 79th, 86th et 96th Sts traversent le parc pour atteindre l'Upper East Side. À noter que ces derniers effectuent des arrêts uniquement à l'extérieur du parc.

## À voir

**Central Park (p. 216)**

**Nicholas Roerich Museum** Musée
**Plan p. 222 (www.roerich.org ; 319 W 107th St, entre Riverside Dr et Broadway ; don suggéré 5 $ ; 12h-17h mar-ven, 14h-17h sam-dim ; S 1 jusqu'à Cathedral Pkwy).** Ce passionnant petit musée, logé sur trois niveaux dans une maison datant de 1898, constitue l'un des secrets les mieux gardés de la ville. Il abrite plus de 200 toiles du prolifique poète, philosophe et peintre russe Nikolai Konstantinovich Roerich (1874-1947). À noter en particulier ses stupéfiantes représentations de l'Himalaya, qu'il visita à maintes reprises.

**New York Historical Society** Musée
**Plan p. 222 (www.nyhistory.org ; 2 W 77th St à Central Park West ; adulte/enfant 18/6 $, sur don 18h-20h ven, bibliothèque gratuite ; 10h-18h mar-jeu et sam, jusqu'à 20h ven, 11h-17h dim ; S B, C jusqu'à 81st St-Museum of Natural History).** Le plus ancien musée de la ville fut créé en 1804 pour conserver plus de 60 000 objets à caractère historique et culturel. On y trouve de tout, du siège d'investiture de George Washington à une assiette à glace Tiffany du XIXe siècle (dorée *of course*).

**Zabar's** Épicerie fine casher
**Plan p. 222 (www.zabars.com ; 2245 Broadway et 80th St ; 8h-19h30 lun-ven, jusqu'à 20h sam, 9h-18h dim ; S 1 à 79th St).** Bastion de l'épicurisme casher, ce vaste établissement fait partie intégrante du quartier depuis les années 1930 : divins fromages, viande,

Central Park

SYLVAIN SONNET/GETTY IMAGES ©

olives, caviar, poisson fumé, marinade, fruits secs, noix et plats préparés, notamment de moelleux *knishes* juste sortis du four (beignets de pommes de terre d'Europe de l'Est).

### American Folk Art Museum

Musée

**Plan p. 222 (www.folkartmuseum.org ; 2 Lincoln Sq, Columbus Ave à la 66th St ; 12h-19h30 mar-sam, jusqu'à 18h dim ; S 1 jusqu'à la 66th St-Lincoln Center).** GRATUIT Deux siècles de trésors artistiques nationaux et étrangers, comme des œuvres de Henry Darger (connu pour ses champs de bataille peuplés de fillettes) et Martín Ramírez (auteur d'hallucinants *caballeros* – chevaliers), sont ici réunis avec une foule de sculptures sur bois, de toiles, de photographies aquarellées et d'objets décoratifs. Récitals de guitare le mercredi et spectacles gratuits le vendredi.

### Riverside Park

Parc

**Plan p. 222 (212-870-3070 ; www.riversideparknyc.org ; Riverside Dr entre 68th st et 155th St ; 6h-1h ; ; S 1/2/3 jusqu'à n'importe quel arrêt entre 66th St et 157th St).** Beauté classique conçue par les créateurs de Central Park, Frederick Law Olmsted et Calvert Vaux, ce long ruban de verdure court le long de l'Hudson au nord d'Upper West Side, entre 59th St et 158th St. Pistes cyclables et aires de jeux en font le rendez-vous des familles.

De fin mars à octobre (quand le temps le permet), un restaurant animé au bord de l'eau, le **West 79th Street Boat Basin Café** (plan p. 222 ; 212-496-5542 ; www.boatbasincafe.com ; W 79th St à la hauteur de Henry Hudson Parkway ; plats 11-19 $ ; déj et dîner avr-oct, selon la météo ; S 1 jusqu'à 79th St) propose un menu léger. Parmi les autres terrasses au bord de l'eau, citons l'**Hudson Beach Café** (plan p. 222 ; www.hudsonbeachcafe.com ; 105th St et Riverside Dr ; plat 14 $ environ) et le **Pier i Café** (plan p. 222 ; 212-362-4450 ; www.piericafe.com ; W 70th St et Riverside Blvd ; plats 11-20 $ ; déj et dîner ; ; S 1, 2, 3 jusqu'à 72nd St).

## Où se restaurer

### Le Pain Quotidien

Sandwichs $

**Plan p. 222 (www.lepainquotidien.com ; Mineral Springs Pavilion, près de West Dr, Central Park ; plats 10-16 $ ; 7h-21h ; ; S B, C jusqu'à 72nd St).** Vous trouverez salades fraîches et tartines au Pain quotidien du spacieux Mineral Springs Pavilion, que vous dégusterez à l'extérieur ou en terrasse. Aussi, de jolies tartes aux fruits rouges et d'énormes tasses de café au lait (plus le Wi-Fi gratuit). Vous pouvez aussi opter pour la solution à emporter et pique-niquer dans Sheep Meadow, à deux pas de là.

### Spectacles d'été à Central Park

Aux beaux jours, le parc devient le théâtre d'une longue série d'événements culturels, majoritairement gratuits. **Shakespeare in the Park** (www.shakespeareinthepark.org), organisé par le Public Theater, et **SummerStage** (www.summerstage.org) GRATUIT, tout un programme de concerts gratuits, occupent le devant de la scène.

Les billets – gratuits – pour Shakespeare sont délivrés à 13h le jour de la représentation, mais si vous voulez être sûr d'avoir une place, rejoignez la file d'attente dès 8h ! Il n'est en effet délivré que deux billets par personne présente et les retardataires n'ont pas le droit de se glisser dans la file.

Les sites des concerts de SummerStage ouvrent généralement 1 heure 30 avant le début du spectacle. S'il s'agit d'artistes très connus, présentez-vous bien à l'avance pour avoir une chance d'entrer.

# Upper West Side et Central Park

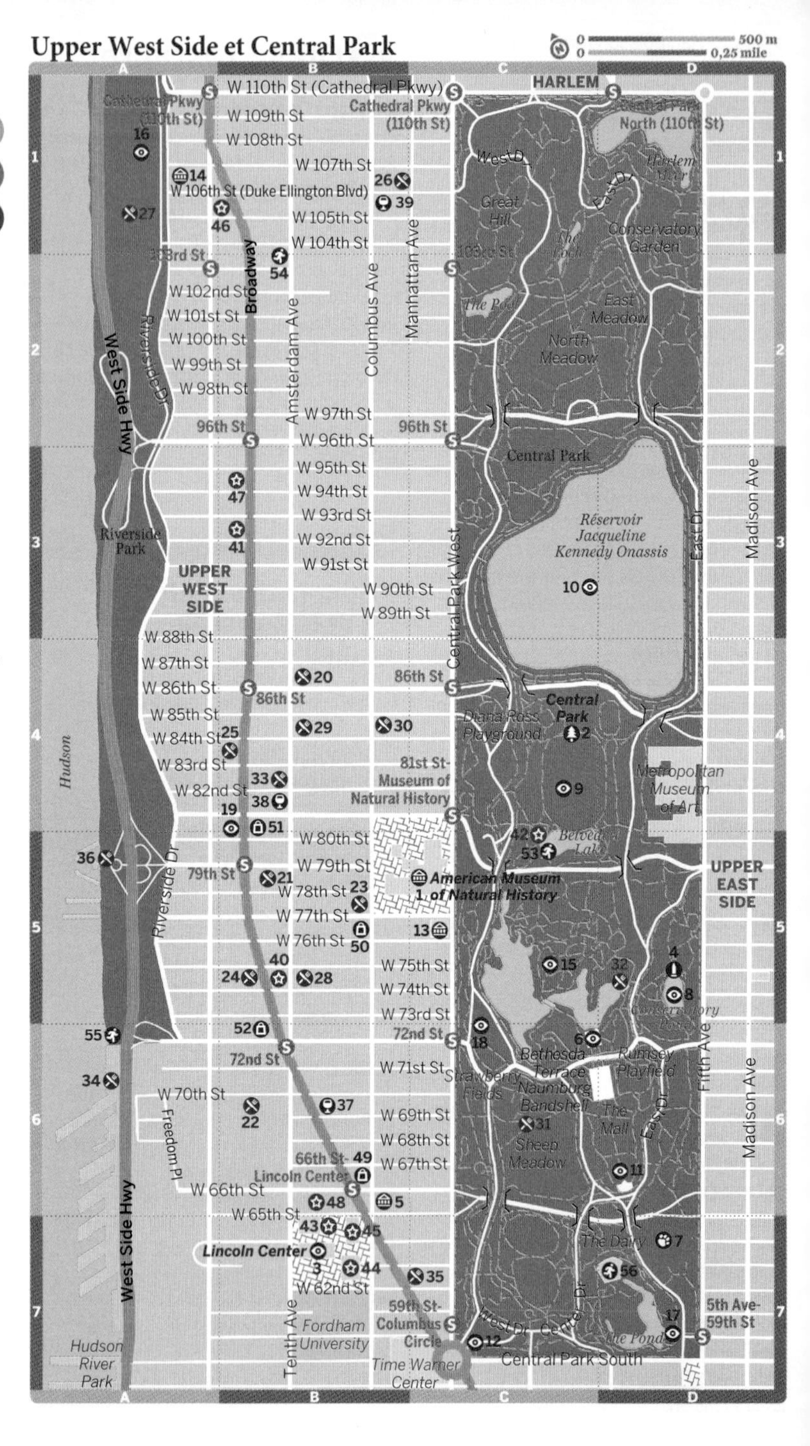

## Upper West Side et Central Park

**Les incontournables**

1 American Museum of Natural History ........ C5
2 Central Park ........ C4
3 Lincoln Center ........ B7

**À voir**

4 Alice in Wonderland ........ D5
5 American Folk Art Museum ........ B6
6 Bethesda Fountain ........ C6
7 Central Park Zoo ........ D7
8 Conservatory Water ........ D5
9 Great Lawn ........ C4
10 Réservoir Jacqueline Kennedy Onassis ........ C3
11 Literary Walk ........ D6
12 Merchants' Gate ........ C7
13 New-York Historical Society ........ C5
14 Nicholas Roerich Museum ........ A1
15 Ramble ........ C5
16 Riverside Park ........ A1
17 Scholars' Gate ........ D7
18 Strawberry Fields ........ C6
Tisch Children's Zoo ........ (voir 7)
19 Zabar's ........ B4

**Où se restaurer**

20 Barney Greengrass ........ B4
21 Burke & Wills ........ B5
22 Café Luxembourg ........ B6
23 Dovetail ........ B5
24 Fairway ........ B5
25 Five Napkin Burger ........ B4
26 Gastronomía Culinaria ........ B1
27 Hudson Beach Café ........ A1
28 Hummus Place ........ B5
29 Jacob's Pickles ........ B4
30 Kefi ........ B4
31 Le Pain Quotidien ........ C6
32 Loeb Boathouse ........ D5
33 Peacefood Cafe ........ B4
34 Pier i Café ........ A6
35 PJ Clarke's ........ C7
Shake Shack ........ (voir 23)
36 West 79th Street Boat Basin Café ........ A5

**Où prendre un verre et faire la fête**

37 Barcibo Enoteca ........ B6
38 Dead Poet ........ B4
39 Ding Dong Lounge ........ B1
Manhattan Cricket Club ........ (voir 21)

**Où sortir**

40 Beacon Theatre ........ B5
41 Cleopatra's Needle ........ B3
42 Delacorte Theater ........ C5
43 Elinor Bunin Munroe Film Center ........ B7
Metropolitan Opera House ........ (voir 3)
44 New York City Ballet ........ B7
45 New York Philharmonic ........ B7
46 Smoke ........ B1
47 Symphony Space ........ B3
48 Walter Reade Theater ........ B6

**Shopping**

49 Century 21 ........ B6
50 Greenflea ........ B5
51 Westsider Books ........ B4
52 Westsider Records ........ B6

**Sports et activités**

53 Belvedere Castle ........ C5
Bike & Roll ........ (voir 12)
54 Champion Bicycles Inc ........ B2
55 Downtown Boathouse (Upper West Side) ........ A6
Loeb Boathouse ........ (voir 32)
56 Wollman Skating Rink ........ D7

### Shake Shack — Hamburgers $

**Plan p. 222 (646-747-8770 ; www.shakeshack.com ; 366 Columbus Ave, entre 77th St et 78th St ; burgers 4-9 $, shakes 5-7 $ ; 10h45-23h ; ; S B, C, 1/2/3 jusqu'à 72nd St).**

Les burgers de bœuf Angus (100% naturel) sont imbattables, surtout si on y ajoute de croustillantes frites gaufrées et un milkshake crémeux – mais l'endroit sert aussi de la bière pression et du vin. Le burger aux champignons est recommandé.

### Hummus Place — Oriental $

**Plan p. 222 (212-799-3335 ; www.hummusplace.com ; 305 Amsterdam Ave entre 74th St et 75th St ; houmous à partir de 8 $ ; déj et dîner ; ; S 1/2/3 jusqu'à 72nd St).**

Le lieu, petit et juste au-dessous du niveau de la rue, ne présenterait aucun intérêt s'il ne servait les plus incroyables assiettes de houmous. Elles sont servies chaudes, avec différentes garnitures : pois chiches, champignons et ragoût de fèves à l'œuf. Les salades et les feuilles de vigne sont tout aussi savoureuses. Excellent rapport qualité/prix.

### Fairway — Épicerie fine $

**Plan p. 222 (www.fairwaymarket.com/store-upper-west-side ; 2127 Broadway, à la hauteur de 75th St ; 6h-1h ; S 1/2/3 jusqu'à 72nd St).**

Cette épicerie surprenante expose ses produits en devanture pour vous inciter

# Central Park

## LE POUMON DE NEW YORK

Ce rectangle de verdure qui occupe le cœur de Manhattan est une création du milieu du XIXe siècle, les édiles ayant décidé de remodeler cette ingrate terre marécageuse pour en faire le paysage idyllique que vous voyez aujourd'hui. Depuis qu'il est officiellement devenu Central Park, il réunit toutes les classes sociales pour divers événements et aventures imprévus. Les riches y ont fait admirer leurs belles voitures dans les années 1860, les pauvres y sont venus gratuitement aux concerts le dimanche dans les années 1880 et les opposants à la guerre du Vietnam y ont manifesté dans les années 1960.

Depuis, des légions de New-Yorkais – sans parler des voyageurs des quatre coins du monde – affluent pour se promener, pique-niquer, prendre le soleil, jouer et assister gratuitement à des concerts ou des pièces de Shakespeare.

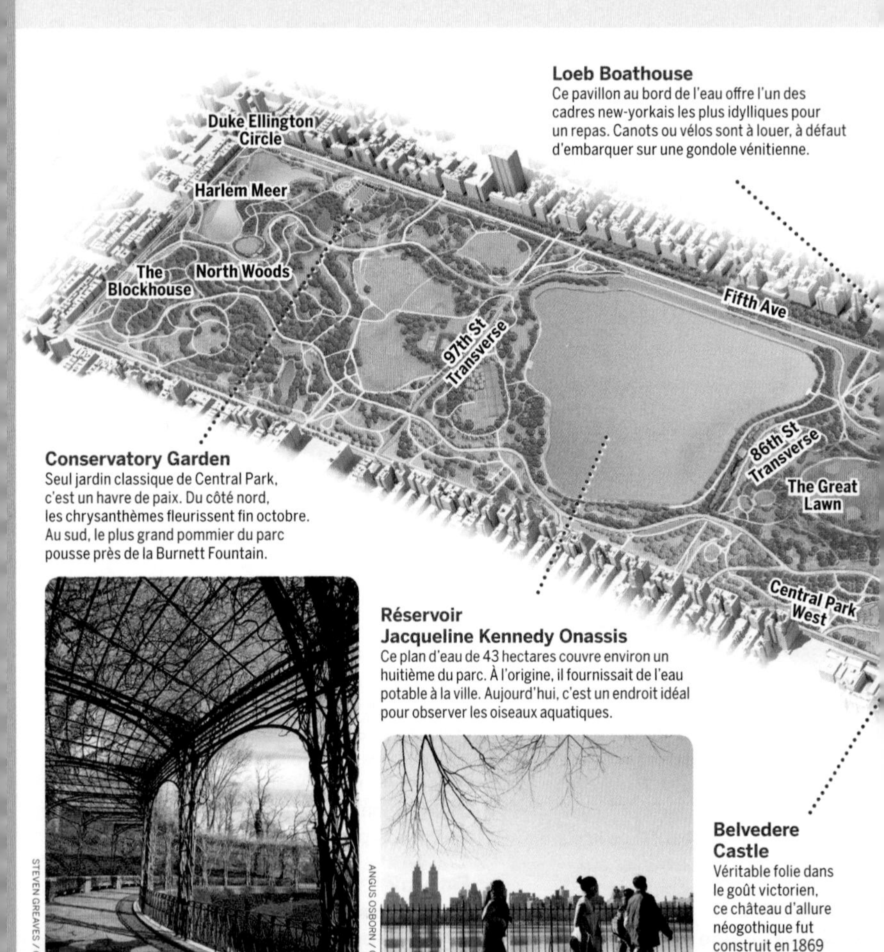


**Loeb Boathouse**
Ce pavillon au bord de l'eau offre l'un des cadres new-yorkais les plus idylliques pour un repas. Canots ou vélos sont à louer, à défaut d'embarquer sur une gondole vénitienne.

**Conservatory Garden**
Seul jardin classique de Central Park, c'est un havre de paix. Du côté nord, les chrysanthèmes fleurissent fin octobre. Au sud, le plus grand pommier du parc pousse près de la Burnett Fountain.

**Réservoir Jacqueline Kennedy Onassis**
Ce plan d'eau de 43 hectares couvre environ un huitième du parc. À l'origine, il fournissait de l'eau potable à la ville. Aujourd'hui, c'est un endroit idéal pour observer les oiseaux aquatiques.

**Belvedere Castle**
Véritable folie dans le goût victorien, ce château d'allure néogothique fut construit en 1869 par l'un des deux architectes de Central Park, Calvert Vaux. Le point de vue sur la ville est incomparable.

La nature variée du terrain permet tout un éventail d'expériences.De paisibles buttes boisées dominent le nord. Au sud, le réservoir, terrain de prédilection des joggeurs. Jardins italien, anglais, français, un zoo et de multiples plans d'eau diversifient le paysage à foison. Sous le soleil, Sheep Meadow, "pré" favori du Tout-New York qui vient s'y prélasser, révèle tout son éclat. Central Park est bien plus qu'un espace vert. C'est le vaste jardin particulier d'une ville appelée New York.

## FAITS ET CHIFFRES

» **Architectes et paysagistes** Frederick Law Olmsted et Calvert Vaux

» **Début du chantier** 1858

» **Superficie** 340 ha

» **Tournages** Des succès de l'époque de la Grande Dépression tels que la comédie musicale *Chercheuses d'or* (1933) au film catastrophe *Cloverfield* (2008), Central Park tient la vedette dans des centaines de films.

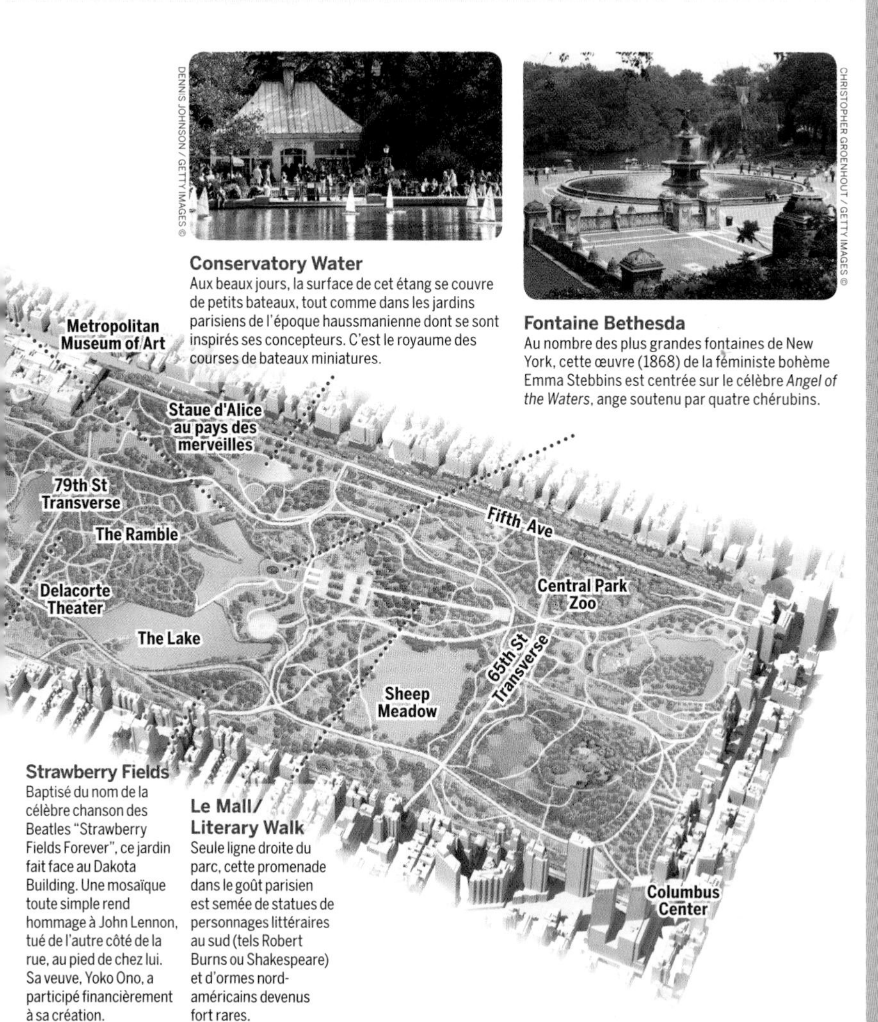


**Conservatory Water**
Aux beaux jours, la surface de cet étang se couvre de petits bateaux, tout comme dans les jardins parisiens de l'époque haussmanienne dont se sont inspirés ses concepteurs. C'est le royaume des courses de bateaux miniatures.

**Fontaine Bethesda**
Au nombre des plus grandes fontaines de New York, cette œuvre (1868) de la féministe bohème Emma Stebbins est centrée sur le célèbre *Angel of the Waters*, ange soutenu par quatre chérubins.

**Strawberry Fields**
Baptisé du nom de la célèbre chanson des Beatles "Strawberry Fields Forever", ce jardin fait face au Dakota Building. Une mosaïque toute simple rend hommage à John Lennon, tué de l'autre côté de la rue, au pied de chez lui. Sa veuve, Yoko Ono, a participé financièrement à sa création.

**Le Mall/ Literary Walk**
Seule ligne droite du parc, cette promenade dans le goût parisien est semée de statues de personnages littéraires au sud (tels Robert Burns ou Shakespeare) et d'ormes nord-américains devenus fort rares.

à entrer et découvrir ses rayons remplis de délices du monde entier : huiles, noix, fromages, plats préparés. À l'étage, un marché et un café bio (guettez les marches près de la sortie).

**Kefi** Grec **$$**
**Plan p. 222 (www.kefirestaurant.com ; 505 Columbus Ave, entre 84th St et 85th St ; petite assiette à partager 7-10 $, plats 13-20 $ ; 12h-15h et 17h-22h lun-ven, 11h-22h sam-dim ; S B, C jusqu'à 86th St).** Accueillant, blanchi à la chaux, l'établissement de Michael Psilakis dégage une ambiance taverne chic et propose d'excellents plats grecs rustiques.

**Jacob's Pickles** Américain **$$**
**Plan p. 222 (212-470-5566 ; 509 Amsterdam Ave, entre 84th St 85th St ; plats 14-21 $ ; 11h-2h lun-jeu, 11h-4h ven, 9h-4h sam, 9h-2h dim).** Outre les concombres et consorts, vous pourrez commander de gigantesques portions d'une cuisine consistante et haut de gamme – tacos de poisson-chat, cuisses de dinde braisées au vin, ou *mac' and cheese* (macaronis au fromage) aux champignons. À noter encore la vingtaine de bières artisanales à la pression en provenance des États de New York et du Maine.

**Barney Greengrass** Épicerie fine **$$**
**Plan p. 222 (www.barneygreengrass.com ; 541 Amsterdam Ave, à la hauteur de 86th St ; plats 9-20 $, bagel au fromage frais 5 $ ; 8h30-18h mar-dim ; ; S 1 jusqu'à 86th St).** Autoproclamé "roi de l'esturgeon," Barney Greengrass sert toujours ces plats généreux avec œufs et saumon fumé, caviar et *babka* au chocolat fondant (gâteau de type kougloff) qui ont fait sa gloire dès son ouverture il y a un siècle. Passez-y pour prendre des forces le matin ou pour un déjeuner rapide ; des tables bancales sont installées au milieu des rayons bondés.

**Five Napkin Burger** Bistrot **$$**
**Plan p. 222 (212-333-4488 ; 2315 Broadway, à la hauteur de 84th St ; plats 14-16 $ ; 11h30-minuit ; S 1, 2, 3 jusqu'à 86th St).** Avec ses burgers juteux et son cadre aux airs de brasserie haut de gamme – banquettes en cuir confortables, grandes baies vitrées et terrasse extérieure aux beaux jours, cette adresse séduisante fait toujours recette. Bon choix de bières et de vins.

**Peacefood Cafe** Végétalien **$$**
**Plan p. 222 (212-362-2266 ; www.peacefoodcafe.com ; 460 Amsterdam Ave à la hauteur de 82nd St ; paninis 12-13 $, plats 10-17 $ ; 10h-22h ; ; S 1 jusqu'à 79th St).** Vaste et lumineux, le havre végétalien d'Eric Yu sert un populaire panini au *seitan* (protéine végétale) frit, servi sur une *focaccia* maison et garni de noix de cajou, de roquette, de tomates et de pesto, ainsi que des pizzas, des assiettes de légumes grillés et une excellente salade de quinoa.

**Burke & Wills** Australien moderne **$$**
**Plan p. 222 (646-823-9251 ; 226 W 79th St, entre Broadway et Amsterdam Ave ; plats 17-28 $ ; 16h-2h lun-ven, 12h-2h sam-dim ; S 1 jusqu'à 79th St).** Inauguré en 2013, ce séduisant bar-bistrot apporte une touche d'outback à l'Upper West Side. Le menu lorgne vers la cuisine de pub moderne, version australienne : juteux burgers de kangourou accompagnés de frites, crevettes grillées, salade de chou frisé ou encore morue rôtie servie avec chou-fleur, dattes et grenades.

**PJ Clarke's** Pub **$$**
**Plan p. 222 (212-957-9700 ; www.pjclarkes.com ; 44 W 63rd St, angle Broadway ; burgers 10-14 $, plats 18-42 $ ; 11h30-1h ; S 1 jusqu'à 66th St-Lincoln Center).** Face au Lincoln Center, les nappes à carreaux, une nourriture solide et un service gracieux drainent une clientèle bon enfant. Si vous êtes pressé, allez au bar et commandez un burger Black Angus et une Brooklyn Lager.

**Gastronomía Culinaria** Italien **$$**
**Plan p. 222 (212-663-1040 ; 53 W 106th St, entre Columbus Ave et Manhattan Ave ; plats 14-23 $ ; 11h30-22h dim-jeu, 11h30-23h ven-sam ; S B, C, 1 jusqu'à 103rd St).** Ce restaurant est souvent évoqué par les habitants du quartier comme "ce formidable restaurant italien

BRUCE YUANYUE BI/GETTY IMAGES ©

## À ne pas manquer
## American Museum of Natural History

Fondé en 1869, ce musée contient plus de 30 millions d'objets, ainsi qu'un planétarium hyper-moderne. D'octobre à mai, il accueille le Butterfly Conservatory, avec une collection de plus de 500 papillons du monde entier. Référence mondiale, la section Fossil Halls expose quasiment 600 fossiles, dont le squelette d'un énorme mammouth et le terrifiant *Tyrannosaurus rex*.

Il y a de nombreuses expositions consacrées aux animaux, des galeries dédiées a ux pierres précieuses et le cinéma IMAX qui programme des films sur les phénomènes naturels. Dans le Milstein Hall of Ocean Life, vous visionnerez des dioramas sur l'écologie, le climat, la protection de la nature, sous l'œil d'une gigantesque baleine bleue (30 m) factice suspendue au-dessus de vos têtes. À la 77th St Lobby Gallery, les visiteurs sont accueillis par un canoë de 19 m sculpté par les Haida de Colombie-Britannique au milieu du XIXe siècle.

Pour les amoureux de l'espace, le Rose Center For Earth & Space constitue le clou du spectacle. Derrière sa façade de verre, il abrite des salles aux "spectacles sidéraux", sans oublier le planétarium. Toutes les demi-heures, de 10h30 à 16h30, on peut s'installer devant *Dark Universe*, qui explore les mystères et merveilles du cosmos.

Très apprécié des enfants, le musée est pris d'assaut le week-end. Programmez votre visite de bonne heure et en semaine.

### INFOS PRATIQUES

Plan p. 222 ; 212-769-5100 ; www.amnh.org ; Central Park West, à la hauteur de 79th St ; don suggéré adulte/enfant 22/12,50 $ ; 10h-17h45, Rose Center 10h-20h45 ven ; Butterfly Conservancy oct-mai ; ; S B, C jusqu'à 81st St-Museum of Natural History, 1 jusqu'à 79th St

JOHNNY STOCKSHOOTER/GETTY IMAGES ©

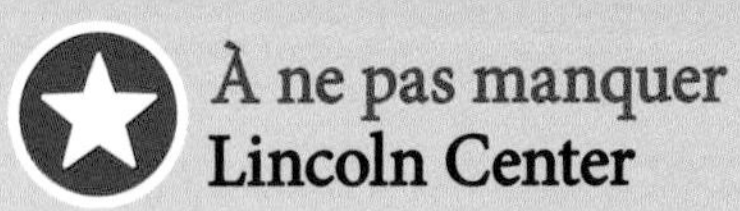

# À ne pas manquer Lincoln Center

Cet ensemble rectiligne de temples modernistes tout en lumières réunit les salles mythiques de Manhattan : l'Avery Fisher Hall (salle du New York Philharmonic), le David H Koch Theater (résidence du New York City Ballet) et l'emblématique Metropolitan Opera (photo ci-dessus) aux fresques signées Chagall. Ce vaste complexe de 6,5 ha réunit bien d'autres salles de spectacle et de rencontre dont un théâtre, deux cinémathèques et la célèbre école du spectacle, la Juilliard School.

La rénovation de plusieurs édifices est un succès, à ne pas manquer. Ainsi l'Alice Tully Hall projette au-dessus du porche une façade angulaire translucide très contemporaine. Le David Rubenstein Atrium, vaste espace public, réunit un lounge (Wi-Fi gratuit), un café, un bureau de renseignements et une billetterie pour les spectacles donnés le jour même au Lincoln Center. Des spectacles gratuits y ont lieu le jeudi soir.

Chaque soir, le Lincoln Center donne au moins 10 spectacles. En été, l'Out of Doors (série de ballets et de concerts) et le Midsummer Night Swing (bal sous les étoiles) invitent notamment la culture dans les parcs. Pour des détails sur les saisons, les billets et la programmation – qui va de l'opéra à la danse en passant par le théâtre – voir la section "Où sortir" de ce chapitre.

Chaque jour, des guides vous mènent à la découverte du Metropolitan Opera House, de la Revson Fountain et de l'Alice Tully Hall. L'idéal pour approcher d'un peu plus près la vie de cet ensemble dévolu aux arts du spectacle.

## INFOS PRATIQUES

Plan p. 222 ☎ 212-875-5456 ; http://lc.lincolncenter.org ; Columbus Ave entre 62nd St et 66th St ; places publiques gratuites, visite tarif normal/étudiant 18/15 $ ; 👪 ; S 1 jusqu'à 66th St-Lincoln Center de 106th St". Cette table tenue par un chef romain évoque une charmante trattoria, avec ses plats somptueux à des tarifs raisonnables, servis dans une étroite salle aux murs en brique.

### Loeb Boathouse — Américain $$$

**Plan p. 222 (☎212-517-2233 ; www.thecentralparkboathouse.com ; Central Park à la hauteur de 74th St ; plats 24-47 $ ; ⏲restaurant 12h-16h et 17h30-21h30 lun-ven, 9h30-16h et 18h-21h30 sam-dim ; S A/C, B jusqu'à 72nd St, 6 jusqu'à 77th St).** Perché au nord-est de Central Park, le centre nautique du parc offre au loin une vue idéale sur Midtown. Ce panorama en fait l'un des lieux les plus idylliques de New York pour un repas.

Si vous voulez profiter de la vue sans vous ruiner, rejoignez le Bar & Grill adjacent (plats 16 $), où les *crabcakes* se dégustent face à un panorama magnifique.

### Café Luxembourg — Français $$$

**Plan p. 222 (☎212-873-7411 ; www.cafeluxembourg.com ; 200 W 70th St entre Broadway et West End Ave ; plats déj 18-29 $, plats dîner 25-36 $ ; ⏲petit-déj, déj et dîner tlj, brunch dim ; S 1/2/3 jusqu'à 72nd St).** Cette élégante salle est la quintessence du restaurant chic : cadre raffiné, personnel stylé, clientèle fidèle, éclairage flatteur, menu remarquable. Les plats traditionnels, tartare de saumon, cassoulet, steak-frites, sont des valeurs sûres. La proximité du Lincoln Center lui assure une clientèle d'avant-spectacle.

### Dovetail — Américain moderne $$$

**Plan p. 222 (☎212-362-3800 ; www.dovetailnyc.com ; 103 W 77th St, angle Columbus Ave ; menu dégustation 88 $, plats 36-58 $ ; ⏲17h30-22h lun-sam, 11h30-22h dim ; ✎ ; S A/C, B jusqu'à 81st St-Museum of Natural History, 1 jusqu'à 79th St).** Cette table étoilée au Michelin affiche une beauté zen à la fois dans son cadre (brique nue, tables brutes) et ses délicieux menus de saison. Le lundi, le chef John Fraser propose un menu végétarien composé de quatre plats (58 $) qui séduit même les carnivores avec son cocktail de champignons dodus, de poires Beurré d'Anjou et de grains de poivre.

## Où prendre un verre et faire la fête

### Barcibo Enoteca — Bar à vins

**Plan p. 222 (www.barciboenoteca.com ; 2020 Broadway, angle 69th St ; ⏲16h30-0h30 lun-ven, 15h30-0h30 sam-dim ; S 1/2/3 jusqu'à 72nd St).** Juste au nord du Lincoln Center, un établissement chic aux tables de marbre, idéal pour siroter un verre. Sur la longue liste de crus de toute l'Italie, 40 variétés sont proposées au verre.

### Dead Poet — Bar

**Plan p. 222 (www.thedeadpoet.com ; 450 Amsterdam Ave entre 81st St et 82nd St ; ⏲12h-4h ; S 1 jusqu'à 79th St).** Cet étroit pub tapissé d'acajou est couru depuis plus de dix ans par tout le quartier, habitants et étudiants, tous amateurs de Guinness.

### Ding Dong Lounge — Bar

**Plan p. 222 (www.dingdonglounge.com ; 929 Columbus Ave entre 105th St et 106th St ; ⏲16h-4h ; S B, C, 1 jusqu'à 103rd St).** Difficile de jouer les durs dans l'Upper West Side, mais cet ancien repaire de fumeurs de crack transformé en bar punk s'y essaie vraiment avec ses toilettes couvertes de graffitis et ses murs en brique apparente.

### Manhattan Cricket Club — Bar à cocktails

**Plan p. 222 (226 W 79th St, entre Amsterdam Ave et Broadway ; ⏲19h-2h mar-sam ; S 1 jusqu'à 79th St).** Logée au-dessus de l'Aussie Burke & Wills (p. 226), cette élégante taverne s'inspire des clubs de cricket anglo-australiens du début des années 1900. Des clichés sépia de joueurs en action ornent les murs tendus de brocart doré, tandis que la bibliothèque d'acajou, les canapés Chesterfield et le sophistiqué plafond en étain embossé créent le cadre parfait pour siroter des cocktails réussis mais coûteux (18 $).

## Où sortir

### Lincoln Center

Outre les salles et compagnies répertoriées ici, on n'oubliera pas les pièces de théâtre et comédies musicales données par le Vivian Beaumont Theater et le Mitzi E Newhouse Theater (programme sur le principal site Internet du Lincoln Center, http://lc.lincolncenter.org).

**Metropolitan Opera House** Opéra

**Plan p. 222 (www.metopera.org ; Lincoln Center, 64th St à la hauteur de Columbus Ave ; S 1 jusqu'à 66th St-Lincoln Center).** Résidence de la principale troupe d'opéra de New York, le "Met" est une référence internationale pour le répertoire lyrique classique. On va y entendre *Carmen, Madame Butterfly* ou *Macbeth,* sans oublier la tétralogie de Wagner. La saison court de septembre à avril.

On peut, en dernière minute, à partir de 10h le jour du spectacle, obtenir des places debout très bon marché (17-25 $) mais sans grande visibilité. Autre opportunité du lundi au jeudi : les 200 *rush tickets*– 20 $ pour un fauteuil d'orchestre (sauf galas et premières) – mis en vente deux heures avant le spectacle ! Faites la queue au plus tôt.

**Film Society of Lincoln Center** Cinéma

**(☎212-875-5456 ; www.filmlinc.com ; S 1 jusqu'à 66th St-Lincoln Center).** L'inestimable fonds cinématographique de la Film Society réunit des joyaux du 7e art, documentaires, longs-métrages, cinéma indépendant, réalisations étrangères ou films d'avant-garde. Les projections du Lincoln Center se font dans deux multiplexes, le nouveau **Elinor Bunin Munroe Film Center** **(plan p. 222 ; ☎212-875-5601, horaires des films 212-875-5600 www.filmlinc.com ; Lincoln Center, 144 W 65th St ; S 1 jusqu'à 66 St-Lincoln Center)**, plus expérimental et intimiste, et le **Walter Reade Theater** **(plan p. 222 ; ☎212-875-5600 ; www.filmlinc.com ; Lincoln Center,**

**À gauche :** Peacefood Cafe (p. 226)
**Ci-dessous :** Wollman Skating Rink (p. 233)
(LEFT) LONELY PLANET/GETTY IMAGES ©; (BELOW) STEVEN GREAVES/GETTY IMAGES ©

165 W 65th St ; **S** 1 jusqu'à 66th St-Lincoln Center), réputé pour le confort de ses fauteuils.

### New York Philharmonic — Musique classique

**Plan p. 222 (www.nyphil.org ; Avery Fisher Hall, Lincoln Center, angle Columbus Ave et 65th St ; 👪 ; S 1 jusqu'à 66th St-Lincoln Center).** Créé en 1842, le plus ancien orchestre professionnel des États-Unis donne chaque année sa saison à l'Avery Fisher Hall. Son chef Alan Gilbert est le fils de deux musiciens du Philharmonic. Tchaïkovski, Mahler, Haydn... ou compositeurs contemporains, le répertoire est vaste, sans oublier les concerts pour enfants.

### New York City Ballet — Danse

**Plan p. 222 (☎212-496-0600 ; www.nycballet.com ; David H Koch Theater Lincoln Center, Columbus Ave à la hauteur de 62nd St ; 👪 ; S 1 jusqu'à 66th St-Lincoln Center).** Avec ses 90 danseurs, le New York City Ballet fondé et dirigé dans les années 1940 par le chorégraphe russe George Balanchine est la plus grande compagnie de danse du pays. Elle se produit pas moins de 23 semaines par an sur la scène du David H Koch Theater du Lincoln Center. Son *Casse-Noisette* donné chaque fin d'année est devenu mythique.

## Upper West Side

### Beacon Theatre — Concerts

**Plan p. 222 (www.beacontheatre.com ; 2124 Broadway entre 74th St et 75th St ; S 1/2/3 jusqu'à 72nd St).** D'une taille idéale avec ses 2 600 places, cette salle historique (1929) accueille un flux continu d'artistes célèbres, de Nick Cave aux Allman Brothers.

### Cleopatra's Needle — Jazz

**Plan p. 222 (www.cleopatrasneedleny.com ; 2485 Broadway entre 92nd St et 93rd St ; ⏲16h-tard ; S 1/2/3 jusqu'à 96th St).** Une salle longue et étroite, comme l'obélisque éponyme qui se dresse dans Central Park. L'entrée est gratuite, mais il faut y dépenser au minimum 10 $. Venez de bonne heure pour profiter de l'happy hour (15h30-18h/19h), avec ses cocktails à moitié prix.

**Smoke** Jazz
**Plan p. 222 (www.smokejazz.com ; 2751 Broadway entre 105th St et 106th St ; 17h30-3h lun-ven, 11h-3h sam et dim ; S 1 jusqu'à 103rd St).** Non-fumeur (comme le reste de la ville) en dépit de son nom, ce club luxueux, avec sofas moelleux et excellente visibilité, programme des musiciens confirmés, dont beaucoup d'artistes chéris des New-Yorkais comme George Coleman et Wynton Marsalis. Presque tous les soirs l'entrée est à 10 $, et comptez de 20 à 30 $ si vous consommez (boisson et plats). Achetez vos billets en ligne pour les concerts u week-end.

**Symphony Space** Concerts
**Plan p. 222 (212-864-5400 ; www.symphonyspace.org ; 2537 Broadway entre 94th St et 95th St ; ; S 1/2/3 jusqu'à 96th St).** Cette institution multidisciplinaire de l'Upper West Side programme de tout, musiques du monde, théâtre, 7e art. On y propose souvent des cycles (3 jours) consacrés à un musicien.

## Shopping

**Greenflea** Marché aux puces, artisanat
**Plan p. 222 (212-239-3025 ; www.greenfleamarkets.com ; Columbus Ave entre 76th St et 77th St ; 10h-17h30 dim ; S B, C jusqu'à 81st St-Museum of Natural History ; 1 jusqu'à 79th St).** L'un des plus anciens marchés en plein air de la ville, le Greenflea est idéal pour chiner le dimanche matin.

**Westsider Books** Livres
**Plan p. 222 (www.westsiderbooks.com ; 2246 Broadway entre 80th St et 81st St ; 10h-22h ; S 1 jusqu'à 79th St).** Cette petite librairie débordant de livres rares et d'occasion offre un bon choix en fiction et livres illustrés.

**Westsider Records** Musique
**Plan p. 222 (212-874-1588 ; www.westsiderbooks.com/recordstore.html ; 233 W 72nd St entre Broadway et West End Ave ; 11h-19h lun-jeu, 11h-21h ven-sam, 12h-18h dim ; S 1/2/3 jusqu'à 72nd St).** Avec plus de 30 000 disques, cette boutique répond forcément à vos envies.

**Century 21** Grand magasin
**Plan p. 222 (www.c21stores.com ; 1972 Broadway entre 66th St et 67th St ; 10h-22h lun-sam, 11h-20h dim ; S 1 jusqu'à 66th St-Lincoln Center).** Tous les aficionados des créateurs, New-Yorkais comme touristes, chantent les louanges de la chaîne

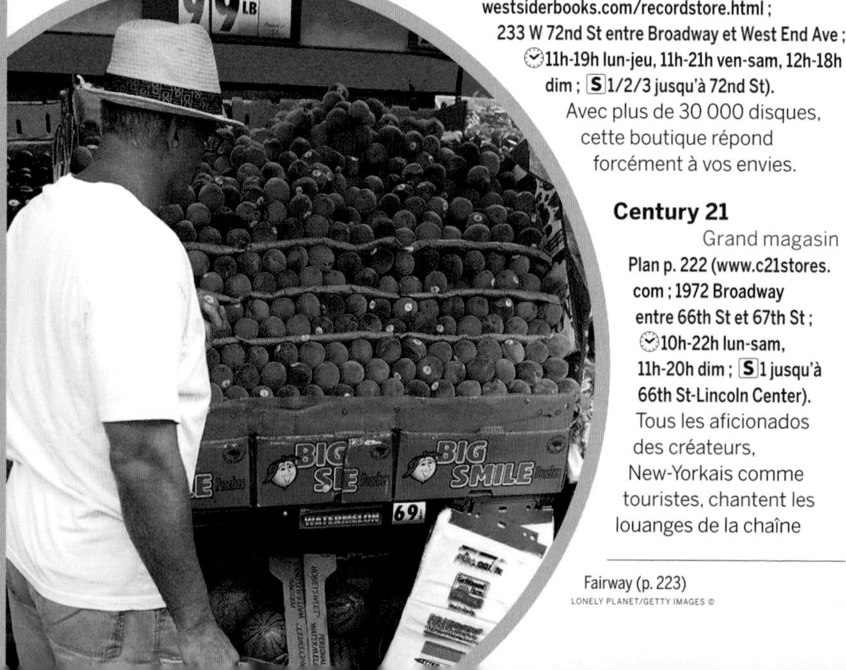


Fairway (p. 223)

Century 21 qui pratique des démarques très, très appréciables sur les collections en cours et de la saison passée. De Missoni à Marc Jacobs...

# Sports et activités

**Loeb Boathouse** Kayak, vélo

**Plan p. 222 (☎212-517-2233 ; www.thecentralparkboathouse.com ; Central Park entre 74th St et 75th St ; bateau 12 $/h, vélo 9-15 $/h ; 10h-crépuscule avr-nov ; ; S B, C jusqu'à 72nd St ; 6 jusqu'à 77th St).** La flotte du centre nautique de Central Park ne compte pas moins de 100 barques et 3 kayaks, que l'on peut louer d'avril à novembre (en fonction de la météo), tout comme les vélos (casque compris). En été, une gondole vénitienne peut embarquer jusqu'à 6 personnes (30 $/30 min). Pièce d'identité et carte bancaire requises.

**Bike & Roll** Vélo

**Plan p. 222 (www.bikeandroll.com/newyork ; Columbus Circle, à la hauteur de Central Park West ; location 14/44 $ par heure/jour ; 9h-19h mars-mai, 8h-20h juin-août, 10h-16h sept-nov ; ; S A/C, B/D, 1/2 jusqu'à 59th St-Columbus Circle).** À l'entrée sud-ouest du parc, un petit kiosque mobile propose à la location des *beach cruisers* et des 10-vitesses pour sillonner Central Park ; on trouve aussi des sièges enfant et des tandems.

**Champion Bicycles Inc** Vélo

**Plan p. 222 (☎212-662-2690 ; www.championbicycles.com ; 896 Amsterdam Ave à la hauteur de 104th St ; location à partir de 7/40 $ par heure/journée ; 10h-19h lun-ven, jusqu'à 18h sam-dim ; S 1 jusqu'à 103rd St).** Cette adresse offre toute une gamme de vélos à louer et des exemplaires gratuits de l'excellente **NYC Cycling Map** (www.nyc.gov/bikes), qui détaille plusieurs centaines de kilomètres de pistes cyclables à New York.

**Wollman Skating Rink** Patin à glace

**Plan p. 222 (☎212-439-6900 ; www.wollmanskatingrink.com ; Central Park, entre 62nd St et 63rd St ; adulte lun-jeu/ven-dim 11/18 $, enfant 6 $, location de patins 8 $, vestiaire 5 $, spectateur 5 $ ; mi-oct à début avr ; ; S F jusqu'à 57 St ; N/Q/R jusqu'à 5th Ave-59th St).** Plus grande que la patinoire du Rockefeller Center, elle permet de virevolter sur la glace toute la journée à la bordure sud-est de Central Park, dans un cadre panoramique. Espèces uniquement.

HARLEM·LOVE
AMERICA
HAITI
CHINA
FINLAND
PERU
JAMAICA
Canada
JAPAN
ALPHA
BLONDY

# Upper Manhattan et boroughs extérieurs

## Upper Manhattan (p. 236)

La vaste moitié supérieure de Manhattan comprend entre autres un musée extravagant, une imposante cathédrale et un quartier vibrant d'énergie, bastion de la culture afro-américaine.

## Brooklyn (p. 240)

Quartiers historiques, vie nocturne trépidante, superbes parcs au bord de l'eau et musées d'envergure mondiale. Brooklyn possède tout ce dont un citadin sophistiqué a besoin.

## Queens (p. 247)

L'immense mosaïque ethnique et culturelle du Queens abrite plusieurs musées de haut vol. Une foule bigarrée circule dans les rues, où l'on entend parler toutes les langues du monde. Aucun doute : on est à New York.

Fresque murale à la mémoire de Michael Jackson, Harlem

# Upper Manhattan

Harlem, quartier chargé d'histoire, demeure l'un des centres légendaires de la culture afro-américaine : Cab Calloway y a chanté, Ralph Ellison y a écrit *Homme invisible, pour qui chantes-tu ?* et Romare Bearden y a assemblé ses premiers collages. Mais comme tout New York, le quartier change. Des enseignes de chaînes nationales ont désormais investi 125th St, et les restaurants tendance, résidences de luxe et jeunes cadres (de tous horizons religieux et ethniques) s'installent.

Juste au-dessus de l'Upper West Side, le quartier de Morningside Heights couvre la zone entre 110th St et 125th St, tout au bout du côté ouest. C'est aussi, pour ainsi dire, le dortoir de l'université de Columbia. Non loin se trouve la Cathedral Church of St John the Divine. De style gothique, cette cathédrale est le plus grand lieu de culte des États-Unis.

Inwood, à la pointe nord de Manhattan (à partir de 175th St environ), est un quartier résidentiel paisible doté de jolis parcs et d'un extravagant musée, à voir absolument.

## Depuis/vers l'Upper Manhattan et Harlem

**Métro** 125th St, l'artère principale de Harlem, n'est qu'à un arrêt de la station de métro 59th St-Columbus Circle dans Midtown par les lignes A et D. On peut accéder à d'autres zones de Harlem et du nord de Manhattan avec les lignes A/C, B/D, 1/2/3 et 4/5/6.

**Bus** Des dizaines de bus sillonnent les principales avenues entre le nord et le sud de Manhattan. Le bus M10 parcourt un itinéraire assez touristique côté ouest de Central Park, jusqu'à Harlem. Les M100 et M101 vont d'est en ouest sur la 125th St.

**Taxi** Si les taxis jaunes viennent à manquer, guettez les Boro Taxis, couleur vert pomme, qui desservent Upper Manhattan, le Queens et Brooklyn ; ils fonctionnent au taximètre, exactement comme les *yellow cabs*.

## À voir

**Cloisters Museum & Gardens** Musée

**(www.metmuseum.org/cloisters ; Fort Tryon Park ; don suggéré adulte/enfant 25 $/gratuit ; 10h-17h ; S A jusqu'à 190th St).** Perché sur une colline dominant l'Hudson, ce musée fut construit dans les années 1930 pour abriter les trésors médiévaux du Metropolitan Museum. C'est un curieux puzzle architectural, dont les nombreuses pièces proviennent de divers monastères européens et bâtiments historiques. Les fresques, tapisseries et autres tableaux sont présentés dans des galeries, reliées par de majestueuses voûtes coiffées de toits mauresques en terre cuite, et disposées autour d'une cour romantique. Parmi les nombreuses perles rares figure *La Chasse à la licorne*, une envoûtante tapisserie du XVI^e siècle.

**Apollo Theater** Édifice historique

**(212-531-5300, visites 212-531-5337 ; www.apollotheater.org ; 253 W 125th St à la hauteur de Frederick Douglass Blvd, Harlem ; soir de semaine 16 $, week-ends 18 $ ; S A/C, B/D jusqu'à 125th St).** Sa marquise étincelante en fait l'une des icônes du quartier. Cette scène emblématique de Harlem accueille des concerts et des manifestations politiques depuis 1914. Tous les grands artistes noirs des années 1930 et 1940 s'y sont produits, tels Duke Ellington et Billie Holiday. Des décennies plus tard, cette icône new-yorkaise continue d'afficher une formidable programmation associant musique, danse, master classes et manifestations exceptionnelles.

L'Amateur Night ("où naissent les stars et se créent les légendes") du mercredi soir l'a notamment rendue célèbre. Avec son public surexcité, le spectacle se trouve autant dans la salle que sur scène.

# Upper Manhattan et boroughs extérieurs

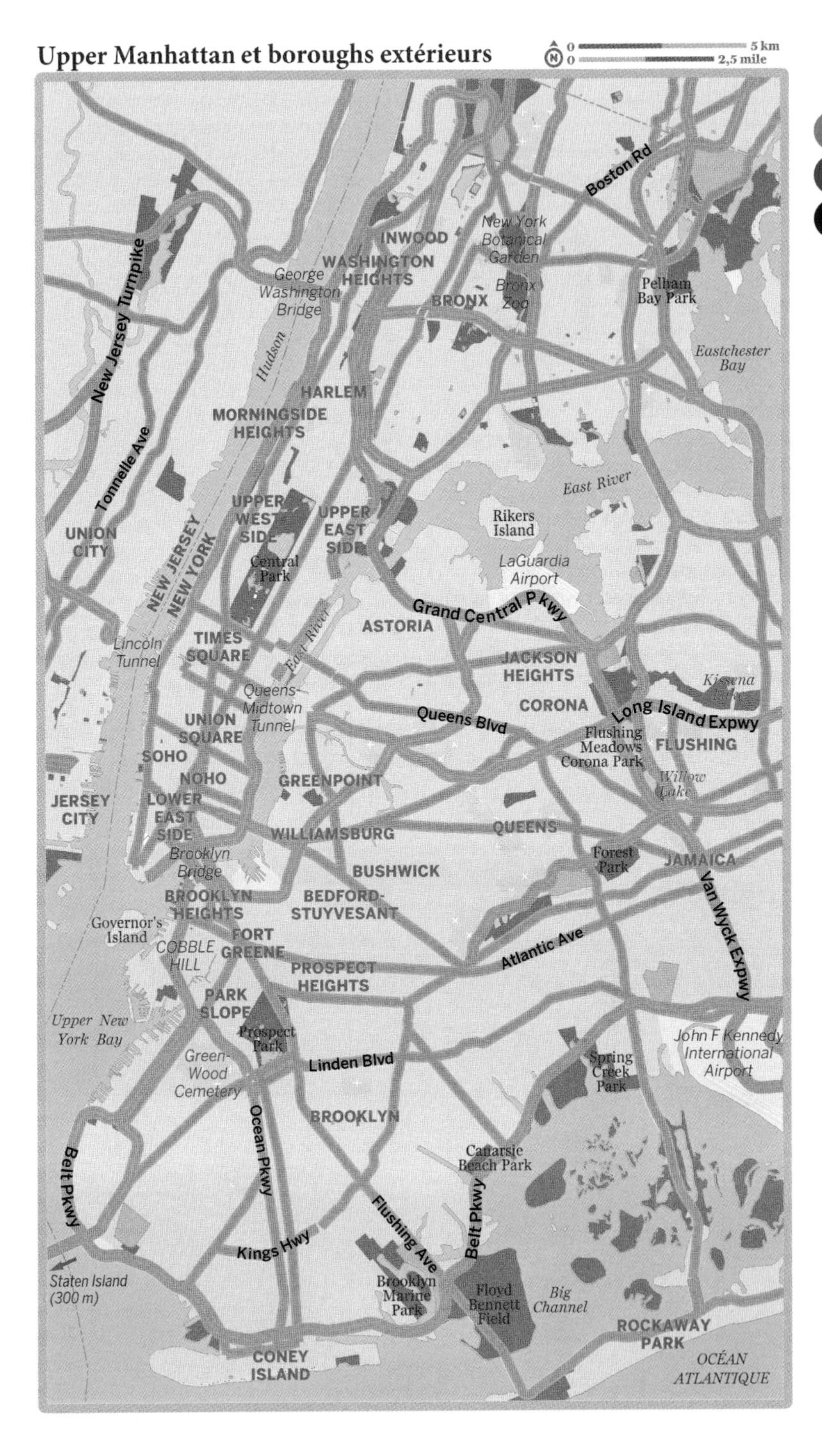

**Studio Museum in Harlem** Musée

(☎212-864-4500 ; www.studiomuseum.org ; 144 W 125th St à la hauteur d'Adam Clayton Powell Jr Blvd, Harlem ; don suggéré 7 $, gratuit dim ; ⏲12h-21h jeu et ven, 10h-18h sam, 12h-18h dim ; Ⓢ2/3 jusqu'à 125th St). Depuis plus de 40 ans, ce véritable lieu de culture expose des œuvres d'artistes afro-américains. C'est aussi un lieu de rencontre pour tous les curieux, quels qu'ils soient, de la culture noire à travers spectacles, films et conférences sans cesse renouvelés.

**Yankee Stadium** Stade

(☎718-508-3917, 718-293-6000 ; www.yankees.com ;E 161st St, à la hauteur de River Ave ; visite 20 $ ; ⏲téléphoner pour les horaires ; ⓈB/D, 4 jusqu'à 161st St-Yankee Stadium). Si les Boston Red Sox ont mis fin à une disette de 86 ans en 2004, leurs rivaux de toujours, les Yankees, peuvent se targuer d'avoir remporté 27 finales de World Series au total. Le club new-yorkais n'a rien perdu de sa magie en emménageant dans son nouveau stade de 161st St, où il a disputé sa première saison en 2009. Les matchs des Yankees se disputent entre avril et octobre.

**Cathedral Church of St John the Divine** Église

(☎visites 212-932-7347 ; www.stjohndivine.org ; 1047 Amsterdam Ave à la hauteur de W 112th St, Morningside Heights ; don à l'entrée, visite guidée 6 $, visite verticale 15 $ ; ⏲7h30-18h ; ⓈB, C, 1 jusqu'à 110th St-Cathedral Pkwy). Le plus grand lieu de culte des États-Unis a le destin des cathédrales du Moyen Âge. Il reste à achever et le travail sera long. Cette cathédrale épiscopalienne ne s'en impose pas moins au regard. D'abord médusé par sa façade gothique et sa grande rosace, on est ensuite estomaqué en pénétrant à l'intérieur par les dimensions de la nef et des grandes orgues. Achevé – le sera-t-il un jour ? –, ce sanctuaire de 183 m de long sera la 3e plus grande cathédrale au monde, après les basiliques Saint-Pierre de Rome et Notre-Dame-de-la-Paix à Yamoussoukro (Côte d'Ivoire). Des visites sont proposées à 11h et 13h le samedi, ainsi qu'à 13h le dimanche. Le samedi à 12h et 14h, des visites mènent au sommet par une série d'escaliers (prenez une lampe torche).

**Columbia University** Université

(www.columbia.edu ; Broadway à la hauteur de 116th St, Morningside Heights ; Ⓢ1 jusqu'à

Yankee Stadium

## Gospel et ferveur religieuse : du respect !

Ce qui avait débuté comme un pèlerinage occasionnel s'est transformé en spectacle touristique : des bus entiers de voyageurs se déversent désormais à Harlem tous les dimanches pour assister à une messe gospel. Et les touristes sont parfois plus nombreux dans l'assemblée que les fidèles. Aussi certaines églises leur refusent-elles l'entrée faute de place.

Cette situation a inévitablement provoqué des tensions. Les bavardages pendant les sermons, les départs en pleine messe et les tenues souvent un peu déplacées des touristes agacent particulièrement les fidèles. Que la spiritualité noire soit consommée comme un spectacle de Broadway les contrarie vraiment.

Les églises respectent néanmoins leur mission première d'accueil. Assister à une messe implique le respect : habillez-vous décemment (en habits du dimanche !), ne prenez pas de photos et ne quittez pas l'office avant la fin.

Les services commencent généralement à 11h et peuvent durer 2 heures ou plus. Voici quelques églises parmi une soixantaine dans Harlem.

**Abyssinian Baptist Church** (www.abyssinian.org ; 132 W 138th St entre Adam Clayton Powell Jr et Malcolm X Blvds ; S 2/3 jusqu'à 135th St). Célèbre église plus que centenaire, où vont en priorité les touristes étrangers (des bancs leur sont réservés). Office plus bref le mercredi soir.

**Canaan Baptist Church** (www.cbccnyc.org ; 132 W 116th St entre Adam Clayton Powell Jr et Malcolm X Blvds ; ; S 2/3 jusqu'à 116th St). Église de quartier fondée en 1932.

**Convent Avenue Baptist Church** (212-234-6767 ; www.conventchurch.org ; 420 W 145th St à la hauteur de Convent Ave ; S A/C, B/D, 1 jusqu'à 145th St). Services baptistes traditionnels depuis les années 1940.

**Greater Hood Memorial AME Zion Church** (www.greaterhood.org ; 160 W 146th St entre Adam Clayton Powell Jr et Malcolm X Blvds ; ; S 3 jusqu'à 145th). Accueille aussi des services hip-hop le jeudi à 18h30.



116th St-Columbia University). GRATUIT Le King's College fondé en 1754 est devenu l'une des plus grandes institutions de recherche du monde. La plus ancienne université de New York occupe depuis 1897 son site actuel (ancien asile d'aliénés) et propose de nombreux événements culturels.

## Où se restaurer et prendre un verre

**Dinosaur Bar-B-Que** Steakhouse **$$**
(www.dinosaurbarbque.com ; 700 W 125th St à la hauteur de 12th Ave ; repas 7-27 $ ; 11h30-23h lun-jeu, 11h30-1h ven-sam, 12h-22h dim ; ; S 1 jusqu'à 125th St). La clientèle est très variée dans ce restaurant de viande. Offrez-vous une côte de porc fumée, un énorme pavé de steak ou un hamburger, ou bien soignez votre ligne avec un plat de poulet grillé légèrement relevé.

**Amy Ruth's Restaurant** Cuisine du Sud **$$**
(www.amyruthsharlem.com ; 113 W 116th St près de Malcolm X Blvd ; gaufres 8,95-16,95 $, plats 12-22 $ ; 11h-23h lun, 8h30-23h mar-jeu, 8h30-17h ven, 7h30-17h-sam, 7h30-23h dim ; S B, C, 2/3 jusqu'à 116th St). Le lieu ne désemplit pas car c'est le must pour déguster les classiques de la cuisine afro-américaine : délicieux poisson-chat

frit, *mac 'n' cheese* et biscuits gonflés. Comment résister par ailleurs à ses 14 déclinaisons de gaufres, y compris avec des crevettes.

**New Leaf Cafe** Américain moderne **$$**
**(☎212-568-5323 ; www.newleafrestaurant.com ; 1 Margaret Corbin Dr, Inwood ; déj plats 12-20 $, dîner plats 18-30 $ ; ⏲12h-15h30 lun, 12h-21h mar-jeu, 12h-22h ven, 11h-15h30 et 18h-22h sam, 11h-15h30 et 18h-21h dim ; S A jusqu'à 190th St).** Niché dans Fort Tryon Park, non loin des Cloisters (p. 236), cet édifice en pierre des années 1930 a des airs de taverne campagnarde sophistiquée. Le menu de saison conjugue les classiques salades et plats de pâtes, et les produits de la mer locaux (cake au crabe du Maryland, etc.). Par beau temps, le patio extérieur se prête parfaitement au brunch.

**Red Rooster** Américain moderne **$$$**
**(www.redroosterharlem.com ; 310 Malcolm X Blvd entre 125th St et 126th St, Harlem ; dîner plats 17-36 $ ; ⏲11h30-22h30 lun-ven, 10h-23h sam-dim ; S 2/3 jusqu'à 125th St).** Dans son établissement branché, le chef Marcus Samuelsson tisse une cuisine haut de gamme. Ici, le *mac 'n' cheese* côtoie le homard, le "*dirty rice*" (riz cajun) reçoit le même traitement que le basmati, tandis que les boulettes suédoises sont un hommage à sa patrie. Le déjeuner à 25 $ est une aubaine. Brunch gospel dominical servi chez **Ginny's** (ci-dessous).

**Ginny's Supper Club** Bar à cocktails
**(www.ginnyssupperclub.com ; 310 Malcolm X Blvd entre 125th St et 126th St ; ⏲19h-2h jeu, 18h-3h ven-sam, brunch gospel dominical 10h30 et 22h30, fermé dim soir ; S 2/3 jusqu'à 125th St).** Dans ce bruyant *supper club* en sous-sol, les clients élégants sirotent des cocktails, grignotent des en-cas (provenant des cuisines du Red Rooster, p. 239), et swinguent au rythme du jazz, du blues, ou du son des DJ. Ne manquez pas le Rakiem Walker Project (un jazz band composé d'employés du Red Rooster), le lundi soir, et le divin brunch gospel dominical.

**Bier International** Bar à bières
**(www.bierinternational.com ; 2099 Frederick Douglass Blvd à la hauteur de 113th St ; ⏲16h-1h lun, 16h-2h mar-jeu, 16h-4h ven, 12h-4h sam, 12h-1h dim ; S B, C, 1 jusqu'à 110th St-Cathedral Pkwy, 2/3 jusqu'à 110th St-Central Park North).** Ce *beer garden* animé propose une bonne dizaine de pressions et un menu complet. Les frites à l'huile de truffe et au parmesan vont parfaitement avec la Bier Stiefel.

# Brooklyn

À lui seul, ce *borough* de la Grosse Pomme serait la quatrième municipalité des États-Unis. Brooklyn compte en effet plus de 2,5 millions d'habitants et s'étend sur 183 km², soit le triple de Manhattan ! Ainsi existe-t-il un réseau de lignes de métro pour l'extrémité nord et un autre pour desservir le sud. Si vous vouliez tout voir en un jour, *Fuhgeddaboudit*! (*Forget about it*, "oubliez !") comme disent les habitants du lieu.

À chaque jour son quartier... Face à Manhattan sur laquelle on a une vue splendide, South Brooklyn, et plus spécialement Brooklyn Heights et ses *brownstones*, est plus riche d'histoire que Coney Island et ses attractions légendaires. Les oiseaux de nuit, eux, se rendront dans l'enclave branchée de Williamsburg, fourmillant de bars et de restaurants, à une station de métro seulement de Manhattan.

## ℹ Depuis/vers Brooklyn

**Métro** Seize lignes circulent entre Manhattan et Brooklyn, plus la G qui relie le secteur brooklynien de Park Slope à Williamsburg et au Queens. Pour des destinations plus au sud de Brooklyn, vous prendrez la ligne A/C qui s'arrête à Brooklyn Heights, Downtown et Bed-Stuy. Park Slope et Coney Island sont sur les lignes D/F et N/Q. Brooklyn Heights, Downtown et Prospect Heights sont accessibles par la 2/3 et la 4/5. Dans Brooklyn nord, Bushwick et Williamsburg sont desservies principalement par la L.

## Renseignements

- **Indicatif téléphonique** 718
- **Situation** En face de Manhattan, de l'autre côté de l'East River.
- **Office du tourisme** (718-802-3846 ; www.visitbrooklyn.org ; 209 Joralemon St entre Court St et Brooklyn Bridge Blvd ; 10h-18h lun-ven ; S 2/3, 4/5 jusqu'à Borough Hall)

## À voir

## Brooklyn Bridge Park

**Brooklyn Bridge Park** Parc
(718-222-9939 ; www.brooklynbridgeparknyc.org ; East River Waterfront entre Atlantic Ave et Adams St ; 6h-1h ; ; S A/C jusqu'à High St, 2/3 jusqu'à Clark St, F jusqu'à York St). GRATUIT On parle beaucoup de ce nouveau parc de Brooklyn, s'étendant sur 34 ha. Il longe un méandre de l'East River sur 2 km, de Jay St à Dumbo jusqu'à l'ouest d'Atlantic Ave à Cobble Hill. L'idée était de revitaliser cette portion de côte stérile en réaménageant en espaces publics les quais à l'abandon. On y trouve aussi quelques établissements saisonniers (mai-octobre), dont **Fornino** (www.fornino.com ; Pier 6, Brooklyn Bridge Park), qui sert de la bière, de la pizza au feu de bois et d'autres mets italiens ; situé non loin de l'extrémité d'Atlantic Ave, il possède une terrasse sur le toit. Durant la même période, un ferry dessert gratuitement Governor's Island le week-end, depuis le quai n°6.

**Empire Fulton Ferry State Park** Parc
(718-858-4708 ; www.nysparks.state.ny.us ; 26 New Dock St ; 8h-crépuscule ; S A, C jusqu'à High St, F jusqu'à York St). Niché entre les ponts avec, en arrière-plan, des entrepôts de la guerre de Sécession, l'Empire Fulton Ferry State Park (3,6 ha) possède une agréable pelouse au bord de l'East River.

Brooklyn Bridge Park
BARRY WINIKER/GETTY IMAGES ©

**Jane's Carousel** Manège historique
(www.janescarousel.com ; Brooklyn Bridge Park, Empire Fulton Ferry, Dumbo ; tour 2 $ ; 11h-19h mer-lun, 11h-18h nov-avr ; ; S F jusqu'à York St). Construit en 1922 par la Philadelphia Toboggan Company, ce manège à chevaux de bois est devenu l'attraction-phare de l'Empire Fulton Ferry State Park.

C'est le premier manège à avoir été classé au Registre national des sites historiques. L'architecte français Jean Nouvel a entouré ce trésor des fêtes foraines d'un pavillon transparent en verre acrylique. Un must.

**Brooklyn Heights Promenade** Point de vue
(entre Orange St et Remsen St ; 24h/24 ; ; S 2/3 jusqu'à Clark St). Toutes les rues est-ouest (telles Clark St et Pineapple St)

BARRY WINIKER/GETTY IMAGES ©

## À ne pas manquer Prospect Park

Frederick Law Olmsted et Calvert Vaux estimaient que ce parc de 236 ha était plus abouti que leur précédent projet new-yorkais, Central Park. Inauguré en 1866, Prospect Park présente pourtant nombre de points communs avec son homologue : l'endroit est splendide, avec une longue étendue verdoyante dans sa moitié occidentale, fréquentée par les amateurs de soccer, de football, de cricket et de base-ball (et de barbecue). Le reste est parsemé de bois vallonnés, sans oublier le délicieux hangar à bateaux (voir image ci-dessus) côté est. Nombre de visiteurs viennent également y faire du vélo, du skate ou simplement s'y détendre. À noter encore des concerts gratuits organisés au Prospect Park Bandshell (près de l'entrée 9th St/Prospect Park West).

### INFOS PRATIQUES

718-965-8951 ; www.prospectpark.org ; Grand Army Plaza ; 5h-1h ; S 2/3 jusqu'à Grand Army Plaza, F jusqu'à 15th St-Prospect Park

mènent au site le plus apprécié du quartier : un parc étroit offrant des vues époustouflantes sur Lower Manhattan et le New York Harbor. Bien qu'au-dessus de la voie rapide Brooklyn-Queens Expressway (BQE), ce petit joyau urbain est parfait pour une promenade au coucher du soleil.

**Brooklyn Museum** Musée
(718-638-5000 ; www.brooklynmuseum.org ; 200 Eastern Parkway ; don suggéré 12 $ ; 11h-18h mer et ven-dim, 11h-22h jeu ; S 2/3 jusqu'à Eastern Parkway-Brooklyn Museum). Dessiné par McKim, Mead et White pour devenir le plus grand musée du monde, ce musée "encyclopédique" occupe un bâtiment

de style beaux-arts de 5 étages (52 000m²). Il abrite aujourd'hui plus d'un million et demi d'objets, antiques bien sûr, mais aussi des reconstitutions d'intérieurs XIXᵉ, entre autres sculptures et peintures de tous les siècles.

**Brooklyn Botanic Garden** Jardin

**(www.bbg.org ; 1000 Washington Ave à la hauteur de Crown St ; adulte/enfant 10 $, gratuit mardi et sam 10h-12h ; 8h-18h mar-ven, 10h-18h sam-dim ; ; S 2/3 jusqu'à Eastern Pkwy-Brooklyn Museum).** Une des attractions les plus pittoresques de Brooklyn, ce jardin de 21 ha abrite des milliers de plantes et d'arbres. Dans le jardin japonais, des tortues nagent dans un bassin près d'un sanctuaire shinto.

Un réseau de sentiers relie le jardin japonais aux autres sections très appréciées : flore locale, bonsaïs, bois tapissé de jacinthes sauvages, roseraie...

## Coney Island et Brighton Beach

À une heure de métro environ de Lower Manhattan, ces deux quartiers voisins sont bercés par l'Atlantique et reliés l'un à l'autre par une promenade en planches en bord de plage. Brighton Beach, à l'est, est plus calme. Avec ses coffee shops et ses épiceries, il est surtout peuplé d'immigrants ukrainiens et russes, comme l'indiquent les pancartes en cyrillique. Rien à voir avec l'ambiance festive de Coney Island 1,5 km à l'ouest, ses manèges et attractions, ses parades de carnaval, sa foule haute en couleur.

Pour voir et être vu durant les mois étouffants de l'été, rien ne vaut à Brooklyn la promenade en planches !

**Luna Park** Parc d'attractions

**(manège Cyclone ; www.lunaparknyc.com ; Surf Ave à la hauteur de 10th St ; tard mars-oct ; ; S D/F, N/Q jusqu'à Coney Island-Stillwell Ave).** Luna Park, un des parcs d'attractions les plus prisés de Coney Island, abrite ces époustouflantes montagnes russes en bois connues sous le nom de Cyclone (8 $). Inscrit au Registre national des sites historiques, il atteint la vitesse de 60 m/h et chute presque à la verticale.

## Williamsburg

Le quartier bohème du moment où jeunes artistes au visage poupin, écrivains, musiciens et graphistes aiment traîner leurs guêtres. Cet ancien fief des ouvriers latinos est devenu l'endroit en vue pour dîner et s'amuser. Williamsburg a beau manquer de grands musées et de bâtiments à l'architecture remarquable, on ne s'y ennuie jamais !

Les trois quarts du quartier donnent sur l'East River, au nord du Williamsburg Bridge. L'artère principale est Bedford Ave, où se succèdent cafés, boutiques et restaurants, concentrés entre la N 10th St et Metropolitan Ave.

**Brooklyn Flea Market** Marché aux puces

**(www.brooklynflea.com ; East River Waterfront, entre 6th St et 7th St, Williamsburg ; 10h-17h dim, avr-déc ; S L jusqu'à Bedford Ave).** Les dimanches d'été et d'automne, ce vaste marché à ciel ouvert vous invite à contempler tout un bric-à-brac de meubles rétro et de vêtements vintage. Côté restauration, vous aurez le choix entre petits pains au homard, *pupusas* (tortillas de blé garnies de fromage, de haricots, de viande ou de légumes), *tamales* (papillotes amérindiennes), chocolat et quantité d'autres denrées.

# Où se restaurer et prendre un verre

## Brooklyn Bridge Park

**Juliana's** Pizzeria **$$**

**(19 Old Fulton St, entre Water St et Front St ; pizzas 16-30 $ ; 11h30-23h ; S A/C jusqu'à High St).** Le mythique pizzaiolo octogénaire Patsy Grimaldi fait un retour triomphal à Brooklyn depuis l'ouverture en 2012 de Juliana's (le prénom de sa mère).

**Ci-dessous :** Portail japonais, Brooklyn Botanic Garden (p. 243)
**À droite :** Williamsburg
(BELOW) BEN KLAUS/GETTY IMAGES ©; (RIGHT) MICHAEL MARQUAND/GETTY IMAGES ©

**AlMar** Italien **$$**
(718-855-5288 ; 111 Front St, entre Adams St et Washington St, Dumbo ; plats 14-26 $ ; 8h-22h30 lun-jeu, jusqu'à 23h ven, 9h-23h sam, 10h-17h dim ; ; S F jusqu'à York St, A/C/E jusqu'à High St). Cet accueillant restaurant italien de Dumbo sert petits-déjeuners, déjeuners et dîners dans un cadre cosy. Le petit bar est idéal pour boire un verre de vin en croquant quelques olives.

## Brooklyn Museum

**Cheryl's Global Soul** Café **$$**
(www.cherylsglobalsoul.com ; 236 Underhill Ave, entre Eastern Pkwy et St Johns Pl, Prospect Heights ; sandwichs 8-14 $, plats 15-25 $ ; 8h-16h lun, jusqu'à 22h jeu-dim ; ; S 2/3 jusqu'à Eastern Pkwy-Brooklyn Museum). À l'angle du Brooklyn Museum et du Brooklyn Botanic Garden, ce café de brique et de bois propose une cuisine à base d'ingrédients frais aux influences diverses : riz thaï et saumon déglacé au saké, quiches maison et savoureux sandwichs. Options végétariennes, mais aussi macaronis au fromage ou *fish and chips* pour les enfants.

**Tom's Restaurant** Diner **$**
(718-636-9738 ; 782 Washington Ave à la hauteur de Sterling Pl, Prospect Heights ; 6h-16h ; S 2/3 jusqu'à Eastern Pkwy-Brooklyn Museum). Établi depuis 1936, à trois rues du Brooklyn Museum, ce *diner* concocte une solide cuisine. Dans un décor qui rappelle la salle à manger de grand-mère, on peut commander à toute heure un bon petit-déjeuner sans se ruiner : deux œufs, toasts, café, frites ou *grits* (gruau) pour 4 $. Pour vous la jouer rétro, commandez un *egg cream* (lait, soda et sirop de chocolat).

## Coney Island et Brighton Beach

**Nathan's Famous** Hot-dogs **$**
**(1310 Surf Ave à l'angle de Stillwell Ave, Coney Island ; hot-dog à partir de 4 $ ; petit-déj, déj et dîner jusque tard ; S D/F jusqu'à Coney Island-Stillwell Ave).** Inventé à Coney Island, le fameux hot-dog date de 1867. On se doit donc de croquer ici le célèbre sandwich aux saucisses. Les meilleurs sont ceux de Nathan's Famous, ici depuis 1916. Mention spéciale aux hot-dogs donc, mais également au bar à palourdes en été.

**Varenichnaya** Russe **$**
**(718-332-9797 ; 3086 Brighton 2nd St, Brighton Beach ; plats autour de 10 $ ; déj et dîner ; S B, Q jusqu'à Brighton Beach).** Ce petit refuge familial sert des raviolis tout frais, représentant diverses régions de l'ex-URSS : *pelmeni* à la viande, de Sibérie, *vareniki* d'Ukraine, et *mantis* à l'agneau d'Ouzbékistan. Le bortsch est divin, tout comme l'esturgeon et les brochettes d'agneau.

**Totonno's** Pizzeria **$$**
**(718-372-8606 ; 1524 Neptune Ave angle 16th St, Coney Island ; pizzas 17-20 $ ; 12h-20h mer-dim ; ; S D/F, N/Q jusqu'à Coney Island-Stillwell Ave).** Les garnitures sont limitées, mais la bonne pâte cuite au charbon de bois se passe de superflu. Venir ici est un pèlerinage dans l'authentique New York d'autrefois.

## Williamsburg

**Rye** Américain moderne **$$**
**(718-218-8047 ; 247 S 1st St, entre Roebling St et Havemeyer St ; plats 16-28 $ ; 18h-23h lun-ven, à partir de 12h sam et dim ; S L jusqu'à Lorimer St, J/M jusqu'à Marcy Ave).** Avec son long bar en acajou, cette adresse chaleureuse de Williamsburg évoque le début du XX^e^ siècle. Le menu court mais bien exécuté inclut poitrine de canard de Long Island, plats de côtes braisés, raie à la poêle, macaronis au fromage, sandwichs à la poitrine de porc et des aliments crus, telles huîtres et crevettes. Excellents cocktails.

**Marlow & Sons** Américain moderne **$$**
(718-384-1441 ; www.marlowandsons.com ; 81 Broadway, entre Berry St et Wythe Ave ; plats déj 13-16 $, dîner 17-27 $ ; 8h-minuit ; S J/M/Z jusqu'à Marcy Ave, L jusqu'à Bedford Ave). Avec son éclairage tamisé, cette salle tout en bois évoque un vieux café du Midwest. Mais le soir venu, les noctambules affluent pour profiter des huîtres, de cocktails et de spécialités souvent renouvelées (longe de porc fumée, pizzas croustillantes, navets caramélisés, tortillas à l'espagnole) faites de produits locaux. Le brunch étant très populaire, il faut s'armer de patience.

**Maison Premiere** Bar à cocktails
(www.maisonpremiere.com ; 298 Bedford Ave, entre 1st St et Grand St, Williamsburg ; 16h-4h lun-ven, 12h-16h sam-dim ; S L jusqu'à Bedford Ave). On s'attendrait à voir Dorothy Parker accoudée à l'élégant bar de cette adresse nostalgique. Les barmen en bretelles et le jazz évoquent le quartier français de La Nouvelle-Orléans.

Il y a un excellent bar à huîtres, mais aussi un véritable restaurant (et une terrasse) derrière le bar.

**Spuyten Duyvil** Bar
(www.spuytenduyvilnyc.com ; 359 Ave entre Havemayer et Roebling, Williamsburg ; à partir de 17h lun-ven, à partir de 12h sam et dim ; S L jusqu'à Lorimer St, G jusqu'à Metropolitan Ave). Cet établissement tout de bric et de broc propose une ahurissante sélection de bières à une clientèle sympa. L'occasion aux beaux jours de bavarder dans le verdoyant patio.

## Où sortir

**Brooklyn Bowl** Concerts
(718-963-3369 ; www.brooklynbowl.com ; 61 Wythe Ave entre 11th St et 12th St ; 18h-2h lun-jeu, jusqu'à 4h ven, 12h-4h sam, 12h-2h dim ; S L jusqu'à Bedford Ave, G jusqu'à Nassau Ave). Ce complexe de plus de 2 100 m² dans l'ancienne aciérie de l'Hecla Iron Works Company combine **bowlings** (location de piste 40-50 $/h, location de chaussures 5 $), microbrasseries, restaurants et concerts. Concerts endiablés, soirées NFL, karaoké et DJ. En-dehors du week-end de 12h à 18h, l'endroit est fermé aux moins de 21 ans.

**Bell House** Concerts
(www.thebellhouseny.com ; 149 7th St, Gowanus ; 17h-4h ; ; S F, G, R jusqu'à 4th Ave-9th St). Cette grande et ancienne salle dans le quartier plutôt silencieux de Gowanus organise spectacles, concerts indé, mix de DJ, stand-up et fêtes burlesques. Dans la pièce de devant, un petit bar chaleureux (fauteuils de cuir et éclairage aux bougies) propose une dizaine de bières à la pression.

MoMA PS1
STAN HONDA/GETTY IMAGES ©

**Music Hall of Williamsburg** Concerts
(www.musichallofwilliamsburg.com ; 66 N 6th St entre Ave et Kent Ave, Williamsburg ; concert 15-35 $ ; S L jusqu'à BedfordAve). Cette célèbre salle de Williamsburg est *le lieu* où écouter des groupes indé à Brooklyn (beaucoup de groupes en tournée à New York ne se produisent qu'ici). L'adresse est intime et le programme solide.

**Warsaw** Concerts
(www.warsawconcerts.com ; Polish National Home, 261 Driggs Ave à la hauteur d'Eckford St, Greenpoint ; S L jusqu'à Bedford Ave, G jusqu'à Nassau). Nouveau classique des salles new-yorkaises, Warsaw est située à l'intérieur de la Polish National Home (maison de la Pologne). Dans la vieille salle de bal, on peut aussi bien écouter des groupes indé (The Dead Milkmen) que des légendes comme George Clinton. De gracieuses Polonaises vous apportent des *pierogi* (bouchées à la viande) et des bières.

**Brooklyn Academy of Music** Danse
(BAM ; www.bam.org ; 30 Lafayette Ave à la hauteur d'Ashland Pl, Fort Greene ; ; S D, N/R jusqu'à Pacific St, B, Q, 2/3, 4/5 jusqu'à Atlantic Ave). Créée en 1861, la plus ancienne salle de concert du pays, la BAM, s'est fait un nom pour sa sélection de musique, de danse et de théâtre la plus avant-gardiste de New York. L'ensemble comprend un opéra de 2 109 sièges, un théâtre de 874 places et les quatre salles du Rose Cinemas. Rétrospectives de Merce Cunningham, danse africaine contemporaine ou interprétations avant-gardistes de Shakespeare s'inscrivent, entre autres, au programme.

**Bargemusic** Musique classique
(www.bargemusic.org ; Fulton Ferry Landing, Brooklyn Heights ; billet 35-45 $ ; ; S A/C jusqu'à High St). Amarrée à quai, cette péniche de la fin du XIX^e siècle offre une salle exceptionnelle de 125 places aux amateurs de musique classique. Concerts gratuits pour les enfants certains samedis.

# Queens

Des cinq *boroughs* de la ville, le Queens est le plus grand et le deuxième en termes de population. Alors, par où commencer ?

À condition qu'il ne s'agisse ni d'un mardi ni d'un mercredi (jours de fermeture de la plupart des galeries), commencez votre périple à Long Island City (LIC). Accessible par un rapide trajet en métro depuis Midtown, le quartier comporte une foule d'incontournables de l'art contemporain comme le MoMA PS1 et le Fisher Landau Center for Art, moins connu.

Passez un peu de temps dans le quartier voisin d'Astoria, pour goûter les spécialités de ses traiteurs et petites gargotes, siroter des bières tchèques au Bohemian Hall & Beer Garden, et profiter de quelques *happy hours* à l'impressionnant Museum of the Moving Image.

Plus loin, Flushing (le plus grand Chinatown de New York) mérite au moins une demi-journée. Si vous manquez de temps, passez la matinée dans le secteur de Main St and Roosevelt Ave, dégustez des raviolis tout frais, puis allez l'après-midi dans le quartier voisin de Corona, afin de contempler la gigantesque maquette de New York au Queens Museum of Art.

## Depuis/vers le Queens

**Métro** Douze lignes desservent le Queens. De Manhattan, les plus utiles sont les N/Q/R et M pour atteindre Astoria, la 7 pour Long Island City, Jackson Heights, Sunnyside, Woodside, Corona et Flushing, et la A à destination de Rockaway Beach. Les trains E et J/Z desservent Jamaica, et la G assure la liaison directe entre LIC et Brooklyn (y compris Williamsburg).

**Train** Le Long Island Rail Road (LIRR) offre une connexion commode entre la Penn Station de Manhattan et Flushing.

**Bus** Entre autres trajets routiers, la ligne M60 reliant LaGuardia Airport à Harlem et Columbia University à Manhattan présente l'avantage de desservir Astoria au passage.

## Renseignements

- **Indicatif téléphonique** ☎718
- **Situation** En face de Manhattan, de l'autre côté de l'East River.
- **Office du tourisme** (www.itsinqueens.com)

## À voir

### MoMA PS1 — Musée

**(www.momaps1.org ; 22-25 Jackson Ave niveau 46th Ave, Long Island City ; adulte/enfant 10 $/gratuit, compris dans l'entrée au MoMA, accès aux après-midi Warm Up en ligne/sur place 15/18 $ ; ⏲12h-18h jeu-lun, après-midi, Warm Up 15h-21h sam juil-début sept ; S E, M jusqu'à 23rd St-Ely Ave ; G jusqu'à 21st St ; 7 jusqu'à 45th Rd-Court House Sq).** Emblème de l'avant-garde new-yorkaise, ce petit cousin du Museum of Modern Art de Manhattan excelle à dénicher les talents et expose dans les bâtiments d'une austère ancienne école les projets les plus audacieux. Ne comptez pas moins de 50 expositions par an, explorant tous les domaines, de l'art vidéo du Moyen-Orient à des montagnes de fils. Avec un billet du MoMA, on entre gratuitement.

### Museum of the Moving Image — Musée

**(www.movingimage.us ; 36-01 35th Ave, sur 37th St, Astoria ; adulte/enfant 12/6 $, gratuit 16h-20h ven ; ⏲10h30-17h mer et jeu, 10h30-20h ven, 11h30-19h sam-dim ; S M/R jusqu'à Steinway St).** Récemment rénové, ce complexe décontracté constitue l'un des meilleurs musées du film, de la télévision et de la vidéo au monde. Des galeries ultramodernes exposent la collection de plus de 130 000 objets en rapport avec la TV et le cinéma. Préparez-vous à retrouver la perruque de Robert De Niro dans *Taxi Driver*, ou l'effrayant mannequin de *L'Exorciste*.

### Queens Museum — Musée

**(QMA ; www.queensmuseum.org ; Flushing Meadows Corona Park, Queens ; adulte/enfant 8 $/gratuit ; ⏲12h-18h mer-dim ; S 7 jusqu'à 111th St).** Récemment agrandi, le Queens

Unisphere, Flushing Meadows Corona Park

SCULPTURE: GILMORE DAVID CLARKE; IMAGE: BARRY WINIKER/GETTY IMAGES ©

Museum est un des trésors cachés de NYC. Sa pièce maîtresse est le Panorama of New York City, incroyable New York miniature reconstituée bâtiment par bâtiment sur près de 900 m². L'espace d'un quart d'heure, vous vivrez toute une journée dans la Grosse Pomme ! Les expos d'art moderne du QMA sont très courues.

**Flushing Meadows Corona Park** Parc

**(www.nycgovparks.org/parks/fmcp ; Grand Central Pkwy ; S 7 jusqu'à Mets-Willets Point).** Construit pour l'Exposition universelle de 1939 et principale attraction du quartier, ce parc de 490 ha abrite divers monuments dont le plus célèbre du Queens, l'**Unisphere**, plus grand globe au monde. Avec ses 36 m de haut et ses 380 tonnes d'acier, il fait face au New York City Building reconverti en un admirable musée, le Queens Museum of Art.

L'**Arthur Ashe Stadium** et les vestiges de l'**USTA Billie Jean King National Tennis Center** (**718-760-6200 ; www.usta.com ;Flushing Meadows Corona Park, Queens ; S 7 jusqu'à Mets-Willets Pt)** ne sont guère loin. Suivez vers l'ouest la passerelle au-dessus du Grand Central Pkwy pour rejoindre d'autres sites, notamment le **New York Hall of Science** (**718-699-0005 ; www.nysci.org ; 47-01 111th St ; adulte/enfant 11/8 $, gratuit 14h-17h ven, 10h-11h dim sept-juin, tlj tard août-début sept ; 9h30-17h lun-ven, 10h-18h sam-dim avr-août, fermé lun sept-mars ; S 7 jusqu'à 111th St).**

## Où se restaurer et prendre un verre

**M. Welles Dinette** Canadien $$

**(www.magasinwells.com ; MoMA PS1, 22-25 Jackson Ave, Long Island City ; plats 9-29 $ ; 12h-18h jeu-lun ; S E, M jusqu'à 23rd St-Ely Ave, G jusqu'à 21st St, 7 jusqu'à 45th Rd-Court House Sq).** Avec ses tables-pupitres face à la cuisine, on se croirait revenus à l'école, mais avec une meilleure cantine. Dans ce restaurant culte qui occupe une partie du bâtiment scolaire converti en galerie d'art par le MoMA PS1, le chef québécois Hugue Dufour apporte une audacieuse touche franco-canadienne à des ingrédients régionaux.

On s'y régale, par exemple, d'une frisée aux cœurs de canard, œufs fumés et croûtons. À accompagner d'un verre de vin sélectionné parmi une courte liste intéressante.

**Golden Shopping Mall** Chinois $

**(41-28 Main St, Flushing ; repas à partir de 3 $ ; S 7 jusqu'à Flushing-Main St).** L'espace de restauration au sous-sol du Golden Mall offre un éventail de mets savoureux à manger sur le pouce.

Deux musts : les raviolis d'agneau de Xie Family Dishes (stand 38), encore meilleurs accompagnés de vinaigre noir, de sauce soja et d'huile piquante, et le hamburger d'agneau au cumin épicé de son voisin, Xi'an Famous Foods.

**Taverna Kyclades** Grec $$

**(718-545-8666 ; www.tavernakyclades.com ; 33-07 Ditmars Blvd, at 33rd St, Astoria ; plats 11-35 $ ; 12h-23h lun-sam, jusqu'à 22h dim ; S N/Q jusqu'à Astoria-Ditmars Blvd).** Les produits de la mer, avec des classiques comme le poulpe grillé et les calamars frits sont tout simplement délicieux. Les poissons grillés confortent l'adage selon lequel la qualité prime sur la quantité, tandis que le *saganaki* (fromage pané et frit) est excellent.

**Bohemian Hall & Beer Garden** Beer garden

**(www.bohemianhall.com ; 29-19 24th Ave entre 29th St et 31st St, Astoria ; 17h-1h lun-jeu, 7h-3h ven, 12h-3h sam, 12h-1h dim ; S N/Q jusqu'à Astoria Blvd).** Voici probablement l'un des endroits les plus épatants de NYC où boire un verre. Le jardin est particulièrement agréable lorsqu'il fait chaud. Les bières tchèques à la pression, importées et dont la liste est impressionnante, sont servies avec l'accent du pays, comme les *schnitzels*, goulash et raviolis. Par certaines chaudes soirées, des groupes de folk sont invités (comptez jusqu'à 5 $ de plus). Essayez d'arriver tôt.

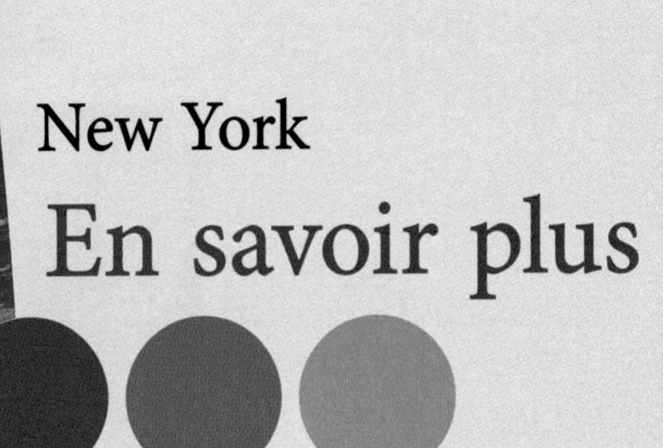

# New York
# En savoir plus



Manhattan de nuit

# New York aujourd'hui

*Pas même le passage de l'ouragan Sandy n'a pu arrêter la plus grande et la plus audacieuse métropole américaine.*

**Logement**
(% de la population)

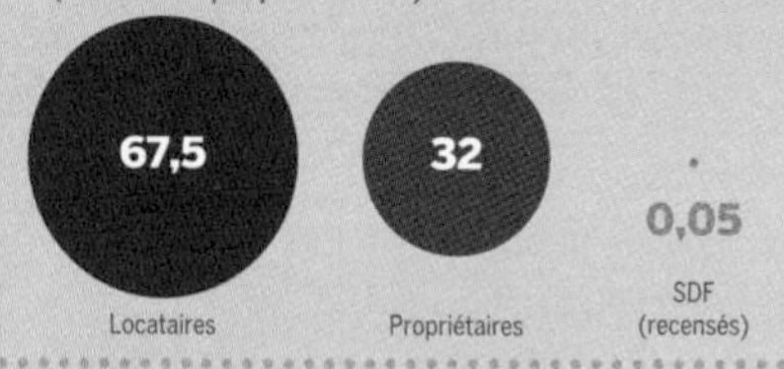


**Sur 100 personnes à New York**

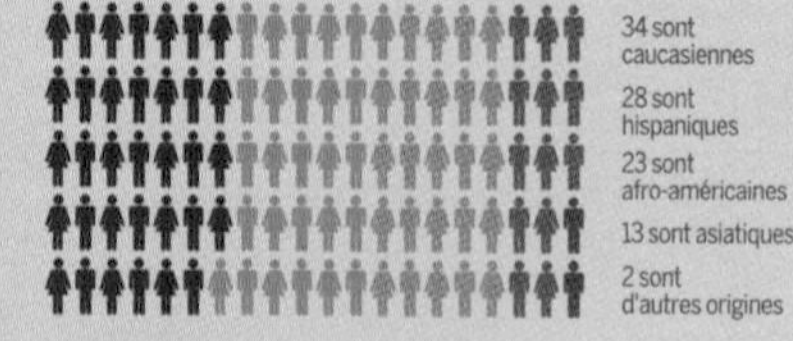


**Population au km²**

≈ 5 000 personnes

Williamsburg Bridge

## Après la tempête

Si l'ouragan Sandy a causé bien des dommages, New York a tenu bon. Depuis son passage en octobre 2012, des travaux de reconstruction et de réhabilitation de plus de un milliard de dollars ont été entrepris. Le rétablissement est long. En 2014, des travaux avaient encore lieu dans certaines zones sinistrées de la ville, telles que Battery Park, Ellis Island et South Street Seaport… mais New York est de retour, plus énergique que jamais.

## WTC : le phénix renaît de ses cendres

Après une décennie d'hésitations et de querelles, la reconstruction du World Trade Center arrive à terme. Tandis que 2006 vit l'achèvement de la tour 7 du World Trade Center (52 étages), septembre 2011 a marqué l'inauguration du National September 11 Memorial, et de ses deux miroirs d'eau, qui ont attiré plus de 10 millions de visiteurs en deux ans. C'est en octobre 2013 qu'a

MICHAEL MARQUAND/GETTY IMAGES ©

commencé l'érection de la tour 4 (72 étages), dessinée par Fumihiko Maki. Le National September 11 Memorial Museum a finalement ouvert ses portes au printemps 2014 – en partie grâce à l'apport de 15 millions de dollars par Michael Bloomberg. L'année 2014 devrait également voir la fin des travaux du One World Trade Center (104 étages), le plus haut gratte-ciel de l'hémisphère Ouest. Lorsque les plates-formes d'observation seront réalisés, la tour offrira le meilleur point de vue sur la ville. La même année devrait aussi voir l'apparition du WTC Transportation Hub : la gare-centre commercial imaginée par l'architecte Santiago Calatrava. Ce sera alors la renaissance de Ground Zero.

## Un nouveau maire

NYC est passée dans le camp démocrate avec l'élection du maire Bill de Blasio en novembre 2013. Premier maire démocrate de la ville depuis 1989, il est âgé de 52 ans et est aussi le premier maire blanc de New York à être marié à une Afro-Américaine. Ses vidéos de campagne le montraient d'ailleurs en compagnie de sa famille métissée, un atout dans cette métropole où le nombre d'Afro-Américains, d'Hispaniques et d'Asiatiques a dépassé celui des Blancs dans les années 1980. Son programme abordait des questions comme l'éducation, le manque de logements et les inégalités économiques croissantes. Il s'est engagé à augmenter les impôts afin de subventionner des maternelles publiques et à mettre un terme à la politique de "*stop and frisk*" mise en place par son prédécesseur. La campagne de Bill de Blasio, qui se qualifie de "progressiste", lui a valu de battre son adversaire républicain Joseph J. Lhota avec une avance de 49 points !

## La petite reine de New York

La mise en place en mai 2013 des Citi Bikes, vélos en libre service extrêmement populaires auprès des New-Yorkais, a constitué un pas en avant dans les aspirations écologiques de la ville. À la fin de l'année, 4 millions de trajets (couvrant 13 millions de kilomètres) avaient été effectués, et 80 000 personnes s'étaient acquittées des 95 $ de l'abonnement annuel. Mais tout le monde n'a pas vu cela d'un bon œil. Beaucoup d'habitants ont reproché aux stations d'enlaidir leur rue et, de fait, 45% d'entre elles ont été modifiées afin d'apaiser les mécontents. Malgré ces protestations, rien n'arrêtera le plus grand programme de vélos en libre service d'Amérique. Fin 2013, a été annoncé un projet de mise en service de 4 000 nouveaux vélos, ce qui devrait porter le parc de la ville à 10 000.

# Histoire

Salle de lecture principale, New York Public Library (p. 168)

SHOBEIR ANSARI/GETTY IMAG

*C'est l'histoire d'une ville qui ne dort jamais, d'un royaume où se retrouvent hommes d'affaires et hommes d'État, d'un lieu qui a vu les apogées les plus époustouflants et les chutes les plus dégradantes. New York continue malgré tout de viser toujours plus haut (au sens propre comme au sens figuré). Et tout cela a commencé avec 24 dollars et quelques perles de verre...*

## Premiers contacts

Environ 11 000 ans avant l'arrivée des premiers colons européens, les Lenape vivaient de la chasse, de la pêche et de la cueillette sur cette terre d'abondance. Dès leur arrivée et pendant plusieurs décennies, les explorateurs européens pillèrent des villages lenape. Henry Hudson, employé de la Compagnie hollandaise des Indes occidentales, débarqua en 1609 et, en 1624, la compagnie envoya 110 colons

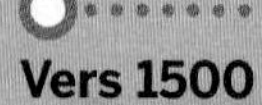

**Vers 1500**

Environ 15 000 Amérindiens sont établis sur l'île, en quelque 80 sites.

fonder un comptoir marchand. Ils s'installèrent dans le sud de Manhattan et baptisèrent leur colonie Nouvelle-Amsterdam. En 1626, Peter Minuit, le premier gouverneur de la colonie, proposa aux Lenape de leur acheter les 5 665 ha de Manhattan pour 60 florins, soit 24 $, et quelques verroteries. Les Lenape acceptèrent, pensant sans doute que la tractation portait sur un "loyer" et la permission de chasser, pêcher et faire du négoce sur leurs terres. À l'arrivée de Peter Stuyvesant en 1647, les Lenape n'étaient plus que 700 environ.

En 1664, les Anglais arrivèrent à bord de navires de guerre. Stuyvesant se rendit sans tirer un coup de feu afin d'éviter un bain de sang. Le roi Charles II rebaptisa la colonie New York en l'honneur de son frère le duc d'York. New York devint un port britannique prospère dont la population atteignait 11 000 âmes au milieu des années 1700 ; cependant, le ressentiment quant aux impôts britanniques grandissait chez les colons.

## Les meilleurs Sites sur l'histoire de New York

1 Ellis Island (p. 54)

2 Lower East Side Tenement Museum (p. 110)

3 Museum of the City of New York (p. 199)

4 New York Historical Society (p. 220)



## Révolution en ville

Au XVIII^e siècle, la situation économique était si florissante que les habitants imaginaient des stratagèmes pour ne pas partager cette richesse avec Londres. New York devint la scène d'une confrontation fatale avec le roi George III. La guerre éclata en août 1776. En quelques jours à peine, le général George Washington perdit un quart de son armée et sonna la retraite. Cependant, les Britanniques abandonnèrent bientôt la cité, dans laquelle rentrèrent à nouveau les troupes de Washington.

En 1789, le général en retraite fut proclamé président de la nouvelle république au Federal Hall devant une foule en liesse. Alexander Hamilton reconstruisait New York et, nommé secrétaire d'État au Trésor par Washington, ce fut l'un des créateurs du New York Stock Exchange, la Bourse de New York.

## Le boom des infrastructures

Le XIX^e siècle connut son lot de turpitudes, avec les sanglantes "émeutes de la conscription" de 1863, les épidémies de choléra, les tensions entre immigrants nouveaux et "anciens", ainsi que la misère et la criminalité à Five Points, premier

**1625-1626**
La Compagnie hollandaise des Indes occidentales amène des esclaves d'Afrique pour travailler dans le commerce des fourrures et la construction.

**1646**
Les Hollandais fondent le village de Breuckelen sur la rive est de Long Island.

**1784**
Alexander Hamilton fonde la 1^re banque d'Amérique, la Bank of New York, avec 500 000 $ de participations.

bidonville de la cité. Cependant, la ville était prospère et trouva les ressources pour entreprendre de monumentaux travaux publics. Commencé en 1855, Central Park constitua à la fois une première réalisation écologique et une aubaine pour la spéculation immobilière. Il permit aussi de créer des emplois quand la crise de 1857 secoua le pays. L'autre grande réalisation fut celle de l'ingénieur d'origine allemande John Roebling qui conçut le pont de Brooklyn, lequel, enjambant l'East River, reliait le sud de Manhattan et Brooklyn.

## L'émergence d'une grande métropole

Au tournant du XX$^{e}$ siècle, les trains aériens transportaient chaque jour un million de passagers entre le centre et la périphérie. Le métro rendit accessibles des secteurs du Bronx et de l'Upper Manhattan. Les immeubles débordaient d'immigrants, arrivés d'Italie et d'Europe de l'Est, propulsant le nombre d'habitants à quelque 3 millions.

Parallèlement, une nouvelle classe fortunée, profitant d'un boom économique initié par le financier JP Morgan, construisait de somptueux hôtels particuliers sur 5th Ave. Le journaliste et photographe Jacob Riis témoigna du fossé grandissant entre les classes et parvint à contraindre la municipalité à adopter d'indispensables réformes pour l'habitat.

## 1898 : les *boroughs* rejoignent Manhattan

Après des années de chaos administratif provoqué par les 40 municipalités indépendantes aux alentours de New York, une solution fut trouvée en 1898 : la ratification de la charte de New York, regroupant les cinq *boroughs* de Brooklyn, Staten Island, Queens, Bronx et Manhattan pour former la plus grande ville des États-Unis.

## Travail en usine et droits des femmes

Les conditions de travail désastreuses dans les usines furent mises en lumière en 1911 par l'incendie de la Triangle Shirtwaist Company, qui tua 146 ouvrières, prises au piège derrière les portes verrouillées. La tragédie déboucha sur de grandes réformes des conditions de travail. Dans le même temps, Margaret Sanger, une infirmière sage-femme, ouvrait à Brooklyn le premier centre de contraception, et des suffragettes organisaient des rassemblements pour obtenir le droit de vote des femmes.

## La grande époque du jazz

James Walker fut élu maire en 1925, Babe Ruth régnait sur le Yankee Stadium et la grande migration en provenance du Sud provoqua la renaissance de Harlem. Un nouvel élan artistique et littéraire y vit le jour, dont l'influence et l'inspiration perdurent aujourd'hui. La vie nocturne de Harlem signifia l'échec cuisant de la Prohibition.

**1811**
Le maire DeWitt Clinton conçoit le plan en damier de Manhattan, qui transforme la ville.

**1825**
Le canal Érié, un chef-d'œuvre d'ingénierie, est achevé. Il facilitera les échanges et le commerce à New York.

**1853**
L'Assemblée législative autorise l'attribution de terrains publics, en prévision de ce qui deviendra Central Park.

## La Dépression

La Bourse s'effondra en 1929 et New York traversa la Grande Dépression grâce au lancement de chantiers par le maire LaGuardia, financés par le New Deal.

La Seconde Guerre mondiale provoqua un afflux de soldats prêts à dépenser leur dernier dollar à Times Square avant d'embarquer pour l'Europe. Reconverties dans l'industrie de guerre, les usines locales tournèrent à plein régime, embauchant femmes et Noirs qui, jusqu'alors, avaient difficilement accès à des emplois syndiqués. En revanche, rares étaient les contrôles dans le monde des affaires, alors que les gratte-ciel se multipliaient dans Midtown après la guerre.

## De la Beat Generation au mouvement gay

Les années 1960 marquèrent le début d'une époque légendaire de créativité et d'opposition à l'establishment, avec de nombreux artistes installés à Greenwich Village. Parmi les écrivains, des poètes de la Beat Generation comme Allen Ginsberg ou Jack Kerouac se retrouvaient dans les cafés du Village pour échanger des idées et trouver l'inspiration auprès de chanteurs folk bientôt célèbres, tel Bob Dylan. Cette émulation allait nourrir un esprit de rébellion, qu'adoptèrent les gays, devenant une force politique en s'opposant à un raid policier au Stonewall Inn en 1969.

## Robert Moses

Collaborant avec le maire LaGuardia à la modernisation de New York, l'urbaniste Robert Moses exerça une influence déterminante sur la ville. Il fut la tête pensante du projet de Triborough Bridge, du Verrazano-Narrows Bridge, de West Side Hwy et de l'ensemble des parcs de Long Island, et d'innombrables nationales, tunnels et ponts.

## "Que New York crève !"

Au début des années 1970, l'accumulation des déficits provoqua une crise fiscale. Le président Ford refusa d'accorder une aide fédérale – ce que résuma ainsi un gros titre du *Daily News* : *Ford to City, Drop Dead!* ("Ford à la ville : Crève !"). Les licenciements massifs et le manque d'entretien des infrastructures urbaines annonçaient des temps difficiles.

Les terribles années 1970 – surtout 1977 qui fut une année noire marquée par un black-out total dans la ville et par les agissements du tueur en série Son of Sam – virent les loyers baisser, ce qui transforma les anciennes zones industrielles de Soho et Tribeca en quartiers vibrant d'une culture alternative et d'une bouillonnante vie nocturne.

**1863**

Les *Draft Riots* (émeutes de l'enrôlement) de la guerre de Sécession éclatent à New York. L'ordre est rétabli par l'armée fédérale.

**1886**

L'achèvement du piédestal de la statue de la Liberté donne lieu à une cérémonie.

**1919**

Les Yankees achètent le lanceur Babe Ruth à l'équipe de Boston, qui les emmène jusqu'à leur premier championnat.

## Le 11-Septembre

Le 11 septembre 2001, des terroristes détournèrent deux avions pour les écraser sur les tours jumelles du World Trade Center, qui s'effondrèrent dans un énorme nuage de poussière et de gravats, faisant près de 2 800 morts. Donwtown Manhattan mit des mois à se remettre des fumées émanant des ruines, alors que les photos des personnes disparues se délitaient sur les murs de brique. Pendant que les équipes de déblaiement se frayaient un chemin à travers les décombres, la ville affronta courageusement les alertes terroristes et la menace de l'anthrax pour pleurer ses morts. Le traumatisme et le deuil rassemblèrent les citoyens dans une même volonté de ne pas succomber au désespoir.

## Quand New York renaît de ses cendres

Tandis que la Bourse prospérait pendant la majeure partie des années 1980, la ville chancelait sous l'impact des drogues, de la criminalité et de l'épidémie du sida. Dans l'East Village, des squatters repoussèrent la police qui tentait de les déloger d'un vaste campement de sans-abri, déclenchant les émeutes de Tompkins Square Park en 1988. Dans le South Bronx, une vague d'incendies criminels réduisait en cendres des immeubles d'habitation.

Toujours convalescente du krach immobilier de la fin des années 1980, la ville devait affronter la décrépitude de ses infrastructures, la fuite des emplois et l'installation en banlieue d'importantes sociétés. Survint alors le marché de l'Internet. Sauvée par les taxes perçues sur les introductions en Bourse, la ville se lança dans une frénésie de construction, d'activités commerciales et de fêtes, inégalée depuis les années 1920.

Favorable aux milieux d'affaires et au maintien de l'ordre, le maire Rudy Giuliani repoussa hors de Manhattan les pauvres et les clochards. Implacable, Giuliani fit les gros titres des journaux avec sa politique de "tolérance zéro".

## New York au XXIe siècle

Les 10 années qui suivirent le 11-Septembre furent une période de reconstruction. En 2002, la tâche incomba à Michael Bloomberg, le nouveau maire, de relever la ville de ses cendres. Elle connut de nombreuses rénovations et reconstructions, notamment à partir de 2005 quand elle retrouva son rythme de croisière et un nombre accru de touristes. À la fin du deuxième mandat de Bloomberg, la ville entière semblait en travaux et de luxueux gratte-ciel sortaient de terre dans chaque quartier.

L'économie ne tarda pas à crouler sous son propre poids lors de la crise financière mondiale. La ville se paralysa tandis que les piliers du monde des affaires étaient obligés de fermer boutique.

**1931**
L'Empire State Building devient le plus haut gratte-ciel au monde.

**1945**
Le siège des Nations unies, tout juste créées, est installé à l'est de Manhattan.

**1961**
Âgé de 19 ans, le chanteur folk Bob Dylan arrive à New York.

En 2011, la ville a célébré le 10e anniversaire des attentats du 11-Septembre avec l'ouverture d'un centre du souvenir à l'ombre d'une tour de la Liberté à demi construite – nouveau géant du monde des affaires.

## L'ouragan Sandy

La résistance de New York sera encore mise à l'épreuve en 2012 avec l'ouragan Sandy. Le 29 octobre, des vents cycloniques et des pluies torrentielles s'abattirent sur la ville, causant de sérieuses inondations et des dégâts aux habitations dans les 5 *boroughs*, dont le système du métro, le Hugh L Carey Tunnel et le site du World Trade Center. Une panne de courant majeure plongea la plus grande partie de Lower Manhattan dans une obscurité irréelle, tandis que le New York Stock Exchange (la Bourse) s'interrompit pendant 2 jours (sa première fermeture pour des raisons météorologiques depuis 1888). Dans le quartier de Breezy Point, dans le Queens, une tempête dévastatrice entrava la lutte des pompiers contre un incendie qui détruisit plus de 125 maisons. Ce feu sera considéré comme l'un des pires de l'histoire de New York, et la tempête à elle seule fit 44 victimes rien que dans la ville.

New York Stock Exchange (p. 59)
RUDDY GOLD/GETTY IMAGES ©

**1988**
Des foules de squatters se rebellent lorsque la police tente de les chasser de Tompkins Sq Park, dans l'East Village.

**2001**
Le 11 septembre, des terroristes détournent deux avions qui s'écrasent sur les Twin Towers, faisant près de 2 800 victimes.

**2013**
Originaire de Brooklyn, Bill de Blasio est élu. Il est le premier maire démocrate depuis deux décennies.

# Voyager en famille

Chemin le long de l'East River, près du Brooklyn Bridge

WAYNE FOGDEN/GETTY IMAGES ©

*New York compte une foule d'activités pour les plus jeunes, avec des aires de jeux imaginatives et des parcs verdoyants pour se dépenser, ainsi que de nombreux sites et musées à vocation pédagogique. La plupart des enfants adorent les balades en bateau dans le port et la visite du Natural History Museum. Parmi les autres temps forts : les manèges, les montagnes russes et la promenade sur le front de mer à Coney Island.*

## Parcs et aires de jeux

### Central Park

Plus de 323 ha d'espace vert, un lac où faire du bateau, un carrousel, un zoo et une énorme statue d'Alice au pays des merveilles. Sur les 21 aires de jeux de Central Park, celle de Heckscher, près de 7th Ave et de Central Park South, est la plus grande et la meilleure.

### Prospect Park

Un zoo, des jeux interactifs dans la Lefferts Historic House ou encore une nouvelle patinoire (transformée en parc aquatique en été) : les 236 ha vallonnés de Prospect Park comptent pléthore de distractions pour les petits.

## À voir et à faire

Les musées, en particulier ceux qui s'adressent aux enfants comme le Children's Museum of the Arts et l'American Museum of Natural History, sont toujours des valeurs sûres, de même que les salles de spectacle pour enfants, les cinémas, les librairies spécialisées, les boutiques de jouets et les aquariums. La ville compte de nombreux carrousels d'époque. Le tour de manège coûte un minimum de 2-3 $.

Le bateau qui mène à la statue de la Liberté permettra aux enfants de découvrir le port de New York et d'observer de près cette icône.

De tous les zoos de New York, le meilleur est sans conteste celui du Bronx. Si vous manquez de temps, le zoo de Central Park ravira aussi les bambins.

Hot-dogs, montagnes russes à l'ancienne, vaste étendue de sable : Coney Island est le rêve de toute famille qui souhaite profiter du soleil en s'amusant.

## Transports

Le manque criant d'ascenseurs dans les stations de métro contraint à transporter les poussettes dans les escaliers (mais on évite le tourniquet grâce à une porte d'accès spécifique). Pour savoir quelles stations de métro sont équipées d'ascenseurs, consultez le **site Internet de la MTA** (**http://web.mta.info/accessibility/stations.htm**). Toute personne mesurant plus de 110 cm est censée payer plein tarif, mais la règle est rarement appliquée.

## Interdit aux parents

Pour une plongée dans New York, procurez-vous *Interdit aux parents : New York* de Lonely Planet, spécialement concocté pour les enfants à partir de huit ans. Il révèle une foule d'histoires fascinantes sur la population, les lieux, l'histoire et la culture de la ville.



## Baby-sitting

Si la plupart des grands hôtels proposent un service de baby-sitting, sachez qu'il existe aussi des agences de garde d'enfants. La **Baby Sitters' Guild** (☎212-682-0227 ; **www.babysittersguild.com**), créée en 1940 spécifiquement à l'intention des touristes séjournant à l'hôtel avec leurs enfants, emploie des baby-sitters parlant 16 langues. La plupart ont un brevet de secourisme et beaucoup sont formées à la puériculture. Elles se déplacent jusqu'à votre chambre et apportent même des jeux. Autre bonne adresse : **Pinch Sitters** (☎212-260-6005 ; **www.nypinchsitters.com**). Les deux agences facturent environ 22 $ de l'heure.

## Infos pratiques

- **Espaces change-bébés** Rares dans les bars et restaurants.
- **Ressources Internet** Le site **Time Out New York Kids** (**www.timeout.com/new-york-kids**), en anglais, fournit de précieux conseils.
- **Poussettes** Les poussettes ne sont pas autorisées dans les bus, à moins d'être pliées.
- **Transports** Les escaliers du métro sont difficiles d'accès avec les poussettes. Les taxis ne sont soumis à aucune réglementation concernant les sièges auto.

# Cuisine

Greenmarket Farmers Market (p. 148), Union Square

HUW JONES/GETTY IMAGES

*Avec plus de 20 000 restaurants, New York affiche un choix vertigineux quand il s'agit de passer à table. Des innombrables cuisines du monde raffinées jusqu'aux mets typiquement new-yorkais, l'offre culinaire de la ville est infinie et dévorante, témoignant au passage du kaléidoscope culturel qui la constitue. Pendant ce temps, le renouvellement des tendances et des goûts culinaires nourrit une culture gastronomique en constante réinvention.*

## Spécialités

S'il existe une cuisine californienne, ou du Sud, voire du Sud-Ouest américain, il est difficile de parler d'une cuisine new-yorkaise. Faites l'expérience et demandez que l'on vous recommande un endroit où manger new-yorkais : vous finirez devant un hot-dog, un festin d'Inde du Sud ou encore ou un menu dégustation à 220 $ (7 plats) au Daniel, un restaurant français de l'Upper East Side.

La cuisine est ici aussi cosmopolite que la population, et en perpétuelle évolution.

Cela dit, quand on insiste en s'enquérant des spécialités locales, les gens pensent aux plats arrivés d'Europe avec les premiers immigrants. Pizzas et bagels, introduits respectivement par les Italiens et les juifs d'Europe de l'Est, sont devenus des plats typiques de New York, tout comme les *egg creams*, les cheesecakes et les hot-dogs, pour n'en citer que quelques-uns.

## Cuisines du monde

En la matière, le choix à New York est étourdissant. Préparez-vous à plonger vos baguettes dans d'authentiques spécialités cantonaises ou coréennes, à manger un plat éthiopien au moyen de morceaux de pain *injera*, à ouvrir un homard en deux à mains nues, à partir en quête de *mezze* turcs, de tapas espagnoles ou de *tortas* mexicaines, le tout accompagné d'un verre de raki, de xérès ou de *mezcal* selon les cas.

N'oubliez pas que si nombre de touristes se jettent sur Little Italy et le Curry Row, à Manhattan, l'authenticité est au rendez-vous dans les *boroughs* extérieurs, où les vagues les plus récentes d'immigrants se sont installées, et s'installent encore.

### Les meilleurs Restaurants internationaux

1 RedFarm (p. 127)

2 Rosemary's (p. 130)

3 Danji (p. 177)

4 Cafe Mogador (p. 104)

5 Veselka (p. 104)

6 Tía Pol (p. 133)

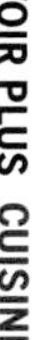


## De la ferme urbaine à la table

Après avoir cultivé l'art du fast, New York redécouvre progressivement les vertus du slow. Ces dernières années, un nombre croissant de toits, de cours et de jardins collectifs ont été transformés en fermes urbaines, donnant à la plus bétonnée des villes américaines des allures d'improbable grenier alimentaire. Ainsi, vous pouvez désormais trouver des tomates bio au-dessus d'une épicerie fine de l'Upper East Side, ou des ruches sur le toit d'un immeuble de l'East Village. Pourtant, l'incontestable impératrice des lieux reste la **Brooklyn Grange (brooklyngrangefarm.com)**, qui occupe deux toits de Long Island City et des Brooklyn Navy Yards. D'une superficie de plus d'1 ha (ce qui en fait a priori la plus grande du genre dans le monde), cette ferme biologique cultive toutes sortes de denrées, dont des carottes, des haricots et quelque 40 variétés de tomates. Parmi ses collaborateurs figurent quelques hauts lieux gastronomiques comme Marlow & Sons, à Brooklyn, dont les menus revendiquent fièrement les excellents produits maison.

## Mon beau marché

Les rues bétonnées de New York ne doivent pas vous berner : les marchés y fleurissent sous de multiples formes et tailles. En haut de la liste, le Chelsea Market, plein à craquer de produits gastronomiques de toutes sortes aussi bien dans ses boutiques (pour composer son pique-nique) que dans ses stands de restauration (pour manger sur place).

Nombre de quartiers ont leur propre marché fermier. Ouvert 4 jours par semaine toute l'année, l'Union Square Greenmarket Farmers Market est un des plus importants. Le site **Grow NYC (www.grownyc.org)** recense la cinquantaine de marchés de la ville.

Le meilleur marché pour manger sur le pouce est le Brooklyn Flea avec ses dizaines de stands. En été, sa section exclusivement culinaire, le **Smorgasburg (www.smorgasburg.com)**, vaut le déplacement.

Les marchés-épiceries haut de gamme comme Eataly ou Whole Foods sont très prisés aussi.

## Informations pratiques

- **Guide des prix** Dans ce guide, les symboles suivants correspondent à des prix valant pour un plat principal, taxes et pourboire non compris :
  **$** moins de 12 $
  **$$** 12-25 $
  **$$$** plus de 25 $
- **Pourboires** Les New-Yorkais majorent généralement l'addition de 15% à 20%. Si le pourboire n'est pas requis lorsque l'on commande à emporter, il est néanmoins bien vu de déposer un dollar ou deux dans le récipient placé à cet effet près de la caisse.
- **Réservations** Les restaurants très prisés obéissent à deux règles distinctes. Soit ils requièrent une réservation, auquel cas il faudra s'y prendre très à l'avance (parfois des semaines ou des mois). Soit l'établissement applique la politique du "premier arrivé premier servi". Il est alors recommandé de dîner de bonne heure ou en fin de soirée pour éviter les files d'attente délirantes.
- **Infos en ligne** Pour les ultimes ouvertures de restaurants et les dernières tendances, consultez **Grub Street** (www.newyork.grubstreet.com), **NY Eater** (ny.eater.com) et **Gothamist** (www.gothamist.com). **Open Table** (www.opentable.com) propose un service de réservation pour un vaste choix de restaurants en ville.

## Food Trucks

Oubliez les stands à bagels et à hot-dogs. Aujourd'hui, une nouvelle génération de marchands ambulants propose des mets haut de gamme et une cuisine "fusion". Des camionnettes empruntent différents itinéraires et s'installent dans certaines zones comme les environs d'Union Sq, de Midtown et du Financial District. Pour localiser un marchand, suivez leurs pérégrinations sur Internet ou Twitter.

En voici une sélection :

- **Kimchi Taco** (kimchitacotruck.com)
- **Red Hook Lobster Pound** (twitter.com/lobstertruckny)
- **Korilla BBQ** (www.twitter.com/korillabbq)
- **Calexico Cart** (www.calexico.net)
- **Wafels & Dinges** (www.twitter.com/waffletruck). Gaufres
- **Van Leeuwen Ice Cream** (www.twitter.com/VLAIC)

# Arts

Avery Fisher Hall, Lincoln Center (p. 228)

RUDI VON BRIEL/GETTY IMAGES ©

*À lui seul, le nombre de salles témoigne de l'amour de cette ville pour les arts. Comment tout voir ? N'y pensez même pas. Sélectionnez plutôt votre genre artistique préféré – musique classique, jazz, ballet, etc. – et assistez à quelques spectacles. Sinon, picorez à l'envi : lecture de poésie un soir, film d'auteur ou opéra le lendemain, sans oublier un spectacle de la scène off de Broadway pour faire bonne mesure.*

## Musique

New York est un aimant pour les musiciens. C'est ici que des virtuoses du jazz comme Ornette Coleman, Miles Davis et John Coltrane ont repoussé les limites de l'improvisation dans les années 1950. C'est là que divers sons latins – du cha-cha-cha à la rumba en passant par le mambo – se sont rencontrés pour former l'hybride que nous appelons aujourd'hui *salsa*, où des chanteurs folk comme Bob Dylan et Joan Baez ont porté dans les cafés leurs chansons de protestation, et où des groupes comme The New York Dolls et les Ramones ont occupé le devant de la scène. Et ce fut le creuset culturel qui permit la naissance, l'épanouissement et l'explosion du hip-hop.

Le monde du rock indé, très prolifique, a vu naître à New York des groupes comme les Yeah Yeah Yeahs et Animal Collective.

Ne manquons pas aussi Williamsburg, qui est au cœur de la scène new-yorkaise.



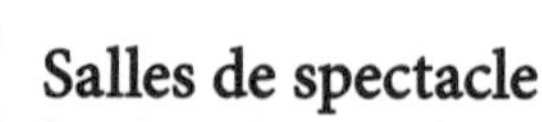

## Salles de spectacle

Broadway et ses grandes comédies musicales : c'est ce qui vient à l'esprit en premier lorsqu'on songe à la scène new-yorkaise. Mais ces spectacles-là sont uniquement les productions représentées dans l'un des 40 théâtres officiels de Broadway, c'est-à-dire les joyaux du début du XXe siècle autour de Times Square.

Les productions off-Broadway (plus audacieuses, plus intimes et moins chères) et off-off-Broadway (encore plus avant-gardistes et abordables, dans des salles de moins de 100 places) sont également florissantes.

### Les meilleures Scènes alternatives

1 Amore Opera (p. 115)

2 Joyce Theater (p. 139)

3 Don't Tell Mama (p. 185)

## Cafés-théâtres

La ligne de partage se fait entre les grandes salles accueillant des noms prestigieux et les lieux plus expérimentaux et obscurs. Rendez-vous à l'**Upright Citizens Brigade Theatre**, au **Magnet Theater** (www.magnettheater.com) et à la **PIT** (People's Improv Theater ; www.thepit-nyc.com).

## Musique classique et opéra

Le Lincoln Center abrite trois grandes salles : l'Alice Tully Hall, l'Avery Fisher Hall et le Metropolitan Opera House. Plus petit mais tout autant apprécié, le Carnegie Hall propose des concerts de piano aussi bien que de la musique folk alternative ou des musiques du monde. Quant à la Brooklyn Academy of Music (BAM), la plus ancienne académie du pays en matière de spectacle vivant, elle programme de l'opéra, du théâtre et de la danse.

## Danse

Dans cette ville, qui abrite à la fois le New York City Ballet et l'American Ballet Theatre, les amateurs de danse sont gâtés. Quant au Joyce Theater, une autre salle importante, il accueille des compagnies du monde entier pour des productions contemporaines.

## Peinture et arts visuels

Les arts plastiques ont aussi une place de choix à New York. Les principales institutions – le Metropolitan Museum of Art, le Museum of Modern Art, le Whitney Museum, le Guggenheim Museum et le Brooklyn Museum – offrent à eux tous de vastes rétrospectives de toutes les époques, des portraits de la Renaissance aux installations contemporaines. Le New Museum of Contemporary Art, dans le Lower East Side, montre davantage d'audace.

L'offre en termes de galeries est tout aussi riche, avec plus de 1 500 lieux disséminés à travers la ville. Mis à part Chelsea, qui reste le bastion privilégié, vous trouverez des dizaines de galeries dans le Lower East Side et l'Upper East Side.

# Architecture

100 Eleventh Avenue (à gauche) et IAC Building (à droite)

ARCHITECTS: JEAN NOUVEL (100 ELEVENTH AVENUE), FRANK GEHRY (IAC BUILDING); BARRY WINIKER/GETTY IMAGES ©

*L'histoire de l'architecture de New York se lit à ciel ouvert. Idées et styles alternent au fil des rues. Les élégants édifices de style fédéral, les palais ouvragés d'inspiration Beaux-Arts, ou encore les créations néogrecques, gothiques, romanes ou Renaissance, font tous partie intégrante du paysage urbain new-yorkais. Ces dernières décennies, le mouvement déconstructiviste a apporté sa touche, faisant de la ville le paradis des amateurs d'architecture. Bienvenue à New York.*

## Débuts de la République

Quelques-uns des plus notables building datent du début du XIXe siècle, lorsque l'architecture gagne en légèreté et en raffinement. Le style que l'on appelle *fédéral* s'inspire du néoclassicisme anglais : entrées étroites encadrées de colonnettes, frontons triangulaires au niveau des toitures et impostes en éventail (*fanlights*). L'hôtel de ville de 1812 doit sa forme française à l'architecte émigré Joseph François Mangin et ses détails de style fédéral à l'Américain John McComb Jr.

## Néogrec, néogothique et néoroman

À la fin des années 1830, la simplicité des styles géorgien et fédéral s'efface au profit de structures plus ornementées d'inspiration gothique ou romane. Parmi les plus

impressionnantes figurent St Patrick's Cathedral (1853-1879) qui couvre tout un pâté de maisons sur Fifth Ave et 51st St, et la Cathedral Church of St John the Divine (1911-), toujours inachevée, à Morningside Heights.



## Le style Beaux-Arts

À l'orée du XXe siècle, New York entre dans son âge d'or. Les bâtiments publics deviennent de plus en plus extravagants. On commence à remplacer tout le grès brun par un éclatant calcaire blanc, on surélève les premiers étages pour offrir de spectaculaires halls d'entrée avec escalier, et on orne les bâtiments de clés de voûte sculptées et de colonnes corinthiennes.

Parmi les classiques, citons la branche centrale de la New York Public Library (1911) conçue par Carrère et Hastings, l'extension de 1902 du Metropolitan Museum of Art par Richard Morris Hunt, et l'époustouflante Grand Central Station de Warren et Wetmore (1913), surmontée d'une statue de Mercure, le dieu du Commerce.

## Les meilleurs Édifices

1 Brooklyn Bridge (p. 66)

2 Chrysler Building (p. 169)

3 Grand Central Terminal (p. 174)

4 Empire State Building (p. 166)

5 Guggenheim Museum (p. 196)

6 New Museum of Contemporary Art (p. 102)

## Les gratte-ciel

Une fois New York bien installée dans le XXe siècle, les ascenseurs et les structures en acier lui permettent de grandir, au sens propre. Cette période voit l'émergence d'une foule de gratte-ciel, à commencer par les 57 étages du néogothique Woolworth Building de Cass Gilbert (1913).

D'autres ne tardent pas à suivre. En 1930, le Chrysler Building, chef-d'œuvre Art déco de 77 étages conçu par William Van Alen, devient le plus haut bâtiment au monde. L'année suivante, le record est battu par l'Empire State Building, monolithe Art déco aux lignes pures taillées dans du calcaire de l'Indiana.

## Faites entrer les “starchitectes”

Récemment, New York a bénéficié du renfort de nouvelles œuvres audacieuses, dont la novatrice Hearst Tower (2006) de Norman Foster, une tour en verre dont le corps zigzagant s'échappe d'une structure en grès datant de 1920, à Midtown. Le New York by Gehry (2011), œuvre post-structuraliste signée Frank Gehry, est une sinueuse tour d'habitation de 76 étages installée à Lower Manhattan. Parmi les autres créations remarquables de ces dernières années, citons l'IAC Building (2007), toujours de Gehry, une tourbillonnante structure de verre blanc qui évoque les voiles palpitantes d'un navire, ou encore le New York Times Building (2007), de Renzo Piano, un immeuble de 52 étages enveloppé de barres en céramique. Le même Piano est derrière la nouvelle résidence du Whitney Museum, dans le Meatpacking District, une structure à l'audacieuse asymétrie qui devrait être achevée en 2015. Parmi les autres projets en cours figure la lumineuse œuvre de Santiago Calatrava pour la station de transit du WTC.

# Shopping

Le grand magasin Barneys (p. 186), Madison Ave

INGOLF POMPE/GETTY IMAGES ©

*Le shopping à New York ne se résume pas à acheter de jolis articles fantaisistes. Il permet aussi et surtout de découvrir la ville sous toutes ses coutures. Il existe des boutiques pour amateurs d'échecs, de street art, de monographies, d'articles danois, de bijoux faits main, d'artisanat ukrainien, de jouets anciens, de bottes vintage et de vin de l'État de New York. Et ce n'est qu'un début…*

## Mode et créateurs

La "Gold Coast" ("côte de l'or"), tronçon de 40 pâtés de maisons dans Madison Ave, concentre les boutiques de grands créateurs : Armani, Kors, Ferragamo, Bulgari, Prada et bien d'autres. Autant dire que dans le coin, les quelques *charity shops* (boutiques vendant des vêtements d'occasion et dont les bénéfices vont à des œuvres de charité) sont prises d'assaut : elles récupèrent en effet des vêtements de gens fortunés, ce qui laisse place à une longue fille d'attente de jeunes filles rêvant de vêtements de créateurs à moindre prix.

Dans le Meatpacking District, l'ambiance est un peu moins grand luxe, mais on reste dans le haut de gamme. Plus jeunes et moins classiques, les Malandrino, Miele et autre McQueen y font fureur.

Les jeunes mannequins sur le point de percer aiment faire du shopping à Nolita et Tribeca. Les magasins y sont plus portés sur les dernières importations en provenance d'Europe et d'Asie.

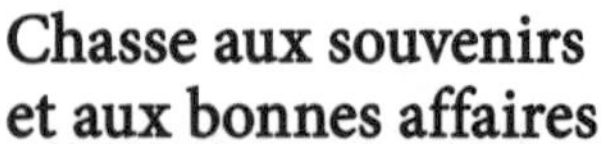

## Chasse aux souvenirs et aux bonnes affaires

Chinatown et Times Square sont les hauts lieux du T-shirt. Dans ces quartiers, les magasins ouvrent en principe tous les jours de 10h à 20h. Les commerçants de confession juive orthodoxe ferment le vendredi et le samedi.

Alors que les soldes classiques ont habituellement lieu aux changements de saison, des *sample sales* sont fréquemment organisés, généralement dans d'immenses entrepôts de Soho ou du Fashion District, à Midtown.

## Marchés aux puces et vintage

Si les New-Yorkais sont attirés par tout ce qui brille, les rayons de produits et d'habits invendus ne manquent pas. Le Brooklyn Flea, qui change d'adresse tout au long de l'année, est la brocante la plus populaire de la ville. L'East Village est le quartier par excellence des magasins de vêtements de seconde main, où s'habillent les New-Yorkais branchés.

Ne manquez pas l'immense Antiques Garage Flea Market organisé tous les week-ends à Chelsea pour chiner toutes sortes d'objets anciens et reliques du passé (disques, peintures, livres, meubles, jouets) ou le Hell's Kitchen Flea Market.

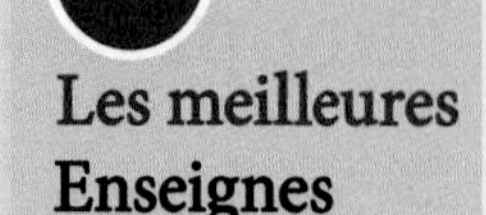

## Les meilleures Enseignes

1 Century 21 (p. 232)

2 Strand Book Store (p. 140)

3 Barneys (p. 186)

4 Housing Works Thrift Shop (p. 141)

5 B&H Photo Video (p. 187)

6 ABC Carpet & Home (p. 155)

## Les rues commerçantes

- **West Broadway**, à Soho, est une grande artère commerçante où la mode haut de gamme est très présente.
- **Mott St**, entre Houston St et Broome St à Nolita, abrite de jolies boutiques de vêtements, chaussures et accessoires.
- **Orchard St**, entre Houston St et Grand St, est le temple de l'avant-garde et du style urbain.
- **E 9th St**, entre Second Ave et Ave A, constitue une bonne introduction aux boutiques vintage et de bric-à-brac de l'East Village.
- **Bleecker St** entre Bank St et W 10th St, partant d'Abingdon Square vers le sud, comporte d'attrayantes devantures et boutiques de vêtements tendance.
- **Fifth Ave**, entre Central Park et le Rockefeller Center, est le paradis du shopping. Après Tiffany's et Bergdorf Goodman, on ne peut plus s'arrêter…
- **Madison Ave** et 72nd St sont le point d'accès aux joailleries de l'Upper East Side.
- **Bedford Ave**, entre N 4th St et N 10th St, compte des boutiques de mode underground, des magasins de disques et quantité de commerces d'articles flash et trash.

# New York gay et lesbien

Drapeaux arc-en-ciel de la Gay Pride, Greenwich Village

*New York vit à l'heure du futur : les gays utilisent des applications de géolocalisation pour faire des rencontres, les drag-queens sont tellement "out" qu'elles en sont presque "in", et le mariage homosexuel est enfin légal. Sans être forcément irréprochable, New York est l'une des villes où il fait terriblement bon être gay. Le West Village, Chelsea et Hell's Kitchen figurent parmi les destinations nocturnes fondamentales d'une scène gay en constante évolution.*

## Bars et vie nocturne

Les bars gays ne s'excusent pas de leur "sectarisme", probablement parce qu'ils ont joué un rôle crucial dans l'histoire de la communauté homosexuelle. Ils ont en effet longtemps été les seuls lieux où les gays pouvaient être eux-mêmes, librement. Les établissements et bars s'adressant à bon nombre de "sous-cultures", des jeunes lesbiennes à piercings et tatouages aux gays vieillissants, sont légion.

Sachez que les établissements, en particulier les discothèques, ouvrent et ferment du jour au lendemain, pour souvent rouvrir quelques semaines plus tard sous un nouveau nom. Certaines fêtes ne durent que le temps d'un soir. Consultez les sites Internet des événements itinérants hebdomadaires ou mensuels pour vous tenir au courant, ou renseignez-vous en ligne à l'une des adresses ci-après :

- **Next Magazine** (**www.nextmagazine.com**). Version en ligne de l'incontournable magazine de l'activité gay à New York.
- **Gayletter** (**www.gayletter.com**). Newsletter électronique consacrée à tout ce que l'on peut faire à New York.
- **Get Out!** (**getoutmag.com**). Excellent guide papier (et en ligne) pour tout ce qui concerne la sphère gay à New York.
- **Metrosource** (**www.metrosource.com**). Magazine de divertissement disponible dans de nombreuses boutiques.
- **Time Out New York** (**www.timeout.com/newyork**). Possède une bonne rubrique Sorties.

## Organisateurs

Suivez les pérégrinations de votre organisateur de soirées préféré.

- **Josh Wood** (www.joshwoodproductions.com)
- **Rafferty Mazur Events** (www.raffertymazurevents.com)
- **Spank** (www.spankartmag.com)
- **Daniel Nardicio** (www.danielnardicio.com)
- **Erich Conrad** (www.twitter.com/zigzaglebain)

### Le meilleur Des grands classiques gays

1 Eastern Bloc (p. 112)

2 Marie's Crisis (p. 136)

3 Stonewall Inn (p. 136)

4 Barracuda (p. 137)

5 G Lounge (p. 137)

6 Industry (p. 184)

## Le week-end même la semaine

Dans la Grosse Pomme, n'importe quel jour de la semaine rime avec sortie, surtout dans la communauté gay. De nombreuses fêtes sont organisées le mercredi et le jeudi, ainsi que le dimanche, très apprécié des New-Yorkais (surtout en été).

# Gay Pride

New York accueille la **Gay Pride** (**www.nycpride.org**) en juin. Pendant un mois, c'est la grande fête de la communauté homosexuelle, implantée de longue date dans toute sa diversité et s'exprimant en totale liberté dans une ville réputée pour l'ouverture d'esprit de ses habitants.

# New York gay et lesbien par quartiers

- **Greenwich Village, Chelsea et Meatpacking District** La flamme originelle du New York gay luit toujours.
- **East Village et Lower East Side** Comme le West Side, en un peu plus torride, grunge et rugueux.
- **Union Square, Flatiron District et Gramercy** Accueillent les lieux gays que l'East Village, West Village et Chelsea ne suffisent plus à contenir.
- **Midtown** Dans Midtown West, le Hell's Kitchen est le "nouveau Chelsea" ("Hellsea"). Les boutiques, bars, restos et clubs gays y sont toujours plus nombreux.
- **Brooklyn** Cet énorme *borough* attire des gays de toutes tendances et compte des bars en tous genres.

# Carnet pratique



Times Square (p. 162)

# Où se loger

## Types d'hébergements

### B&B et pensions de famille

Le mobilier peut être dépareillé mais on fait des économies substantielles, à condition de ne pas être allergique aux divers styles victoriens ou à la compagnie d'inconnus au petit-déjeuner.

### Boutiques-hôtels

Ces hôtels comportent souvent de minuscules chambres aux équipements sensationnels et au moins un bar en sous-sol, sur le toit, ou encore un restaurant tendance, fréquentés par les célébrités.

### Hôtels classiques

Ils se distinguent par leur charme suranné et leur opulence vieille Europe. Ils coûtent généralement aussi cher que les boutiques-hôtels et ne sont pas toujours plus grands.

### Hôtels touristiques à l'européenne

Les chambres au parquet grinçant sont petites mais bon marché et propres (avec toutefois une décoration un peu kitsch). Elles se partagent souvent une salle de bains.

### Auberges de jeunesse

Des dortoirs fonctionnels (lits superposés, murs nus) mais sympathiques et conviviaux. Beaucoup de ces auberges ont un jardin, une cuisine et un joli salon compensant l'absence de charme des dortoirs.

### Appartements privés

Au-delà du fameux Plaza, il est possible, à New York, de trouver un lit pour toutes catégories de budgets.

Des sites Internet fournissent une alternative unique – et économique – au glamour et aux paillettes hors de prix. **Airbnb** (www.airbnb.fr) propose des "espaces uniques" aux touristes cherchant à se sentir chez eux dans un pays lointain, tout en permettant aux habitants de louer leur appartement, ou au moins une partie (une chambre ou un clic-clac) quand ils partent en voyage. Airbnb fait un tabac à NYC, où l'espace est rare et cher et où les loyers exorbitants incitent les habitants à chercher un complément de revenus.

## Coûts

En moyenne, une nuitée coûte plus de 300 $, avec des fluctuations saisonnières (janvier et février sont les mois les plus économiques, septembre et octobre les mois les plus chers). Il existe aussi quantité d'options en dessous et au-dessus (surtout au-dessus) de ce tarif. Au moment de

## L'essentiel

### GUIDE DES PRIX

Les prix de ce guide reflètent la gamme de prix standards dans chaque établissement quelle que soit la saison.

- $ moins de 150 $
- $$ de 150 à 350 $
- $$$ plus de 350 $

### PETIT-DÉJEUNER

Sauf mention contraire, le petit-déjeuner n'est pas compris dans le prix de la chambre. Cependant, beaucoup d'hôtels louent leurs chambres petit-déjeuner compris.

### RÉSERVATIONS

La réservation est essentielle. Il est quasiment impossible de trouver une chambre au débotté, et les tarifs affichés sont souvent moins intéressants que les formules en ligne. Réservez le plus tôt possible.

### POURBOIRES

Laissez toujours un pourboire à la femme de chambre. Comptez 3 à 5 $ par nuit, que vous déposerez en évidence avec un mot d'accompagnement. Donnez un ou deux dollars aux portiers et aux bagagistes.

payer, l'hôtel applique une taxe hôtelière de 14,75% et une taxe de 3,50 $ par nuitée.

Si vous cherchez les meilleurs prix, il vous faudra être souple – en semaine ils sont généralement moins élevés. Si vous n'êtes là que pour le week-end, tentez un hôtel d'affaires dans le Financial District, qui a tendance à se vider en fin de semaine.

Cela vaut aussi la peine de jeter un coup d'œil sur la foule de sites de ventes privées, comme Jetsetter (www.jetsetter.com) proposant à leurs adhérents des réductions et des "ventes flash" (ventes sur un temps limité, comme sur Groupon). Un excellent moyen de dénicher des chambres pas chères lorsque l'on organise ses vacances à la dernière minute.

## Sites Internet

**Kayak** (www.kayak.com). Moteur de recherche simple multifonction.

**Hotel Tonight** (www.hoteltonight.com). Une application proposant des formules très intéressantes, mais qui permet uniquement de réserver après 12h pour le soir même.

# Choisir son quartier

| QUARTIERS | AVANTAGES | INCONVÉNIENTS |
|---|---|---|
| **Soho et Chinatown** | Le shopping à votre porte. | La foule (principalement des touristes) encombre les rues commerçantes de Soho presque toute la journée. |
| **East Village et Lower East Side** | Branché et divertissant, le quartier incarne l'essence de New York pour les visiteurs et ses habitants. | Peu de choix en termes d'hôtels. |
| **Greenwich Village, Chelsea et le Meatpacking District** | Près de toute l'animation, un quartier pittoresque à l'atmosphère un peu européenne. | Les prix des hôtels sont élevés, mais raisonnables côté B&B ; les chambres sont parfois exiguës. |
| **Union Square, Flatiron District et Gramercy** | Très bien relié aux autres spots de la ville via le métro. On peut se rendre à pied au Village et à Midtown. | Les prix sont élevés et le quartier manque un peu d'âme. |
| **Midtown** | Au cœur du New York de cartes postales : gratte-ciel, musées, boutiques et spectacles de Broadway. | L'un des quartiers les plus chers de la ville – et attendez-vous à de petites chambres. Peut paraître touristique et impersonnel. |
| **Upper West Side et Central Park** | Accès pratique à Central Park et au musée d'Histoire naturelle. | Un peu trop familial pour ceux qui cherchent du pur divertissement. |
| **Brooklyn** | Bon rapport qualité/prix ; parfait pour découvrir les quartiers les plus créatifs de New York. | Le trajet en métro peut s'avérer long pour rallier Midtown et les points plus au nord. |

# Les meilleures adresses

| ÉTABLISSEMENTS | QUARTIERS | NOTRE AVIS |
|---|---|---|
| **SOLITA SOHO $$** | Soho et Chinatown | Formidable pour s'imprégner de l'atmosphère de Chinatown et de Little Italy. Offres de dernière minute intéressantes.. |
| **NOLITAN HOTEL $$$** | Soho et Chinatown | Entre Soho et le Village ; chambres semblant tout droit sorties d'un catalogue d'ameublement. |
| **BOWERY HOTEL $$$** | East Village et Lower East Side | Symbole du renouveau du centre, mariant l'ancien à l'élégance contemporaine ; restaurant italien sur place. |
| **HOTEL ON RIVINGTON $$** | East Village et Lower East Side | Hôtel de 20 étages aux allures de gratte-ciel de Shanghai. Chambres avec parois de verre et vue magnifique sur l'East River. |
| **EAST VILLAGE BED & COFFEE $** | East Village et Lower East Side | B&B bobo et excentrique ; décoration à thème très colorée dans les chambres, excellents équipements. Chaque étage dispose d'espaces communs et d'une cuisine. |
| **BLUE MOON HOTEL $$** | East Village et Lower East Side | On ne devinerait jamais que cette accueillante et originale pension – riche en couleurs, moulures raffinées et sdb en marbre – était jadis un simple logement. |
| **EAST VILLAGE B&B $** | East Village et Lower East Side | Élégante oasis de l'East Village, prisée des couples lesbiens pour sa brique, ses parquets et ses œuvres d'art moderne. |
| **JADE HOTEL $$** | Greenwich Village, Chelsea et Meatpacking District | Cet hôtel de charme aux 113 chambres, à deux pas des formidables restaurants du Village, affiche un style patrimonial. |
| **HÔTEL AMERICANO $$** | Greenwich Village, Chelsea et Meatpacking District | Chambres à l'épure impeccable, dotées de mobilier minimaliste et sobre choisi avec soin. |
| **STANDARD $$$** | Greenwich Village, Chelsea et Meatpacking District | Large tour de verre cubique enjambant la High Line avec grandes baies panoramiques, têtes de lit en bois et sdb en marbre. |
| **CHELSEA PINES INN $$** | Greenwich Village, Chelsea et Meatpacking District | Hôtel de 5 étages placé sous les couleurs du drapeau arc-en-ciel. |
| **MARITIME HOTEL $$** | Greenwich Village, Chelsea et Meatpacking District | Une équipe d'architectes branchés a transformé cette tour blanche dotée de hublots en auberge de luxe à thème maritime. |
| **CHELSEA LODGE $** | Greenwich Village, Chelsea et Meatpacking District | Dans un célèbre brownstone du quartier historique de Chelsea, lodge à l'européenne aux chambres impeccables. |
| **JANE HOTEL $** | Greenwich Village, Chelsea et Meatpacking District | Les minuscules chambres de 5 m² ont été récemment rénovées et équipées pour le voyageur moderne ; à noter le somptueux hall/salon. |
| **GRAMERCY PARK HOTEL $$$** | Union Square, Flatiron District et Gramercy | Boiseries sombres et mobilier somptueux dans les chambres, bars fréquentés par les célébrités, terrasse sur le toit accessible uniquement aux hôtes. |

| INFOS PRATIQUES | SES ATOUTS |
| --- | --- |
| 212-925-3600 ; www.solitasohohotel.com ; 159 Grand St, à la hauteur de Lafayette St ; ch à partir de 289 $ ; ; S N/Q/R, J/Z, 6 jusqu'à Canal St | Du style, tout en restant abordable. |
| 212-925-2555 ; www.nolitanhotel.com ; 30 Kenmare St entre Elizabeth St et Mott St ; ch à partir de 358 $ ; ; S J/Z to Bowery, 6 jusqu'à Spring St, B/D jusqu'à Grand St | Du style et un bon rapport qualité/prix. |
| 212-505-9100 ; www.theboweryhotel.com ; 335 Bowery entre 2nd St et 3rd St ; ch à partir de 395 $ ; @ ; S F/V jusqu'à Lower East Side-Second Ave, 6 jusqu'à Bleecker St | Adresse tendance pour clientèle fortunée. |
| 212-475-2600 ; www.hotelonrivington.com ; 107 Rivington St, entre Essex St et Ludlow St ; ch à partir de 311 $ ; ; S F jusqu'à Delancey St, J/M/Z jusqu'à Essex St, F jusqu'à Second Ave | Vue sur le centre-ville. |
| 917-816-0071 ; www.bedandcoffee.com ; 110 Ave C, entre 7th St et 8th St ; s/d avec sdb collective à partir de 130/140 $ ; ; S F/V jusqu'à Lower East Side-Second Ave | Un charme très familial. |
| 212-533-9080 ; www.bluemoon-nyc.com ; 100 Orchard St, entre Broome St et Delancey St ; ch petit-déj inclus à partir de 210 $ ; ; S F jusqu'à Delancey St, J/M jusqu'à Essex St | On s'y sent comme un habitant du quartier. |
| 212-260-1865 ; evbandb@juno.com ; Appt 5-6, 244 E 7th St entre Ave C et Ave D ;ch 150-175 $ ; S F/V jusqu'à Lower East Side-Second Ave | Calme et agréable |
| 212-375-1300 ; www.thejadenyc.com ; 52 W 13th St ; ch à partir de 260 $ ; | Une élégance raffinée. |
| 212-216-0000 ; www.hotel-americano.com ; 518 W 27th St entre Tenth Ave et Eleventh Ave ; ch à partir de 255 $ ; S A/C/E jusqu'à 23rd St | Pour les fous de design. |
| 212-645-4646 ; www.standardhotels.com ; 848 Washington St, à la hauteur de 13th St ; ch à partir de 355 $ ; ; S A/C/E jusqu'à 14th St, L jusqu'à Eighth Ave | Pour voir et être vu. |
| 212-929-1023, 888-546-2700 ; www.chelseapinesinn.com ; 317 W 14th St, entre Eighth Ave et Ninth Ave ; ch petit-déj inclus à partir de 209 $ ; ; S A/C/E jusqu'à 14th St, L jusqu'à Eighth Ave | Établissement central pour gays et lesbiennes. |
| 212-242-4300 ; www.themaritimehotel.com ; 363 W 16th St, entre Eighth Ave et Ninth Ave ; ch à partir de 220 $ ; S A/C/E jusqu'à 14th St, L jusqu'à Eighth Ave | Ambiance bateau de croisière de luxe. |
| 212-243-4499 ; www.chelsealodge.com ; 318 W 20th St entre Eighth Ave et Ninth Ave ; s/d à partir de 130/140 $ ; S A/C/E jusqu'à 14th St, 1 jusqu'à 18th St | Cosy, excellent rapport qualité/prix. |
| 212-924-6700 ; www.thejanenyc.com ; 113 Jane St, entre Washington St et West Side Hwy ; ch avec sdb collective à partir de 99 $ ; P ; S L jusqu'à Eighth Ave, A/C/E jusqu'à 14th St, 1/2 jusqu'à Christopher St-Sheridan Sq | Pour vivre comme un marin fortuné. |
| 212-920-3300 ; www.gramercyparkhotel.com ; 2 Lexington Ave, à la hauteur de 21st St ; ch à partir de 349 $ ; ; S 6 jusqu'à 23rd St | Pour vivre comme un Grand d'Espagne. |

| ÉTABLISSEMENTS | QUARTIERS | NOTRE AVIS |
|---|---|---|
| **HOTEL 17 $$** | Union Square, Flatiron District et Gramercy | Situé dans un verdoyant quartier résidentiel, cette populaire demeure de 8 étages possède des chambres sommairement équipées, associant parfum d'un New York d'autrefois et prix intéressants. |
| **ANDAZ FIFTH AVENUE $$$** | Midtown | Hôtel jeune et branché. Chambres élégantes décorées d'éléments new-yorkais, bar "secret" en sous-sol, restaurant locavore, et conférences d'artistes invités. |
| **ACE HOTEL $$$** | Midtown | Très apprécié des créatifs. Les chambres évoquent des garçonnières de luxe. Divertissement garanti à la réception remplie de gens branchés. |
| **YOTEL $$** | Midtown | Hôtel futuriste et ultracool de 669 chambres, classées comme dans les avions ; toutes les cabines ont des baies vitrées panoramiques avec vue exceptionnelle. |
| **IVY TERRACE $$** | Midtown | Charmant B&B aux chambres spacieuses d'inspiration victorienne. |
| **NIGHT $$** | Midtown | Dans la lumière des néons de Times Square, un hôtel sombre à l'entrée glam-rock, avec des chambres séduisantes en noir et blanc. |
| **BELVEDERE HOTEL $$** | Midtown | Cet établissement Art déco de 1928 a bénéficié d'un formidable coup de jeune ; les sdb y sont plus vastes que dans la plupart des hôtels de charme. |
| **POD 51 $** | Midtown | Abordable, cette adresse branchée possède plusieurs types de chambres, dont la plupart suffisent à peine à contenir le lit. |
| **GERSHWIN HOTEL $$** | Midtown | Cette vénérable et voyante adresse Art déco possède de petites chambres, au design simple et aux lits confortables, près de l'animé Flatiron District. |
| **HOTEL BEACON $$** | Upper West Side et Central Park | Jouxtant le Beacon Theatre, cet hôtel a tout : service attentif, chambres confortables et bel emplacement. |
| **HOTEL BELLECLAIRE $$** | Upper West Side et Central Park | Édifice beaux-arts aux chambres contemporaines de diverses superficies et configurations. |
| **JAZZ ON THE PARK HOSTEL $** | Upper West Side et Central Park | Cette auberge de jeunesse déçoit rarement, avec ses dortoirs propres, sa salle café/TV et ses trois terrasses communes. |
| **WYTHE HOTEL $$** | Brooklyn | Des chambres à l'élégant style industriel, logées dans une ancienne usine datant de 1901. Formidable brasserie au rez-de-chaussée, et bar au dernier étage pour profiter d'un cocktail au crépuscule et de la skyline de Manhattan. |
| **KING & GROVE $$** | Brooklyn | De séduisantes chambres minimalistes, assorties de formidables équipements : un excellent restaurant, une piscine d'eau salée et un bar à l'étage doté d'une vue époustouflante. |
| **NEW YORK LOFT HOSTEL $** | Brooklyn | Une jeune clientèle bohème se presse dans ce bastion de Bushwick. De nombreuses activités disponibles, ce qui en fait une excellente adresse pour rencontrer d'autres voyageurs. |

| INFOS PRATIQUES | SES ATOUTS |
| --- | --- |
| 212-475-2845 ; www.hotel17ny.com ; 225 E 17th St, entre Second Ave et Third Ave ; d 91-181 $ ; ; S N/Q/R, 4/5/6 jusqu'à 14th St-Union Sq, L jusqu'à Third Ave | rapport qualité/prix et charme d'autrefois. |
| 212-601-1234 ; http://andaz.hyatt.com ; 485 Fifth Ave, à la hauteur de 41st St, Midtown East ; d à partir de 380 $ ; ; S S, 4/5/6 jusqu'à Grand Central-42nd St, 7 jusqu'à Fifth Ave | Ultrachic. |
| 212-679-2222 ; www.acehotel.com/newyork ; 20 W 29th St, entre Broadway et Fifth Ave, Midtown East ; ch 199-799 $ ; ; S N/R jusqu'à 28th St | Clientèle de gens des médias. |
| 646-449-7700 ; www.yotel.com ; 570 Tenth Ave, à la hauteur de 41st St, Midtown West ; ch à partir de 149 $ ; ; S A/C/E jusqu'à 42nd St-Port Authority Bus Terminal, 1/2/3, N/Q/R, S, 7 jusqu'à Times Sq-42nd St | Pour les fans de la série TV Les Jetson. |
| 516-662-6862 ; www.ivyterrace.com ; 230 E 58th St, entre Second Ave et Third Ave, Midtown East ; ch 249-390 $ ; ; S 4/5/6 jusqu'à 59th St ; N/Q/R jusqu'à Lexington Ave-59th St | Pour les couples. |
| 212-835-9600 ; www.nighthotelny.com ; 132 W 45th St, entre Sixth Ave et Seventh Ave, Midtown West ; ch à partir de 180 $ ; ; S B/D/F/M jusqu'à 47th St-50th St-Rockefeller Center | Où comment dormir dans un roman d'Anne Rice. |
| 888-468-3558, 212-245-7000 ; www.belvederehotelnyc.com ; 319 W 48th St, entre Eighth Ave et Ninth Ave, Midtown West ; ch 199-599 $ ; ; S C/E jusqu'à 50th St | D'un luxe classique. |
| 866-414-4617 ; www.thepodhotel.com ; 230 E 51st St, entre Second Ave et Third Ave, Midtown East ; ch à partir de 89 $ ; ; S 6 jusqu'à 51st St, E/M jusqu'à Lexington Ave-53rd St | Midtown en version branchée et abordable. |
| 212-545-8000 ; www.gershwinhotel.com ; 7 E 27th St à la hauteur de Fifth Ave ; ch à partir de 245 $ ; @ ; S N/R, 6 jusqu'à 28th St | Pour ceux qui aiment flemmarder. |
| 212-787-1100, réservations 800-572-4969 ; www.beaconhotel.com ; 2130 Broadway, entre 74th St et 75th St ; d 230-350 $, ste 300-450 $ ; ; S 1/2/3 jusqu'à 72nd St | Pratique ; les familles apprécieront. |
| 212-362-7700 ; www.hotelbelleclaire.com ; 250 W 77th St, à la hauteur de Broadway ; d 150-370 $, ste 310-600 $ ; ; S 1 jusqu'à 79th St | Une affaire vu l'emplacement. |
| 212-932-1600 ; www.jazzhostels.com ; 36 W 106th St, entre Central Park West et Manhattan Ave ; dort 44-70 $, d 125-200 $ ; ; S B, C jusqu'à 103rd St | Une adresse bon marché à Central Park. |
| 718-460-8000 ; wythehotel.com ; 80 Wythe Ave, à la hauteur de N 11th St, Williamsburg ; ch 205-600 $ ; | Pour les hipsters. |
| 718-218-7500 ; www.kingandgrove.com ; 160 N 12th St, entre Bedford Ave et Berry St, Williamsburg ; d 175-360 $ ; ; S L jusqu'à Bedford, G jusqu'à Nassau | Idéal pour les membres de la jet-set. |
| 718-366-1351 ; www.nylofthostel.com ; 249 Varet St, entre Bogart St et White St, Bushwick ; dort 60-75 $ ; @ ; S L jusqu'à Morgan Ave | Pour les pionniers urbains. |

# Transports

## Arriver à New York

Avec ses trois aéroports, ses deux gares et un terminal de bus colossal, New York déroule le tapis rouge aux quelque 50 millions de visiteurs qui s'y rendent chaque année.

Des vols directs sont disponibles au départ de la plupart des grandes villes américaines et internationales. Comptez 6 heures depuis Los Angeles, 8 heures de Paris ou 1 heure 30 depuis Montréal. Une fois aux États-Unis, envisagez de rallier New York en train, plutôt qu'en voiture ou en avion, afin de profiter d'une palette de paysages bucoliques et urbains ; du même coup, vous éviterez les embouteillages et les contrôles de sécurité sans augmenter les émissions de $CO_2$ !

### Avion

La haute saison new-yorkaise s'étend de mi-juin à mi-septembre, l'été et une semaine avant et après Noël. Février et mars et tout le mois d'octobre jusqu'à Thanksgiving (4e jeudi de novembre) sont des périodes intermédiaires, pendant lesquelles les prix baissent. Enfin, sachez qu'il est parfois plus économique de choisir un *package* "avion + hôtel".

Plaque tournante internationale, New York est desservie par la plupart des compagnies aériennes.

#### Depuis/vers la France

Au départ de Paris, comptez en moyenne 8 heures de vol à l'aller et 7 heures au retour. Les tarifs varient beaucoup selon la période de l'année, de 500 € en basse saison (comptez plutôt 650 € avec des compagnies comme Air France, American Airlines ou United Airlines) à 850 €, et plus, en saison.

Les compagnies ci-dessous assurent des vols réguliers, fréquents et directs vers New York, à des prix d'autant plus intéressants que vous anticipez l'achat de votre billet :

**Air France** (www.airfrance.fr)

**American Airlines** (www.americanairlines.fr)

**United** (www.united.com)

**US Airways** (www.usairways.com)

Si vous souhaitez voyager en classe affaires, la compagnie **Open Skies** (www.flyopenskies.com) propose des tarifs avantageux au départ de Paris-Orly. Enfin, une toute jeune compagnie française dédiée aux voyages d'affaires, **La Compagnie** (www.lacompagnie.com/fr), lancée à l'été 2014, se lance sur le secteur des vols Paris-New York en classe affaires à moindre coût.

#### Depuis/vers la Belgique

Depuis la Belgique, les tarifs sont peu ou prou identiques à ceux pratiqués en France. Outre la compagnie belge **Brussels Airlines** (www.brusselsairlines.com/fr-fr/), vous pouvez contacter les compagnies américaines citées ci-dessus ou vous adresser aux agences **Airstop** (www.airstop.be/fr) ou **Connections** (www.connections.be).

#### Depuis/vers la Suisse

Deux compagnies assurent deux vols quotidiens directs (comptez 8 heures 45 de trajet) entre Genève et New York : **Swiss** (www.swiss.com) et **United** (www.united.com). Les autres compagnies proposent des vols avec escale. Selon la saison, vous pourrez trouver des billets aller simple au départ de Genève pour environ 500 FS. L'agence de voyages **STA Travel** (fr.statravel.ch/) vous renseignera.

#### Depuis/vers le Canada

Pour parcourir les 523 km qui séparent Montréal de New York, comptez en moyenne 1 heure 30 de vol. Les tarifs commencent à 450 $C l'aller-retour pour un vol direct.

**Air Canada** (wwwaircanada.com)

**American Airlines** (www.aa.com)

**Delta Airlines** (www.delta.com)

**United** (www.united.com)

### JFK International Airport

Le **John F Kennedy International Airport** (☎718-244-4444 ; www.panynj.gov) se trouve à 24 km de

Midtown dans le sud-est du Queens. Ses 8 terminaux accueillent chaque année des millions de passagers du monde entier.

#### Taxi

Le trajet en taxi jaune entre Manhattan et l'aéroport peut prendre de 45 à 60 minutes ; le prix de la course dépend de la circulation (il avoisine souvent les 60 $). Depuis JFK, les taxis appliquent un prix fixe de 52 $ pour Manhattan, quelle que soit la destination (péage et pourboire non compris).

#### Minibus et navettes

Les minibus collectifs, comme ceux de **Super Shuttle Manhattan** (www.supershuttle.com), coûtent de 20 à 25 $ par personne, en fonction de la destination. Entre New York et l'aéroport, les opérateurs proposent un tarif fixe de 45 $.

#### Bus express

De JFK, le **NYC Airporter** (www.nycairporter.com) dessert Grand Central Station, Penn Station et le Port Authority Bus Terminal. Le tarif aller est de 16 $.

#### Métro

Le métro est le moyen le moins coûteux, mais aussi le plus lent, de gagner Manhattan. De l'aéroport, prenez AirTrain (5 $, à régler à la sortie) et descendez à Sutphin Blvd-Archer Ave (Jamaica Station), où vous trouverez les lignes E, J et Z (ainsi que le Long Island Rail Road). Pour rallier la ligne A, prenez l'AirTrain jusqu'à la station Howard Beach. La ligne E à destination de Midtown est celle qui comporte le moins d'arrêts. Comptez au moins 90 minutes.

#### AirTrain

De l'aéroport, prenez l'AirTrain (5 $, à payer en sortant) et descendez à Jamaica Station. De là, les trains du LIRR desservent fréquemment Penn Station, à Manhattan. Le trajet prend environ 20 minutes. Le billet aller coûte 7 $ (10 $ aux heures de pointe).

### LaGuardia Airport

Dévolu aux vols intérieurs, **LaGuardia** (LGA ; ☎718-533-3400 ; www.panynj.gov) est à seulement 13 km du centre de Manhattan.

#### Taxi

Un taxi depuis/vers Manhattan coûte environ 42 $ pour une course de 30 minutes environ.

#### Navette

Un service de navettes pour LaGuardia coûte 35 $.

#### Bus express

Un trajet avec le NYC Airporter s'élève à 13 $.

#### Métro/bus

LaGuardia est l'aéroport le moins accessible par les transports en commun. En métro, la meilleure option est la station 74 St–Broadway (ligne 7, ou lignes E, F, M et R en changeant à Jackson Hts Roosevelt Ave), dans le Queens. De là, prenez la nouvelle ligne de bus Q70 Express Bus jusqu'à l'aéroport (environ 10 minutes).

## Voyages et changements climatiques

Tous les moyens de transport fonctionnant à l'énergie fossile génèrent du $CO_2$ – la principale cause du changement climatique induit par l'homme. L'industrie du voyage est aujourd'hui dépendante des avions. Si ceux-ci ne consomment pas nécessairement plus de carburant par kilomètre et par personne que la plupart des voitures, ils parcourent en revanche des distances bien plus grandes et relâchent quantité de particules et de gaz à effet de serre dans les couches supérieures de l'atmosphère. De nombreux sites Internet utilisent des "compteurs de carbone" permettant aux voyageurs de compenser le niveau des gaz à effet de serre dont ils sont responsables par une contribution financière à des projets respectueux de l'environnement. Lonely Planet "compense" les émissions de tout son personnel et de ses auteurs.

### Newark Liberty International Airport

Situé à 26 km de Midtown – soit la même distance que JFK –, l'**aéroport de Newark** (EWR ; ☎973-961-6000 ; www.panynj.gov) attire beaucoup de New-Yorkais (près de 36 millions de passagers par an).

#### Navette

Un service de navettes demande environ 45/60 $ depuis Midtown (45 minutes de trajet) ; un taxi coûte à peu près autant. Pour entrer dans

New York par le Lincoln Tunnel (à la hauteur de 42nd St), le Holland Tunnel (à la hauteur de Canal St) ou par le George Washington Bridge plus au nord, comptez la jolie somme de 13 $ ; le retour vers le New Jersey est gratuit. Vous pouvez éviter les (modiques) péages des autoroutes du New Jersey en demandant à votre chauffeur de prendre les Hwy 1 ou 9.

### Métro et train

NJ Transit assure des liaisons par train (avec une connexion par AirTrain) entre Newark (EWR) et New York (Penn Station) pour 12,50 $ l'aller. Le trajet dure 25 minutes, avec des départs toutes les 20 ou 30 minutes entre 4h20 et 1h40. Conservez précieusement votre billet, que vous devrez présenter en descendant à l'aéroport.

### Bus express

Le Newark Liberty Airport Express assure un service de bus jusqu'au Port Authority Bus Terminal, Bryant Park et Grand Central Terminal à Midtown (aller 16 $). Le trajet dure 45 minutes ; départ toutes les 15 minutes de 6h45 à 23h15 et toutes les 30 minutes de 4h45 à 6h45 et de 23h15 à 1h15.

## Port Authority Bus Terminal

Pour les trajets en bus longue distance vers le Canada ou d'autres destinations aux États-Unis, vous passerez par le **Port Authority Bus Terminal** (☎212-564-8484 ; www.panynj.gov ; 41st St à la hauteur de 8th Ave ; Ⓢ A, C, E, N, Q, R, 1, 2, 3, et 7), la gare routière la plus fréquentée au monde. Elle voit transiter près de 70 millions de passagers chaque année. Parmi les compagnies de bus assurant des départs, citons : **Greyhound** (☎800-231-2222 ; www.greyhound.com). Relie New York à de grandes villes du pays.

**Peter Pan Trailways** (☎800-343-9999 ; www.peterpanbus.com). Service rapide quotidien pour Boston (aller 18/32 $), Washington (16/25 $) et Philadelphie (9/18 $).

**ShortLine Bus** (☎201-529-3666, 800-631-8405 ; www.coachusa.com). Dessert le nord du New Jersey et de l'État de New York (Rhinebeck 25,30 $, Woodbury Common 21 $).

## Penn Station

### Train

**Penn Station** (33rd St, entre Seventh Ave et Eighth Ave ; Ⓢ 1/2/3/A/C/E jusqu'à 34th St-Penn Station). Les trains Amtrak partent de Penn Station, y compris le *Metroliner* et l'*Acela Express* à destination de Princeton et de Washington (ces services express vous coûteront le double du tarif normal). Les prix varient en fonction du jour de la semaine et de l'heure à laquelle vous voyagez. Pas de consigne à bagages à Penn Station.

**Long Island Rail Road** (LIRR ; www.mta.nyc.ny.us/lirr). Plus de 300 000 passagers empruntent ces trains qui relient chaque jour Penn Station aux gares de Brooklyn, du Queens et des villes de Long Island. Les prix sont en fonction de la zone. Un trajet aux heures de pointe de Penn Station à Jamaica Station (pour rejoindre JFK par l'AirTrain) coûte 9,50 $ si vous le réglez à la gare (contre 16 $ à bord !).

**New Jersey Transit** (☎800-772-2287 ; www.njtransit.com). Cette compagnie dessert également la banlieue et Jersey Shore, toujours au départ de Penn Station.

**New Jersey PATH** (☎800-234-7284 ; www.panynj.gov/path). Une autre option dans le nord du New Jersey, à Hoboken et Newark notamment. Les trains (2,50 $) partent de Penn Station et suivent Sixth Ave, en s'arrêtant à 33rd St, 23rd St, 14th St, 9th St et Christopher St, ainsi que sur le site récemment rouvert du World Trade Center.

### Bus

Un nombre croissant de lignes de bus pour voyageurs à petit budget partent de Penn Station :

**BoltBus** (☎877-265-8287 ; www.boltbus.com). Propriété de Greyhound, BoltBus se distingue par son accès gratuit au Wi-Fi (mais pas par sa fiabilité). Les cars relient New York à Philadelphie, Boston, Baltimore et Washington. Les prix vont de 10 à 27 $, avec des tarifs dégressifs (jusqu'à 1 $ !) plus vous achetez votre billet à l'avance. Le départ se fait de W 33rd St, entre 11th Ave et 12th Ave. Si vous voyagez à destination de Philadelphie, Baltimore ou Washington, les cars partent également de Sixth Ave, entre Grand St et Watts St. Achetez votre billet en ligne.

**Megabus** (☎ 877-462-6342 ; **us.megabus.com**). Proposant également le Wi-Fi gratuit (toujours aussi fiable) et des tarifs similaires, cette compagnie relie New York à Boston, Washington et Toronto, entre autres destinations.

## Grand Central Station

La plus récente ligne au départ de Grand Central Terminal, **Metro-North Railroad** (☎ 212-532-4900 ; **www.mta.info/mnr**), dessert Park Ave à la hauteur de 42nd St, le Connecticut, le comté de Westchester et la Hudson Valley.

# Comment circuler dans New York

Il est plutôt facile de se déplacer dans New York. Le réseau du métro (plus de 1 000 km de voies) est bon marché, assez efficace et vous dépose dans tous les coins et recoins de la ville. À défaut du métro, prenez le bus, le ferry, le train, le *pedicab* ou l'omniprésent taxi jaune (vous n'en verrez pas beaucoup lorsqu'il pleut).

La marche est à privilégier pour découvrir la ville. Ainsi que le vélo, surtout depuis le développement de pistes cyclables et d'espaces verts.

## Ferry

Toute l'année, l'**East River Ferry** (**www.eastriverferry.com**) dessert plusieurs destinations de Manhattan, du Queens et de Brooklyn. Quant aux rapides bateaux jaunes de **New York Water Taxi** (☎ **212-742-1969 ; www.nywatertaxi.com ; forfait journée 26 $**), ils permettent

## Le métro, mode d'emploi

Quelques conseils pour s'y retrouver :

### CHIFFRES, LETTRES, COULEURS

Chaque ligne de métro possède une couleur propre, plus une lettre ou un numéro. Sur la plupart de ces lignes circulent deux à quatre trains de numéros différents. Par exemple, sur la ligne rouge qui traverse Manhattan, circulent les lignes 1, 2 et 3. Ces dernières suivent plus ou moins la même route à Manhattan puis se séparent pour rejoindre différents terminus dans le Bronx et Brooklyn.

### TRAIN EXPRESS OU OMNIBUS ?

Il est courant d'embarquer dans un “express” qui ne dessert pas la station à laquelle on souhaite s'arrêter. Sur une ligne de même couleur circulent à la fois des express et des omnibus (reconnaissables à leur cercle blanc sur le plan du métro). Les express ne s'arrêtent qu'à quelques stations à Manhattan.

### TROUVER LA BONNE ENTRÉE DE STATION

Certaines stations de métro – comme Spring St à Soho, ligne 6 – ont une entrée pour les lignes en direction du sud et une autre pour celles qui vont vers le nord (lisez attentivement les panneaux). Vérifiez aussi les lampes de couleur au-dessus de l'escalier, à l'entrée des stations. Le vert signifie que l'entrée est ouverte en permanence, le rouge qu'elle est fermée à certaines heures, ordinairement la nuit.

### AFFRONTER LE WEEK-END

Attention, les règles changent pendant le week-end. Des lignes fusionnent entre elles, certaines ne fonctionnent pas, des stations ne sont pas desservies... Consultez le site www.mta.info pour connaître les horaires du week-end.

de visiter Manhattan et Brooklyn en montant et en descendant à l'envi.

Plus grand, le Staten Island Ferry est un ferry orange assurant en permanence la traversée gratuite entre la rade de New York et Staten Island.

## S Métro et bus

Exploité par la **Metropolitan Transportation Authority** (MTA ; ✆718-330-1234 ; www.mta.info), le métro new-yorkais, avec son réseau de plus de 1 000 km, est économique (2,25 $ le ticket, 2,25 $ avec le MetroPass) et fonctionne 24h/24. C'est le moyen le plus rapide et le plus fiable pour se déplacer dans New York.

Un plan de la ville est remis gratuitement par les employés du métro. En cas de doute, adressez-vous à d'autres usagers. La solidarité entre usagers du métro n'est pas un vain mot dans cette ville marquée par la diversité.

### MetroCard

Que ce soit dans le bus ou le métro, les jetons ont cédé la place à la **MetroCard** (✆718-330-1234 ; www.mat.info/metrocard), de couleur jaune et bleu, à acheter ou à recharger dans les distributeurs automatiques des stations. Le paiement s'effectue en liquide ou par carte bancaire. Appuyez simplement sur la touche "Get new card" et suivez les instructions. Petit conseil : si vous n'êtes pas américain, tapez 99999 lorsque l'automate vous demande votre code postal.

La carte en elle-même coûte 1 $. Vous avez le choix entre deux types de MetroCard. Avec la carte "au trajet", vous paierez 2,50 $ – sachez néanmoins que la MTA offre 5% de crédit supplémentaire sur les MetroCard d'une valeur supérieure à 5 $ (pour une carte de 20 $, vous bénéficierez d'un crédit total de 21 $). Si vous envisagez d'utiliser le métro assez souvent, prenez un pass illimité (30 $ pour 7 jours) : surtout si vous visitez plusieurs secteurs de la ville le même jour.

La MetroCard est valable pour le métro et le bus et permet des changements gratuits entre ces modes de transport.

## Taxi

Prendre un taxi à New York correspond un peu à un rite de passage, surtout si votre chauffeur roule à tombeau ouvert ! Un conseil : bouclez bien votre ceinture de sécurité.

C'est la **Taxi & Limousine Commission** (TLC ; ✆311), l'organe public de tutelle des taxis, qui fixe les tarifs (il est possible de payer par carte bancaire). La prise en charge se monte à 2,50 $ (premier 5e de mile), on paie ensuite 50 ¢ pour chaque 5e de mile supplémentaire ou toutes les minutes en cas d'arrêt dans un embouteillage. S'ajoute un supplément de 1 $ aux heures de pointe (de 16h à 20h en semaine), un autre de 50 ¢ la nuit (de 20h à 6h) et une taxe de l'État de New York de 50 ¢ par course.
Le pourboire attendu est généralement compris entre 10 et 15% du prix de la course. En cas de problème, relevez le numéro de licence du chauffeur.

La TLC dispose d'un droit de passagers qui vous permet d'indiquer au chauffeur votre parcours de préférence, de lui demander de ne pas fumer ou d'éteindre son autoradio, s'il vous dérange. Un chauffeur de taxi n'a pas le droit de refuser une course en raison de la destination.

Les taxis libres ont une lumière centrale allumée sur le toit. Il est difficile de trouver un taxi sous la pluie, aux heures de pointe ou vers 16h, lorsque la plupart des taxis finissent leur journée.

Dans les *boroughs* périphériques, des compagnies de voitures privées (noires) offrent une alternative aux taxis jaunes. Le prix, qui dépend du quartier et de la longueur de la course, doit être fixé avant le départ, ces voitures n'étant pas équipées de compteur. Bien qu'elles soient courantes à Brooklyn et dans le Queens, il est déconseillé de monter à bord si le chauffeur s'arrête pour vous proposer une course, dans quelque *borough* que vous soyez. À Brooklyn, on peut réserver une voiture auprès de **Northside** (✆718-387-2222 ; 207 Bedford Ave) dans le quartier de Williamsburg, ou **Arecibo** (✆718-783-6465 ; 170 5th Ave à Degaw St) dans le quartier de Park Slope.

### Les "Boro Taxis"

En 2013, les "Boro Taxis", de couleur vert pomme, ont commencé à circuler dans tous les *boroughs* (hors Manhattan), ainsi que dans le nord de Manhattan. Cela permet aux visiteurs de héler un taxi dans les quartiers où les *yellow cabs* circulent rarement. Ils pratiquent les mêmes tarifs et constituent un moyen pratique pour se déplacer dans ces *boroughs* (par exemple, entre les quartiers d'Astoria et de Williamsburg, ou encore de Park Slope à Red Hook). Les conducteurs de "Boro" rechignent à conduire des passagers dans Manhattan (bien qu'ils y soient légalement tenus) car ils ne sont pas autorisés à prendre des clients au sud de 96th St.

# Circuits organisés

La ville offre quantité de circuits organisés. En voici une sélection.

## À pied

**Municipal Art Society** (☎ 212-935-3960 ; www.mas.org ; 111 W 57th St ; circuit adulte/enfant 20/15 $ ; S F jusqu'à 57th St). Circuits axés sur l'architecture et l'histoire.

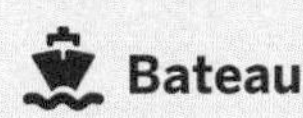

## Bateau

**Circle Line Boat Tours** (☎ 212-563-3200 ; www.circleline42.com ; pier 83, 42nd St à la hauteur de Twelfth Ave ; croisières 30-40 $ ; S A/C/E jusqu'à 42nd-Port Authority). Classiques, les circuits Circle Line vous permettent d'admirer tranquillement les plus belles vues de New York depuis un bateau qui fait le tour des 5 *boroughs*.

## Bus

**Gray Line** (☎ 212-397-2620 ; www.newyorksightseeing.com ; 44-60 $). Gray Line envahit la ville de ses bus rouges à étages. Idéal pour admirer tous les beaux sites de New York. Les visites peuvent se faire en français.

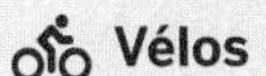

## Vélos

**Bike the Big Apple** (☎ 877-865-0078 ; www.bikethebigapple.com ; circuits environ 95 $, prêt du vélo et du casque inclus). Recommandé par NYC & Company (bureau d'informations touristiques de la ville et gestionnaire de www.nycgo.com), Bike the Big Apple propose 10 itinéraires.

# Agences spécialisées

**Sidetour** (www.sidetour.com ; circuit 50-60 $). Sidetour organise des circuits uniques et originaux pour ceux qui souhaitent s'immerger totalement dans la Grosse Pomme. La gamme d'expériences à découvrir est vaste : assister à un bœuf dans une demeure typique de Brooklyn, faire une balade gastronomique dans les rues d'Astoria, marcher sur les traces des peintres rebelles au Met ou dans les galeries de Chelsea, explorer l'art de rue dans le Lower East Side, etc.

**Foods of New York** (☎ 212-913-9964 ; www.foodsofny.com ; circuits 52-65 $). Organisé par NYC & Company, vous aurez le choix entre plusieurs visites de 3 heures qui vous feront découvrir les épiceries gastronomiques de Chelsea ou de West Village.

**On Location Tours** (☎ 212-683-2027 ; www.screentours.com ; circuits autour de 45 $). Un choix de quatre circuits sur les lieux de tournage de séries TV (*Will & Grace, The Sopranos* et surtout *Sex and the City !)* mais également d'autres lieux de tournages en extérieur, y compris dans Central Park.

**Wildman Steve Brill** (☎ 914-835-2153 ; www.wildmanstevebrill.com ; échelle coulissante jusqu'à 20 $). Le plus connu des naturalistes new-yorkais organise des expéditions dans les parcs de New York depuis 20 ans.

# Infos utiles

## Argent

Le dollar américain est la seule devise acceptée à New York. Si les cartes bancaires sont largement prises, il est conseillé de disposer également d'espèces.

### Distributeurs automatiques de billets (DAB)

On trouvera des DAB ("ATM" en anglais) à presque tous les coins de rue : dans les banques (24h/24) et dans les épiceries, les restaurants et les bars. Les commissions prélevées pouvent aller jusqu'à 5 $ pour les banques étrangères.

### Cartes de réduction

Les cartes de réduction suivantes offrent un certain nombre d'avantages dans les sites majeurs de la ville.

**Downtown Culture Pass**
www.downtownculturepass.org

**New York CityPASS**
www.citypass.com

**Explorer Pass**
www.nyexplorerpass.com

**The New York Pass**
www.newyorkpass.com

## Électricité

120 V / 60 Hz

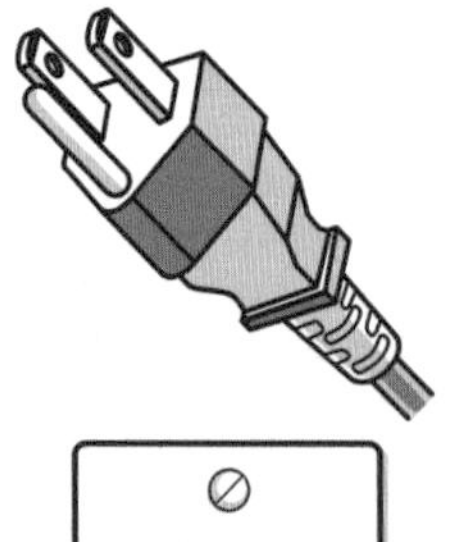

120 V / 60 Hz

## Formalités et visas

Un programme d'exemption de visa (Visa Waiver Program-VWP) permet aux ressortissants de 36 pays dont la Belgique, la France, le Luxembourg et la Suisse, de séjourner aux États-Unis sans visa, à condition de posséder un passeport sécurisé à lecture optique. Selon les prescriptions en vigueur, consultez le site du **Département de la sécurité intérieure des États-Unis** (www.travel.state.gov/visa).

Les ressortissants des pays concernés par le VWP doivent s'inscrire auprès du **Département de la sécurité intérieure des États-Unis** (esta.cbp.dhs.gov) jusqu'à trois jours avant leur arrivée (mais faites-le le plus tôt possible). Les frais de dossier reviennent à 14 $ ; une fois acceptée, l'inscription est valable deux ans ou jusqu'à la date d'expiration de votre passeport (la première de ces hypothèses prévalant).

## Handicapés

La loi fédérale impose à tous les bâtiments et infrastructures administratifs d'être accessibles aux handicapés. Pour plus de renseignements, appelez l'**Office for People with Disabilities** (**212-639-9675 ; lun-ven 9h-17h**) qui vous enverra gratuitement son guide *Access New York*.

Par ailleurs, la **Society for Accessible Travel**

**& Hospitality** (SATH ; ✆212-447-7284 ; www.sath.org ; 347 5th Ave à la hauteur de 34th St, Suite 605 ; ⏲9h-17h ; M M34 jusqu'à 5th Ave, M1 jusqu'à 34th St, S 6 jusqu'à 33rd St) fournit des renseignements aux voyageurs handicapés, aveugles, sourds ou souffrant d'insuffisance rénale.

Pour tout renseignement sur l'accessibilité des rames de métro et des bus aux personnes en fauteuil roulant, accédez à la liste des stations de métro équipées d'ascenseurs ou d'escalators via l'**Accessible Line** (✆511 ; web.mta.info/accessibility).

En France, l'**APF** (Association des paralysés de France ; ✆01 40 78 69 00 ; www.apf.asso.fr ; 17 bd Auguste-Blanqui, 75013 Paris) et l'association **Handi Voyages** (handivoyages.free.fr) peuvent fournir des informations utiles sur les voyages accessibles. L'association **Ailleurs & Autrement** (www.ailleursetautrement.fr) organise des voyages adaptés aux personnes à mobilité réduite. **Yanous** (www.yanous.com) et **handicap.fr** (www.handicap.fr) constituent également de bonnes sources d'information.

## Infos pratiques

- **Journaux** The **New York Post** (www.nypost.com) célèbre pour ses unes sensationnalistes, ses opinions conservatrices et sa chronique "potins" en page 6. The **New York Times** (www.nytimes.com), la "dame grise", s'est dépoussiérée depuis quelques années. Le légendaire **Village Voice** (www.villagevoice.com), détenu par la chaîne de journaux alternatifs *New Times*, a perdu de son mordant mais continue de faire du bruit. Le sérieux**Wall Street Journal** (www.wallstreetjournal.com) est un quotidien spécialisé dans la finance, encore que son nouveau propriétaire, le magnat des médias Rupert Murdoch, prévoie d'élargir le propos pour concurrencer le *Times*.

- **Magazines** Ceux qui permettent de se tenir au courant de la vie new-yorkaise comprennent : le **New York Magazine** (www.nymag.com), un hebdomadaire qui propose des articles de fond et recense à peu près tout ce qui se passe à New York, avec un excellent site Web. L'hebdomadaire intellectuel **New Yorker** (www.newyorker.com), célèbre pour ses longs reportages sur la politique et la culture, publie également des textes de fiction et de la poésie. Enfin, le **Time Out New York** (www.timeout.com/newyork), un hebdomadaire aussi, s'efforçant d'être extrêmement complet (voir en particulier ses pages culturelles) et offrant des articles et des interviews sur les arts et les loisirs.

- **Radio** Le New York Times, dans son édition du dimanche, publie un excellent guide des programmes. Notre préférée est **WNYC93.9FM and 820AM** (820-AM & 93.9-FM ; www.wnyc.org). chaîne publique locale, affiliée à la NPR. Mélange de débats et d'interviews nationaux et locaux, avec de la musique classique en cours de journée sur la station FM.

- **Tabac** Il est strictement interdit de fumer dans les lieux publics, notamment dans les stations de métro, les restaurants, les bars, les taxis et les parcs.

## Heure locale

New York est située dans le fuseau horaire de l'Eastern Standard Time (EST) – soit un retard de 5 heures par rapport au méridien de Greenwich, le Greenwich Mean Time (GMT).

À l'heure d'été, on avance d'une heure le deuxième dimanche du mois de mars et on retarde d'une heure le premier dimanche du mois de novembre. La France a 6 heures d'avance par rapport à New York, alors que le Québec est à la même heure.

Pour connaître l'heure locale, consultez le site internet www.horlogeparlante.com.

## Horaires d'ouverture

Les horaires standards sont les suivants :

**Banques** 9h-18h lun-ven, et certaines 9h-12h sam

**Bureaux** 9h-17h lun-ven

**Restaurants** Le petit-déj est servi de 6h à 12h, le déjeuner de 11h à 15h environ, et le dîner de 17h à 23h. Le brunch dominical (souvent servi le samedi également) est proposé de 11h environ à 16h.

**Bars** 17h-4h

**Clubs** 22h-4h

**Magasins** De 10h à 19h environ en semaine, de 11h à 20h environ le samedi. Le dimanche, les horaires sont plus variables. Les magasins ont tendance à rester ouverts plus tard dans les quartiers de Lower Manhattan.

## Internet (accès)

À New York, rares sont les hébergements n'offrant pas un accès Wi-Fi, même si celui-est parfois payant. Parmi les parcs publics disposant d'une connexion gratuite, citons la High Line, Bryant Park, Battery Park, Tompkins Square Park et Union Square Park. On trouve des bornes Internet dans les boutiques **Staples** (www.staples.com) et **FedEx Kinko** (www.fedexkinkos.com) de la ville. Essayez également les Apple Stores (www.apple.com).

**New York Public Library** (☎ 212-930-0800 ; www.nypl.org/branch/local ; E 42nd St, à la hauteur de 5th Ave ; Ⓢ B, D, F ou M jusqu'à 42nd St-Bryant Park). Accès Internet gratuit pour les possesseurs d'ordinateurs portables et connexion de 30 minutes via les terminaux de la majorité de ses antennes en ville. Consultez le site Internet pour plus d'information.

## Jours fériés

**New Year's Day** 1er janvier

**Martin Luther King Day** Troisième lundi de janvier

**Presidents' Day** Troisième lundi de février

**Pâques** Mars/avril

**Memorial Day** Fin mai

**Gay Pride** Dernier dimanche de juin

**Independence Day (fête nationale)** 4 juillet

**Fête du travail** Premier lundi de septembre

**Rosh Hashanah et Yom Kippur** De mi-septembre à mi-octobre

**Halloween** 31 octobre

**Thanksgiving** Quatrième jeudi de novembre

**Noël** 25 décembre

**Boxing Day** 26 décembre

**Réveillon du jour de l'An** 31 décembre

## Offices du tourisme

Sur place, vous pouvez aussi vous rendre dans l'un des cinq bureaux officiels de **NYC & Company** (☎ 212-484-1200 ; www.nycgo.com), agence d'information touristique officielle sur la ville :

**Midtown** (☎ 212-484-1222 ; www.nycgo.com ; 810 7th Ave entre 52nd St et 53rd St ; 🕒 8h30-18h lun-ven, 9h-17h sam-dim ; Ⓢ B/D, E jusqu'à 7th Ave). Principal bureau.

**Times Square** (☎ 212-484-1222 ; Seventh Ave entre 46th St et 47th St, Times Square ; 🕒 9h-19h ; Ⓢ 1/2/3, 7, N/Q/R jusqu'à Times Sq)

**Lower Manhattan** (☎ 212-484-1222 ; City Hall Park à la hauteur de Broadway ; 🕒 9h-18h lun-ven, 10h-17h sam-dim ; Ⓢ R/W jusqu'à City Hall)

**Chinatown** (☎ 212-484-1222 ; carrefour Canal St, Walker St et Baxter St ; 🕒 10h-18h ; Ⓢ J/M/Z, N/Q/R/W, 6 jusqu'à Canal St)

### Portails touristiques par *boroughs*

Chaque *borough* compte son propre site Internet :

**Bronx** ilovethebronx.com

**Brooklyn** visitbrooklyn.org

**Queens** discoverqueens.info

**Staten Island** statenislandusa.com

### Portails touristiques par quartiers

Les quartiers les plus prisés ont aussi leur site Internet :

**Lower East Side** www.lowereastsideny.com

**Chinatown** www.explorechinatown.com

**Upper East Side** www.uppereast.com

**Soho** www.sohonyc.com

**Williamsburg** www.freewilliamsburg.com

## Sécurité

Le taux de criminalité reste à son plus bas niveau depuis plusieurs années. Il n'y a plus de quartiers – à Manhattan, tout au moins – où l'on ne se sente pas en sécurité, quelle que soit l'heure du jour ou de la nuit. Cela vaut également pour les stations de métro, sauf dans certains quartiers, surtout ceux en périphérique. Toutefois, le bon sens reste de mise : ne vous aventurez pas seul (et surtout seule) la nuit dans un quartier inconnu et semi-désert (évitez le Bronx, Harlem ou Central Park). Ne sortez pas de gros billets dans la rue et cachez bien votre argent sur vous. Enfin, prenez garde aux pickpockets dans les endroits bondés, comme Times Square ou Penn Station aux heures de pointe.

## Taxes

Restaurants et commerces de détail n'incluent jamais les taxes à la consommation (8,875%) dans les prix affichés. Attention, donc, à ne pas commander un plat du jour à 4,99 $ si vous avez 5 $ en poche. En outre, plusieurs catégories de biens et de services classés "de luxe", comme la location d'un véhicule ou le nettoyage à sec, supportent une taxe municipale supplémentaire de 5%, ce qui porte le taux de taxation à 13,875%. Les achats de vêtements et de chaussures inférieurs à 110 $ sont exemptés de taxe ; au-dessus de ce montant, l'État de New York applique une taxe sur les ventes de 4, 5%. Les chambres d'hôtel de New York sont aussi soumises à 14,75% de taxes auxquelles s'ajoute une taxe de séjour ("occupancy") fixe de 3,5 $ par nuit. Les États-Unis n'ayant pas de TVA nationale, les visiteurs étrangers n'ont pas la possibilité d'acheter "en détaxe".

## Téléphone

Les numéros de téléphone des États-Unis commencent par un indicatif régional à 3 chiffres suivi par un numéro à 7 chiffres. Si vous passez un appel longue distance, il faut composer le ☎1 + l'indicatif régional + le numéro à 7 chiffres. Pour appeler de New York vers l'étranger, composez le 011, puis l'indicatif du pays, l'indicatif régional, et enfin le numéro. Le ☎011 n'est pas nécessaire pour appeler au Canada.

### Indicatifs de New York

Quel que soit l'endroit d'où vous appelez, même si c'est de l'autre côté de la rue, vous devez *toujours* composer d'abord ☎1 + l'indicatif régional.

### Services téléphoniques

**Annuaire local** ☎411

**Bureaux municipaux et renseignements** ☎311

**Annuaire national** ☎1-212-555-1212

**Opérateur** ☎0

**Renseignements gratuits** ☎800-555-1212

## Urgences

**Centre anti-poison** (☎ 800-222-1222)

**Police, pompiers, urgence médicale** (☎ 911)

# Langue

En raison de leur histoire – colonisations et vagues d'immigration successives – et de la diversité de leur population, les Américains pratiquent, pour la plupart d'entre eux, plusieurs langues. L'anglais est parlé dans tout le pays, mais n'a pas été désigné comme langue officielle des États-Unis. Du fait de l'importance de la population hispanique, l'espagnol est la deuxième langue la plus parlée dans le pays.

## EXPRESSIONS COURANTES

**Bonjour/salut.**
Hello/Hi. hè·lo/haï

**Au revoir.**
Goodbye. goud·baï

**Excuse(z)-moi.**
Excuse me. ek·skyouz mi

**Désolé(e).**
Sorry. so·ri

**S'il vous (te) plaît.**
Please. pliiz

**Merci.**
Thank you. Sank you

**Oui./Non.**
Yes./No. yès/neo

**Parlez-vous français ?**
Do you speak French? dou you spik frènn·ch

**Je ne comprends pas.**
I don't understand. aï dont eunn·deur·stand

**Comment allez-vous/vas-tu ?**
How are you? hao âr you

**Bien. Et vous/toi ?**
Fine. And you? faïnn annd you

## AU RESTAURANT

**Je suis végétarien(ne).**
I'm a vegetarian. aïm eu vèdjè·teu·rieunn

**Santé !**
Cheers! tchiirz

**C'était délicieux !**
That was delicious! zat woz dè·li·chieus

**L'addition s'il vous plaît.**
The bill, please. zeu bil pliiz

**Je voudrais ..., s'il vous plaît.**
I'd like . . ., please. aïd laïk . . . pliiz

| | | |
|---|---|---|
| **une table pour (deux)** | a table for (two) | eu téï·beul for (tou) |
| **ce plat** | that dish | zat dich |
| **la carte des vins** | the wine list | zeu waïnn list |

## SHOPPING

**Je cherche...**
I'm looking for . . . aïm lou·kiinng for . . .

**Combien est-ce que ça coûte ?**
How much is it? hao meutch is it

**C'est trop cher.**
That's too expensive. zats tou èx·pènn·siv

**Pouvez-vous baisser le prix ?**
Can you lower the price? kann you lao·wèr zeu praïs

## URGENCES

**Au secours !**
Help! hèlp

**Appelez un médecin !**
Call a doctor! kool eu dok·teur

**Appelez la police !**
Call the police! kool zeu po·liis

**Je suis perdu(e).**
I'm lost. aïm lost

**Je suis malade.**
I'm sick. aïm sik

**Où sont les toilettes ?**
Where's the bathroom? wèrz zeu bass·roum

## HEURE ET CHIFFRES

**Quelle heure est-il ?**
What time is it? wat taïm iz it

**Il est (1/13) heure(s).**
It's (one am/pm) o'clock. its (wann èï·èm/pi·èm) ok·lok

| | | |
|---|---|---|
| **matin** | morning | mor·ninng |
| **après-midi** | afternoon | af·teu·noun |
| **soir** | evening | iv·ninng |
| **hier** | yesterday | yès·teu·dèï |
| **aujourd'hui** | today | tou·dèï |
| **demain** | tomorrow | tou·mo·ro |
| **1** | one | wann |
| **2** | two | tou |
| **3** | three | srii |
| **4** | four | foor |
| **5** | five | faïv |
| **6** | six | six |
| **7** | seven | sè·veunn |
| **8** | eight | eït |
| **9** | nine | naïnn |
| **10** | ten | tèn |

## TRANSPORTS ET ORIENTATION

**Où est ...?**

Where's ...? — wèrz ...

**Quelle est l'adresse ?**

What's the address? — wats zi a·drès

**Pouvez-vous me montrer (sur la carte) ?**

Can you show me (on the map)? — kann you choo mi (onn zeu map)

**Un billet pour ..., s'il vous plaît.**

One ticket for ... please. — wann ti·kèt too ... pliiz

**À quelle heure part le bus/le train ?**

What time does the bus/train leave? — wat taïmz daz zeu beus/tréïn liiv

**Je voudrais un taxi.**

I'd like a taxi. — aïd laïk eu tak·si

**Ce taxi est-il libre ?**

Is this taxi free? — iz zis tak·si frii

**Arrêtez-vous ici, s'il vous plaît.**

Please stop here. — pliiz stop hiir

## HÉBERGEMENT

**Où puis-je trouver un hôtel ?**

Where can I find a hotel? — wèr kann aï faïnd eu ho·tèl

**Je voudrais réserver une chambre.**

I'd like to book a room. — aïd laïk tou bouk eu roum

**J'ai une réservation.**

I have a reservation. — aï hav eu rè·zèr·véï·cheunn



### Pour aller plus loin

Indispensable pour mieux communiquer sur place : le *Guide de conversation Anglais*, de Lonely Planet. Pour réserver une chambre, lire un menu ou simplement faire connaissance, ce manuel permet d'acquérir les rudiments de l'anglais. Inclus : un minidictionnaire bilingue.

# En coulisses

## Un mot de l'auteur-coordinateur

### Regis St Louis

Mille mercis à Cristian pour sa formidable contribution à ce guide et à tous les amis et collègues qui ont partagé conseils et anecdotes sur leurs endroits préférés de New York.

## Crédits photographiques

Illustrations p. 224 de Javier Zarracina.
Photographie de couverture :
1re de couverture : Gratte-ciel de New York, Tony Shi Photography/Getty
4e de couverture : Grand Central Terminal, dbimages/Alamy

## À propos de ce guide

Cette 2e édition française du guide *L'Essentiel de New York* est une traduction-adaptation de la 3e édition de *Discover New York City* (en anglais) commandée par le bureau de Lonely Planet de Oakland. Cet ouvrage a été écrit par Regis St Louis et Cristian Bonetto. La précédente édition avait été écrite par Michael Grosberg, Cristian Bonetto, Carolina Miranda et Brandon Presser.

**Traduction** Pierre-Yves Raoult
**Direction éditoriale** Didier Férat
**Adaptation française** Sophie Senart
**Responsable prépresse** Jean-Noël Doan
**Maquette** Caroline Donadieu
**Cartographie** Nicolas Chauveau
**Couverture** Annabelle Henry
**Merci à** Jacqueline Menanteau pour sa relecture attentive et à Julie Pomme Séramour pour sa préparation du texte. Un grand merci à Dominique Spaety pour son soutien et à toute l'équipe du bureau de Paris. Enfin, merci à Clare Mercer, Tracey Kislingbury et Mark Walsh du bureau de Londres, ainsi qu'à Darren O'Connell, Chris Love, Craig Kilburn et Carol Jackson du bureau australien.

### VOS RÉACTIONS ?

Vos commentaires nous sont très précieux et nous permettent d'améliorer constamment nos guides. Notre équipe lit toutes vos lettres avec la plus grande attention. Nous ne pouvons pas répondre individuellement à tous ceux qui nous écrivent, mais vos commentaires sont transmis aux auteurs concernés. Tous les lecteurs qui prennent la peine de nous communiquer des informations sont remerciés dans l'édition suivante, et ceux qui nous fournissent les renseignements les plus utiles se voient offrir un guide.

Pour nous faire part de vos réactions, prendre connaissance de notre catalogue et vous abonner à notre newsletter, consultez notre site Internet : **www.lonelyplanet.fr**

Nous reprenons parfois des extraits de notre courrier pour les publier dans nos produits, guides ou sites web. Si vous ne souhaitez pas que vos commentaires soient repris ou que votre nom apparaisse, merci de nous le préciser. Notre politique en matière de confidentialité est disponible sur notre site Internet.

# Index

Voir aussi les index :
Se restaurer p. 296
Prendre un verre et faire la fête p. 298
Sortir p. 299
Shopping p. 299
Sports et activités p. 300



**Référence des sites**
**Référence des plans**

**Référence des sites**
**Référence des plans**

## M



## N



## O



## P



## Q



## R

**Référence des sites**
**Référence des plans**



# Se restaurer

## Prendre un verre et faire la fête



**Référence des sites**
**Référence des plans**

## Sortir



## Shopping

## Sports et activités

NOTES

NOTES

# Comment utiliser ce guide

**Ces symboles vous aideront à identifier les différentes rubriques :**

- À voir
- Plages
- Activités
- Cours
- Circuits organisés
- Fêtes et festivals
- Où se loger
- Où se restaurer
- Où prendre un verre
- Où sortir
- Achats
- Renseignements/transports

**Ces symboles vous donneront des informations essentielles au sein de chaque rubrique :**

- Numéro de téléphone
- Horaires d'ouverture
- Parking
- Non-fumeurs
- Climatisation
- Accès Internet
- Wi-Fi
- Piscine
- Végétarien
- Menu en anglais
- Familles bienvenues
- Animaux acceptés
- Bus
- Ferry
- Métro
- Subway
- Tube (Londres)
- Tramway
- Train

**La sélection apparaît dans l'ordre de préférence de l'auteur.**

**Les pictos pour se repérer :**

GRATUIT Des sites libre d'accès

Les adresses écoresponsables

*Nos auteurs ont sélectionné ces adresses pour leur engagement dans le développement durable – par leur soutien envers des communautés ou des producteurs locaux, leur fonctionnement écologique ou leur investissement dans des projets de protection de l'environnement.*

## Légende des plans

**À voir**
- Plage
- Temple bouddhiste
- Château
- Église/cathédrale
- Temple hindou
- Mosquée
- Synagogue
- Monument
- Musée/galerie
- Ruines
- Vignoble
- Zoo
- À voir

**Où se restaurer**
- Restauration

**Où prendre un verre et faire la fête**
- Bar
- Café

**Où sortir**
- Spectacle

**Achats**
- Magasin

**Où se loger**
- Hébergement
- Camping

**Activités**
- Plongée/snorkeling
- Canoë/kayak
- Ski
- Surf
- Piscine/baignade
- Randonnée
- Planche à voile
- Autres activités

**Renseignements**
- Poste
- Point d'information

**Transports**
- Aéroport/aérodrome
- Poste frontière
- Bus
- Téléphérique/funiculaire
- Piste cyclable
- Ferry
- Métro
- Monorail
- Parking
- S-Bahn
- Taxi
- Train/rail
- Tramway
- Tube
- U-Bahn
- Autre moyen de transport

**Routes**
- Autoroute à péage
- Autoroute
- Nationale
- Départementale
- Cantonale
- Chemin
- Route non goudronnée
- Rue piétonne
- Escalier
- Tunnel
- Passerelle
- Promenade à pied
- Promenade à pied (variante)
- Sentier

**Limites et frontières**
- Pays
- Province/État
- Contestée
- Région/banlieue
- Parc maritime
- Falaise/escarpement
- Rempart

**Géographie**
- Refuge/gîte
- Phare
- Point de vue
- Montagne/volcan
- Oasis
- Parc
- Col
- Aire de pique-nique
- Cascade

**Hydrographie**
- Rivière
- Rivière intermittente
- Marais/mangrove
- Récif
- Canal
- Eau
- Lac asséché/salé/intermittent
- Glacier

**Topographie**
- Plage/désert
- Cimetière (chrétien)
- Cimetière (autre religion)
- Parc/forêt
- Terrain de sport
- Site (édifice)
- Site incontournable (édifice)

## Les guides Lonely Planet

Une vieille voiture déglinguée, quelques dollars en poche et le goût de l'aventure, c'est tout ce dont Tony et Maureen Wheeler eurent besoin pour réaliser, en 1972, le voyage d'une vie : rallier l'Australie par voie terrestre via l'Europe et l'Asie. De retour après un périple harassant de plusieurs mois, et forts de cette expérience formatrice, ils rédigèrent sur un coin de table leur premier guide, *Across Asia on the Cheap*, qui se vendit à 1 500 exemplaires en l'espace d'une semaine. Ainsi naquit Lonely Planet, dont les guides sont aujourd'hui traduits en 12 langues.

# Nos auteurs

### REGIS ST LOUIS

**Auteur coordinateur ; East Village et Lower East Side, Greenwich Village, Chelsea et Meatpacking District, Upper East Side, Upper West Side et Central Park, Brooklyn** Regis a grandi dans une ville nonchalante de l'Indiana traversée par une rivière, qui a nourri ses rêves de villes mystérieuses et d'appartements hors de prix. En 2001, il a trouvé les deux (et bien plus encore) en s'installant à New York. Il a rédigé une bonne quarantaine de guides Lonely Planet, couvrant des destinations allant de l'Espagne à la Papouasie-Nouvelle-Guinée. Ses articles ont paru dans le *Chicago Tribune* et le *San Francisco Chronicle* notamment. Quand il n'est pas sur les routes, Regis habite dans le quartier de Boerum Hill, à Brooklyn.

Retrouvez Regis sur le site Lonely Planet :
lonelyplanet.com/members/regisstlouis

### CRISTIAN BONETTO

**Lower Manhattan et Financial District, Soho et Chinatown, Union Square, Flatiron et Gramercy, Midtown, Upper Manhattan et *boroughs* extérieurs**

Ce globe-trotter a joué à la fois le rôle de touriste et d'habitant à New York, un endroit qui l'obsède depuis sa tendre enfance et l'époque de *1, rue Sésame*. Du cœur de Midtown à la lisière reculée du Queens, cet ancien auteur pour la télévision et le théâtre a exploré d'innombrables recoins de la ville. Les fruits de ses pérégrinations ont été publiés dans plusieurs quotidiens, magazines et publications en ligne du monde entier. Suivez-le sur twitter.com/cristianbonetto.


**L'essentiel de New York**

2e édition
Traduit et adapté de l'ouvrage *Discover New York City, 3rd Edition, October 2014*





Dépôt légal Janvier 2015
ISBN 978-2-81614-794-0

Imprimé par IME by ESTIMPRIM, Baume-les-Dames, France
Réimpression 03, avril 2016

En Voyage Éditions | un département